Eike Hennig

Zum Historikerstreit

»Wenn einer ganz tief unten ist, einer Ewigkeit von Qual, die ihm andere Menschen bereiten, ausgesetzt, so hegt er wie ein erlösendes Wunschbild den Gedanken, daß einer komme, der im Licht steht und ihm Wahrheit und Gerechtigkeit widerfahren läßt ... Solches Dunkel aufzuhellen ist die Ehre der Geschichtsforschung. Selten haben die Historiker diese so entschieden vergessen wie in dem Bemühen der Gegenwart, den ehemals herrschenden Klassen und ihren Henkersknechten historisches ›Verständnis‹ widerfahren zu lassen.«

(Max Horkheimer, Notizen 1950 bis 1969 und Dämmerung. Notizen in Deutschland, Frankfurt 1974, S. 353 f.)

Eike Hennig, geb. 1943, ist Politikwissenschaftler und Soziologe. Ab 1971 wissenschaftlicher Mitarbeiter von Iring Fetscher und Professor für Massenkommunikationsforschung an der Universität Frankfurt, seit 1981 Professor für Theorie und Methodologie der Politikwissenschaft an der Gesamthochschule Kassel.
Veröffentlichungen u. a.: »Bürgerliche Gesellschaft und Faschismus in Deutschland« (1977, 1982), »Neonazistische Militanz und Rechtsextremismus unter Jugendlichen« (1982), »Hessen unterm Hakenkreuz« (1983).

Eike Hennig

Zum Historikerstreit

Was heißt und zu welchem Ende studiert man Faschismus?

athenäum

Für M. und J.

In Erinnerung an H. M. (30. 8. 1904–20. 3. 1945), der von 1935 bis 1937 wegen »Vorbereitung zum Hochverrat« inhaftiert, dann aber doch für den »Abwehrkampf« in »Gotenhafen« geeignet war.

CIP-Titelaufnahme der Deutschen Bibliothek

Hennig, Eike:
Zum Historikerstreit: Was heißt und zu welchem Ende studiert man Faschismus? / Eike Hennig. – Frankfurt am Main: Athenäum, 1988.
ISBN 3-610-08490-1
NE: Hennig, Eike:

Satz: Computersatz Bonn GmbH, Bonn
Druck und Bindung: Clausen & Bosse, Leck
Printed in West Germany
ISBN 3-610-08490-1

Inhaltsverzeichnis

Vorbemerkung: Erste Hinweise zur politischen Geschichte der Normalität

»Unser« Thema hat so viele gewichtige Aspekte, daß jede Betrachtung nur ein Streifzug unter vielen sein kann: Keine Analyse erhellt mehr als Teilbereiche; jede bedürfte weiterer Vertiefungen, machte diverse Primärstudien (insbesondere zur Verbindung von Geschichtsbildern und politischer Kultur) notwendig.

Mit dieser Einschränkung sind die folgenden Bemerkungen als ein von analytischen Hinweisen nicht freier, aber nicht durchdrungener politisch-wissenschaftlicher Diskussionsbeitrag zu lesen. Zu »unserem« Thema kann »man« sich den Luxus mußevoll zu »Ende« getriebener Forschungen nicht leisten, wenn eine republikanisch-demokratische Öffentlichkeit einen tagespolitischen Nutzen gewinnen soll. Die Eule der Minerva, von Hegel als Dämmerungsvogel und Symbol nachhinkender Wissenschaft gezeichnet, muß diesmal bereits am Nachmittag fliegen, um ihren Beitrag an Aufklärung noch leisten zu können. Die Diskussion muß politisch geführt werden, weil sie selbst ein Politikum ist (Haug 1987).

Das Politikum besteht darin, daß im Kontext der angebotsorientierten Finanzpolitik und der außen-/weltpolitischen Anbindung an die USA und an Frankreich »nationale Identität« und »Patriotismus« als Legitimation neokonservativer Innen- wie Außenpolitik »gewählt« werden. »Mut zur Heimat/ Mut zur Geschichte/Mut zur Nation« – im Februar 1981 ist dies der Titel der damals noch rechtsextremistischen Monatsschrift »Mut« – sind konservative Allgemeinplätze geworden (»Mut« hat sich mittlerweile vom Rechtsextremismus zum christlich-abendländischen »Radikalkonservativismus« gewandelt).

Der ehedem kritisch zur Entdämonisierung des deutschen Faschismus herangezogene Begriff der »Normalität des Bösen« (J. Fest) bzw. der »Banalität des Bösen« (H. Arendt) und die ehedem kritisch der Abtrennung des Faschismus aus dem Kontinuum bürgerlicher Ökonomie und Gesellschaft in Deutschland gegenübergestellte Verallgemeinerung etwa einer »Dialektik der Aufklärung« oder der »instrumentellen Vernunft« werden aufgegeben. Kurze Hinweise mögen schon einleitend die Tragweite dieser politisch-wissenschaftlichen Wandlungen andeuten:

(1.) 1964 bemerkt Joachim Fest an entlegener Stelle, im Informationsdienst des »Clubs Republikanischer Publizisten«, das »radikal Böse« in Form der »totalitären Pervertierung aller Maßstäbe« sei »die gläubige, auf ihre ideologischen Konstruktionen und Treuevorstellungen eingeschworene Normalität«. Dieser an Hannah Arendts Behandlung des Eichmann-Prozesses (1961) geschulte Blick macht eine traumatische und weichenstellende Entdeckung:

»In Chelmno, Treblinka oder Auschwitz zergingen ebenso die letzten Reste eines optimistischen, vom Pathos seines selbst ergriffenen Menschenbildes wie die Urteilskategorien und Bezugssysteme einer ›kausal‹ argumentierenden Psychologie.« (Fest 1964, 12)

Es beginnt ein langer (1986 abgeschlossener) Prozeß der affirmativen Wendung und konservativen Einbürgerung des Normalitätsbegriffs. Nunmehr muß dieser hobbesianisch kaltgestellt werden. 1973 durchschaut Fest in der Hitler-Biographie den »Riesenschatten, den die Vernichtungslager warfen«, und entdeckt dahinter die »allgemeinen Bedürfnisse der Menschen«, entdeckt, daß »Menschen«, nicht »Ungeheuer«, »die Gefolgschaft Hitlers« gebildet haben.

Allgemeine Bedürfnisse wie Zukunftsangst und Atavismus lassen in den Jugendunruhen der endsechziger Jahre »Beschreibungen präfaschistischer Zustände« aufscheinen (ein bis heute konservativerseits z. B. gegen die »Grünen« verwendetes Bild). Das Normale ist nicht mehr Anlaß, über Sozialisationsprozesse und Moralentwicklung im Alltag der bürgerlichen Gesellschaft kritisch nachzudenken, sondern es wird ontologisiert und muß im Sinne von Hobbes und Carl Schmitt eingegrenzt werden, wenn man seine schädlichen Einflüsse eindämmen will. Konservative Eliten sind aufgerufen. Fest kann nicht mehr auf Aufklärung hoffen.

Folgerichtig verwirft er 1986 die »Singularität von Auschwitz«, die »Singularität der NS-Verbrechen« und die These der »Unvergleichbarkeit der NS-Verbrechen«. Seit 1973 hegt er Zweifel an der These der »vorbildlosen Besonderheit der NS-Verbrechen«, glaubt er doch (ansatzweise bereits 1964), deren menschlich-allgemeinen Hintergrund zu ahnen. Fest wirft Habermas vor, in »fossilen Kategorien« zu denken (was dieser 1986 im übrigen gar nicht mehr tut!).

Zentral ist 1986 Fests Unterscheidung von Pessimisten und Optimisten, für die einen »bleibt der Mensch immer der alte, mit dem Bösen als Teil der ›condition humaine‹«, für die anderen ist Hitler ein »Fehltritt im Geschichtsprozeß«, der Weg zum Guten, zum »neuen Menschen«, ist noch gangbar. Fest legt sich nicht fest, aber seine Ahnungen bevorzugen die »pessimistische Sicht« der Dinge:
»die in der Geschichte nicht viel anderes wahrzunehmen vermag als den mörderischen Prozeß, der immer war, beherrscht von Haß, Angst und Ausrottung, sinnlos und ohne Ziel, aber aufgrund der technischen Mittel der Gegenwart mit einer nie gekannten Leidenschaftslosigkeit und zugleich unendlich viel opferreicher ablaufend als je in der Vergangenheit. Unter diesem Blick schrumpft Auschwitz dann in der Tat auf den Rang einer ›technischen Innovation‹.« (Historikerstreit 1987, 111)

(2.) Auch die von Jürgen Habermas vertretenen Positionen und Begriffe sind Produkt politisch bedingter Wandlungen, Wandlungen, die vom »Reformklima« der 70er Jahre zum »Problemklima« führen (W. Glatzer/W. Zapf) und offensichtlich den Atem der »kritischen Theorie« abschnüren. War es der Sinn der Faschismusanalysen, vor allem aber derjenige der geschichtsphilosophischen Überlegungen der »Frankfurter Schule«, die »Singularität« des Faschismus kritisch aufzulösen (was im übrigen *der* Generalnenner *aller* materialistischen Faschismusforschung ist), so insistiert Habermas 1986 auf eben dieser Besonderheit. Der Schaden soll nicht abgewickelt werden, sondern als Menetekel Licht auf die Geburtsstunde des Grundgesetzes werfen: »Verfassungspatriotismus« contra »deutsch-national eingefärbte Natophilosophie« (oder – hämisch – SPD contra CSU/CDU). »Universalistische Verfassungsprinzipien« werden nicht mehr erkämpft und verteidigt, im Konflikt, im »Kampf um Verfassungspositionen« (J. Seifert) etwa um die Konzeption des sozialen Rechtsstaates (H. Heller, W. Abendroth), lebendig gehalten, sondern über den Mythos des (vom Generationenwandel ausgehöhlten) staatlich verordneten und gefeierten Nie-wieder-Nationalsozialismus, über die »Erinnerung an das, was Menschen erleiden mußten« (R. v. Weizsäcker), beschworen. Position und Haltung der »Dialektik der Aufklärung« und der »negativen Dialektik« werden aufgegeben (wortlos!) und durch Dolf Sternberger ersetzt. (Dem irreversibel erscheinenden Zerstörungsprozeß der Vernunft hat schon Max Horkheimer Tribut gezollt . . .)

Diese politisch-wissenschaftliche Dimension macht den sogenannten Historikerstreit zu einem Schlaglicht, das die Entwicklung (nach 1968) der bundesrepublikanischen »Linken« und des (Neo)Konservativismus verdeutlicht. Hierauf soll – mehr in Form von Notizen und Anmerkungen – hingewiesen werden; die aufgelockerte Form ergibt sich schon daraus, daß die Diskussion und Kontroverse andauert und den Autor selbst betrifft. (Während der Produktion an den einzelnen Seiten dieser Skizze sind allein acht Bücher zum Thema erschienen!)[1]

---

1 Zitate und pauschale Verweise werden im Text durch Angabe des Autors, des Erscheinungsjahres und der Seitenzahl (z. B. Bracher 1955, 731) belegt. Das Literaturverzeichnis entschlüsselt die Kürzel und listet die zitierten Arbeiten auf (ohne einen bibliographischen Anspruch erheben zu wollen). Eng aufeinander folgende und klar als entsprechend identisch erkennbare Verweise auf dieselbe literarische Quelle werden allein durch Angabe der Seitenzahl gekennzeichnet. Um den Text zu entlasten und den Lesefluß zu erleichtern, werden Kurzzitate und Schlüsselworte vielfach nur durch den Autorennamen nachgewiesen. Entsprechende Arbeiten sind jedoch ebenfalls in das Literaturverzeichnis aufgenommen worden, wenn sie für unser Thema von direkter Bedeutung sind. Ebenfalls der Lesbarkeit halber werden längere oder ergänzende Literaturverweise in Form von Fußnoten mitgeteilt. – In drei Fällen werden schließlich dem Text Randnoten nachgestellt. Solche Notizen betreffen den Umgangston im »Historikerstreit«, die In-

Jörg Kammler, Manfred Kieserling, Wolfgang Prinz sowie dem Diskussionsforum der Arbeitsgruppe »Hessen im Nationalsozialismus« an der Gesamthochschule Kassel danke ich für Kritik und viele Anregungen. Besonders die sehr kontrovers geführten Diskussionen über den wissenschaftlichen und politischen Nutzen von Faschismusanalyse und regional- bzw. lokalhistorischer Nationalsozialismusforschung haben mich bewogen, die Ambivalenz der »Historisierung« des Nationalsozialismus zu überdenken: Der trivialen Seite der Historisierungsforderung zur sachbezogenen Analyse gemäß historisch-sozialwissenschaftlicher (d. h. quantifizierender und hermeneutischer) Standards und »zur kritischen Überprüfung mancher gängiger kategorialer Begriffe«, d. h. zur »neuen Sachlichkeit« und »Ent-Monumentalisierung«, wird entsprochen, um den politisch-moralischen Implikaten derselben Historisierungsforderung entgegenzutreten.[2]

---

tegrationsleistung der Unionsparteien und die politische Bedeutung der Kritik des Faschismusbegriffs.

2 Zur Doppelbedeutung der Historisierung vgl. Broszat 1986, 116 f., 138, 166 f. und demgegenüber 119 f., 139, 170, 172 f., 321 f.; Hennig 1987, 166 f.; Friedländer 1987 u. 1987 a.

Der Bezug zum »Historikerstreit«

»Political science without history has no root, history without political science bears no fruit.«

(Aphorismus, mitgeteilt von Dirk Berg-Schlosser und Jacob Schissler)

Sicher: diese Seiten verdanken sich dem der neokonservativen Historikercrème aufgezwungenen öffentlichen Disput, dem »Historikerstreit« von 1986 und 1987. Indem auf ältere Gedanken zurückgegriffen werden kann, läßt sich aber zeigen, daß diese Stellungnahme keineswegs nur diesem aktuellen Anlaß verhaftet ist.

Über die tagespolitisch-eiligen Formulierungen so mancher Beiträge und Argumente zum »Historikerstreit« hinaus sollen seine grundlegenden Fragen – d. h. die nach dem Ort des Nationalsozialismus in der (deutschen) Geschichte (mit der Unterfrage nach der Bestimmung des Antisemitismus) und die nach der Gegenwartsbedeutung von historischen Deutungsmustern bzw. Geschichtsbildern – in der möglichst breiten öffentlichen Diskussion gehalten werden. Der »Historikerstreit« ist Anlaß genug, »die« Geschichte nicht »den« Historikern zu überlassen und deren Darstellung an bürgerliche überregionale Tages- und Wochenzeitungen zu delegieren. Die für sich kritikwürdige Interpretation der Frühphase bundesrepublikanischer Deutung des Nationalsozialismus und des antidemokratischen Denkens durch Hermann Lübbe (1983) zeigt, daß die Verdrängungen dieser Frühphase gegenüber der aktuellen Normalisierungsoffensive »positiv« (weil zurückhaltender) gewesen sind. (Schneider 1987)

Es gibt Kontinuität. »Schließlich sind wir alle erfahrene Russenkämpfer«, überliefert John Herz (1947, 549) die Aussage eines Deutschen aus dem Jahre 1947. Aber in den 80er Jahren geht es um die radikale Differenz zögerlicher Alt-PG's und um das eher schamlose Selbstbewußtsein von Angehörigen der HJ-Generation: Letztere glauben an ihre unbefleckte Empfängnis, sind von der »Gnade der späten Geburt« überzeugt, erstere wußten um die Irritation ihrer Mitgliedsnummer und ihrer Kommentare.

War Verdrängung die »alte«, so sind »Normalisierung«, »Historisierung« und »Öffnung« die »neue« Ideologie. Gemeinsam ist beiden Interpretationen die Stillegung einer historischen Irritation, die auf permanente strukturpolitische, politisch-demokratische und politisch-psychologische Konsequenzen drängt. Zumal »man« der Ansicht ist, bei der Verfassungsgesetzgebung 1949 seien die verfassungspolitischen Konsequenzen aus den Jahren 1930 bis 1933 längst schon gezogen worden (»Bonn ist nicht Weimar«).

Der »alten« Symbolpolitik und Postulatpädagogik widerspricht die »neue« öffentliche und offensive Enttabuisierung. Angesichts einer Wiederaufrüstung ideologischer Positionen (sei es die »asiatische Frage«, »zweierlei Untergang«, das »Zeitalter der Tyrannei«, »nationale Identität«, »Mitteleuropa« oder auch der »Verfassungspatriotismus«) stellt der »Historikerstreit« die Frage nach dem politischen Nutzen analytischer Wissenschaft. Kurt Sontheimer unterstreicht die Notwendigkeit sozialwissenschaftlicher Ideologiekritik (was durch Kaltenbrunners Hinweis im »Rheinischen Merkur« vom 12. 12. 1986 auf den Abstieg von Politologen wie Arndt und Willms in den Sinndeutungssumpf nur bestätigt wird). »Die Politologen und Soziologen sind von neuem gefordert, zur aufgeklärten Bewußtseinsbildung ihren Beitrag zu leisten. Eine historisch informierte liberale Sozialwissenschaft, die nicht mehr unter die Herrschaft des Verdachts gestellt wird, ist ein notwendiges Gegengewicht gegen die augenblickliche politische Heimsuchung und den Marsch der historischen Sinnstifter durch das politische Bewußtsein der Bundesrepublik.« (Historikerstreit 1987, 280)

Die notwendige Aufklärung über das Deutungsmuster der »Normalisierung« kann nur mittels einer modernen Wissenschaft über die Geschichte, also mittels historischer Sozialwissenschaften gefunden werden. Das ist Überzeugung des Autors. Politische Soziologie und politische Kulturforschung müssen die Kompetenz zurückgewinnen (Herz 1987, 568 f.), Aussagen vorzutragen und Aussageformen zu finden, die den Ansprüchen der Aufklärung über Fakten *und* den lebensgeschichtlichen Bedürfnissen des Publikums nach »kontingenten Herkunftsidentitäten« gleichermaßen Rechnung tragen (kritisch: Negt 1987; affirmativ: Thüne 1987; essayistisch: Beck 1986). Es ist unverständlich, warum die wenigen diesbezüglichen Produktivkräfte seitens strukturanalytischer Sozialgeschichtler in der Kritik der Geschichten aus den »Graswurzeln« (Frei 1988) zersplittert werden.

»Erinnerungen« an die »deutsche Katastrophe« (Meinecke 1946) liefern den Stoff, aus dem die »Normalisierung« geschneidert wird. Soziologische Vorarbeiten aus der Zeit vor 1933 (Herz 1987, 561 ff.), die für die moderne Soziologie seit 1945 allerdings kaum mehr von Bedeutung sind (S. 562 ff., 566 ff.), politikwissenschaftliche Pionierarbeiten über das »antidemokratische Denken« und die »Auflösung der Weimarer Demokratie« und moderne (insbesondere angelsächsische) Forschungen zur komparativen politischen Soziologie faschistischer Bewegungen und autoritärer politischer Regime sind diejenigen »Vorbilder«, an deren Ergebnisse erinnert werden muß, deren hermeneutische *und* quantifizierende Verfahrensweise weiter entwickelt werden sollte. In der Verstrickung des »Historikerstreits« tendieren selbst Kritiker neokonservativ und postmodern angestifteter »Unübersichtlichkeit« dazu, diese »Vorbilder« zu vergessen. Ernst Fraenkel, Franz Neumann usw. droht nach 1933 und 1949 eine dritte Niederlage; vormals linke Assistenten vergessen ihre Institutsdirektoren und den Promotor der Habilitation sowieso.

»Geschichte als politische Wissenschaft« ist sich solcher Vorarbeiten bewußt und bezieht sie in ihr Arbeitsgebiet ein.»Dazu gehört ... die intensive Mitarbeit an der Aufklärung verschwommener kollektiver Erinnerungen der Gegenwart, an der Abwehr irrationaler Legenden und an der Richtigstellung manipulierter Geschichtsbilder, um einige vielbetonte Gegenwartsfunktionen moderner Geschichtswissenschaft zu nennen« (Bergmann 1979, 15).

»Politische Wissenschaft und Zeitgeschichte« lautet – mit Weitsicht und Bedacht, wie heute festgestellt werden kann – die Widmung früher politikwissenschaftlicher Gründungslehrstühle. Historische Sozialwissenschaften sind gefordert (was methodisch betriebene Beiträge der Wissenschaft von der Geschichte ausdrücklich einschließt), Aufklärung zu betreiben.[3]

Eine durchaus auch im Streit der Fakultäten ausgesprochene sozialwissenschaftliche »Nostalgie« ist ein weiteres Motiv dieser Betrachtungen. Zwar ist sozialwissenschaftlich-reflektiertes »linking data« – d. h. eine methodisch kontrolliert hermeneutische, inhaltsanalytische *und* statistische Verfahrensschritte zusammenfassende Studie auf dem Stand der neuen Forschungsparadigmata »des Alltags«, »der Lebensgeschichte« und »des Regionalismus« – nicht in Sicht (Broszat 1986, 167), aber trotz der demzufolge gedämpften Erwartungshaltung soll der Nutzen sozialwissenschaftlicher Aufklärung beim Umgang mit universalgeschichtlichen Deutungen postuliert und (hoffentlich zumindest teilweise) demonstriert werden.

3 Notwendig sind auch antidogmatische Selbstreflektivität und disziplingeschichtliche Fallstudien. Vgl. Berghahn 1987; Faulenbach 1987; Jäger 1984; Jeismann 1986; Puhle 1987.

I

Gibt es eine dritte Schuld?

»Sinnlos wäre der Versuch, eine selbstgerechte Trennung von deutschen Schafen und Nazi-Böcken vorzunehmen.«

(Max Horkheimer 1943)

»Man zieht lieber eine schrittweise Revision der Urteile und Wertungen en famille vor, bei der man nicht das Risiko eingeht, kulturelle Bilanzen ziehen zu müssen, die man für ›vorzeitig‹ oder für ›gefährlich‹ hält.«

(Renzo De Felice 1975)

Notwendig ist die Beratung der demokratischen Öffentlichkeit(en) als Gegengewicht zu der von professoralen und seriösen Beratern, Förderungsvereinen, Multiplikatoren und Medien gut munitionierten Geschichtspolitik. Unnötig sind weitere Politikberatungen oder eine »policy research«, die – laut Lehrbuch – »policymakers« mit pragmatischen, handlungsorientierten Empfehlungen für Problemerleichterungen versieht.

Aufzuklären gilt es über die Verbindung der neokonservativen Konzepte »Versöhnungsgesellschaft« und »nationale Identität«, über das Reüssieren von »deutschem Patriotismus«. Dieser soll – paradoxerweise – zugleich »Weltoffenheit«, »menschheitspatriotische Ziele« und »Geborgenheit« einlösen (R. v. Weizsäcker 1987), praktisch aber wird er näher an Oggersheim liegen. »Der Hunger nach Ideologie und der permanente Aufstand gegen die Vernunft« sind eine Dauergefahr der Republik. Michael Stürmer hat diesbezüglich recht (auch Schulze 1987, 111 ff.). Sind es doch gerade konservative Intellektuelle und Politiker, die die Vernunft als zu blaß empfinden (»Schönwetterdemokratie«), demokratischer Öffentlichkeit mißtrauen, und den Zustand der Unmündigkeit durch die Magie z. B. des Patriotismus verlängern.

Die »aufgeklärten Konservativen« durchaus zuzugestehende Furcht vor der »totalitären Versuchung« (der aus dieser Perspektive aber nur die Massen unterliegen) führt hinein in eine Politik von Zauberlehrlingen. Die eigene Symbolpolitik nährt diejenige Irrationalität, die gleichzeitig im Zaum gehalten werden soll. Für den Rechtsextremismus und die Neue

Rechte eröffnen sich damit viele Möglichkeiten der immanenten Kritik des Konservatismus (selffullfilling prophecy).

Entscheidend ist die Frage (die z. B. F. J. Strauß bewegt), wie lange die Integrationskraft der Unionsparteien nach »rechts« hin demokratiefeste Barrieren gewährleistet. Wie sehr grenzt die konservativ-liberale »Mitte« im beständigen Spiel von Prophylaxe und Auslösung den Raum öffentlicher Rationalität ein? Wie sehr hängt sie an der Fiktion der Kontrollierbarkeit des Spiels mit tendenziell irrationalen etatistischen und nationalen Ritualen und Symbolen (eine Politik, die die konservative Unersetzlichkeit bei der Gewährleistung »innerer Sicherheit« garantieren und fortschreiben soll)?

Historische Beispiele verdeutlichen die Gefahrenmomente dieser unberechenbaren Politik mit ideologischen Legitimationen. Bevor die Konservativen heute (so Dregger 1982) aus dem Schatten Hitlers heraustreten wollen, um wieder »normal« zu werden, sind sie 1933 zunächst erst einmal in die Regierung Hitlers eingetreten. Die sog. »Regierung der nationalen Konzentration« (Hitler/Papen/Hugenberg) bestand aus 5 »bürgerlichen« und 3 nationalsozialistischen Kabinettsmitgliedern; Hüter der Verfassung und Oberbefehlshaber war ein autoritärer Generalfeldmarschall.

Auch die Geschichte der politischen Theorie verweist auf diese Gefahrenmomente. Begriffe und Distinktionen als Waffen des politischen Kampfes erkannt zu haben, lobt Carl Schmitt an Hobbes und weist gleichzeitig darauf hin, daß selbst dieser kluge Analytiker des Irrationalen, des Bösen und der bändigenden Autorität nicht in der Lage gewesen ist, sein Bild des Leviathan vor disfunktionalen Verselbständigungen zu schützen. Sein Dezisionismus der souveränen Handhabung der Ausnahme, Resultat der Lektüre von Rousseau und der Betrachtung der politischen Romantik, des Bolschewismus und Faschismus sowie des politischen Katholizismus, ebenso wie Schmitts »konkretes Ordnungsdenken« zeigen ebenfalls die extremistische Zentrifugalkraft autoritärer Maßnahmestaatlichkeit auf. Der Dezisionismus widersteht nicht nur dem Nationalsozialismus nicht, sondern ist 1932/33 der politische Rahmen für die politische Arbeitsteilung von Teilen der alten agrarischen, industriellen, militärischen, intellektuellen, politischen, juristischen und administrativen Eliten mit den politischen Emporkömmlingen aus der NSDAP-Oligarchie.

Konsequenterweise steht das »Problem des Machtverfalls in der Demokratie« 1955 am Anfang der wissenschaftlichen Auseinandersetzung (der Nachkriegszeit) mit dem Aufstieg des Nationalsozialismus in die Zentren politischer und sozialer Macht. Bracher geht es bei Betrachtung der »Auflösung der Weimarer Republik« um eine »Typologie der Machtverschiebung« von demokratischen Kompromissen, über den »Machtverfall« der Präsidialkabinette (1930–1933) zur NS-»Machtergreifung« am 30. 1. 1933. Diese Parabel entfaltet die politische Wissenschaft, um – so Bracher – ihre Wiederholung vermeiden zu helfen. Mahnend weist 1960 auch die wichtige Sammlung historischer Parteimonographien zum »Ende der Parteien 1933« auf die »Preisgabe des Weimarer Parteienstaates durch seine Träger« hin.

1962 wird in der ersten »Zwischenbilanz« über die Erforschung des Aufstiegs der NSDAP und die Konsolidierung der NS-Herrschaftsordnung aus politisch-zeitgeschichtlicher Sichtweise gefolgert, die »nationalsozialistische Machtergreifung« sei ein eindringliches Zeugnis, »wie sich auf dem Rükken und mit den Mitteln eines demokratischen Rechtsstaats auf scheinbar demokratischen Wegen ein durchaus gegensätzliches Herrschaftssystem durchzusetzen vermag«. Anders als Noltes Phänomenologie des »Faschismus in seiner Epoche« (1963) geht es den Autoren dieser Studie (Karl Dietrich Bracher, Wolfgang Sauer und Gerhard Schulz) um die empirisch gehaltvolle Bestimmung von »Grundelementen totaler Herrschaft« und damit auch um die Grundzüge einer nicht-wertrelativistischen Demokratie. »Die nationalsozialistische Machtergreifung« knüpft an Impulse der empirischen Emigrantenliteratur an (z. B. an Franz Leopold Neumanns »Behemoth«, 1942, und Ernst Fraenkels »Dual State«, 1941), lange bevor diese Standardwerke 1977 und 1974 in einer deutschen Übersetzung vorliegen.

1979 verdichtet Kurt Birrenbach (vormaliger Sonderbeauftragter von CDU-Regierungen z. B. in Israel, Vorsitzender des Verwaltungsrats und der Vermögensverwaltung von Thyssen) diese schon vorher (durch F. R. Allemann 1956 und F. K. Fromme 1960) zur Gewißheit, Bonn sei nicht Weimar, geronnene Intention anläßlich eines Kolloquiums der Thyssen-Stiftung (»Das Scheitern der Weimarer Republik«) in Form einer handlichen Warnung vor der »Erosion der Staatsgewalt« an sich: »Ohne Führung und Eigenantrieb kann eine Nation, die die Staatsautorität um der Vorteile des Wohlfahrtsstaates willen nicht anerkennt und nur ihr eigenes individuelles Interesse im Auge hat, nicht überleben.« Die Stilisierung Weimars zur »Demokratie im Schatten des Ernstfalls« (M. Stürmer) steht am Anfang einer sich immer weiter ausbreitenden Geschichtspolitik. Sehr aktuelle Aufgaben werden dabei aus der Geschichte (auch aus den Aufbaujahren nach 1945) abgeleitet und als historisch legitimierte Ziele dargeboten:

Es geht gegen den »reinen Wohlfahrtsstaat«, für Leistungs- und Opferbereitschaft, gegen Individualismus und ein Leben-über-die-Verhältnisse, gegen politische Entfremdung (besonders von Jugendlichen), vordringlich ist wertstiftende Konsensbildung. Keiner gesellschaftlichen Klasse ist der Faschismus zuzuschreiben. Laut Henry A. Turner ist die Partizipation der großen Industrie »indirekt und unbeabsichtigt«, eher schon sind die »politischen Wortführer der organisierten Arbeiterschaft« die bösen Buben, so wie auch Knut Borchardt die Zerstörung politischer Handlungsspielräume durch uneinsichtige Lohnforderungen der Gewerkschaften hervorhebt (gewissermaßen das monopollaboristische Gegenstück zur Stamokap-These). Dem »Großkapitalismus«, so lehrt Turner, ist die Verantwortung für das Dritte Reich nicht anzulasten. Unbelastet, ohne historische Bürde sollen auch weiterhin die schönen Firmenfeste gefeiert werden! (Dagegen Diner 1987, 198 ff.)

Der »gerade in der modernen Gesellschaft so hochnötige Vertrauenskitt«, den 1987 die unbestechliche Urteilskraft Hermann Lübbes entdeckt, muß gepflegt werden. Ganze Denkfabriken widmen sich auch der Aufgabe, den »Angriff der Vergangenheit« (von 1968) auf die Gegenwart abzuwehren (C. Leggewie). Sie pflegen den »strukturellen Konservativismus«; »von oben« wird die Geschichte des Deutschen Reichs und des abendländischen »Mitteleuropas« *im* Nationalsozialismus und »von unten« wird die der zahlreichen und mannigfaltigen »Resistenz« in deutschen Landen (besonders in Kleinstädten und in Bayern) geschrieben.

Vornehm und scheinbar weltfremd und herrschaftsfrei ausgedrückt geht es um die »Konservierung zukunftsfähiger Herkunftsbestände« (so philosophiert Hermann Lübbe 1987 vor dem Bergedorfer Gesprächskreis). Wenn Klaus Hildebrand 1986 anläßlich des Symposiums »Wem gehört die deutsche Geschichte?«, veranstaltet von der Hanns Martin Schleyer-Stiftung, für die »Offenheit geschichtlicher Lagen« eintritt, dann bedeutet dies die Abkehr von jener Blickrichtung, die nur oder bevorzugt auf »das eine, das böse Deutschland« schaut. »Söhne des Nichts« wären wir, wenn wir nicht der (ganzen) deutschen Geschichte gegenübertreten, warnt uns Michael Stürmer auf derselben Tagung.

In Form einer kritischen Betrachtung der Geschichtspolitik und des historischen Legitimationsaufgebots kann Stürmers bedenkenswerte Mahnung befolgt werden:

Die, die aus dem Schatten Hitlers heraustreten möchten, werden gerade in diesen Schatten hineingestellt. – Die, die historisieren wollen (so, als wäre Nationalsozialismus ein Thema wie nur irgendeines), werden mit der Geschichte der »Pauschaldistanzierungen«, »kompensatorischen Alibis«, »Monumentalisierung« und »Normalisierung« (z. B. durch Ausblendung des Antisemitismus) konfrontiert; und es ist dies eine Geschichte, die von »links« wie von »rechts« geschrieben worden ist.

Ziel ist nicht die »moralische Sensibilisierung der Historie überhaupt« (M. Broszat), sondern die Begründung einer analytischen, theoriegeleiteten, alle hermeneutischen und quantifizierenden Möglichkeiten einer retrospektiven Sozialforschung ausschöpfenden Faschismusforschung mit einer bewußten, transparenten, demokratisch-politischen Intention.

Die dritte Schuld

Angelehnt an Ralph Giordano (1987) ergibt sich die »Last, ein Deutscher zu sein«, neben der ersten Schuld, der Machteinsetzung und Machtkonsolidierung der NSDAP, aus einer zweiten Schuld. Es ist die »Dauerverdrängung« vor allem auch der politisch-moralischen und politisch-kulturellen Aspekte des Nationalsozialismus auf dem Weg zur und endlich auch an der Macht. Diese Dimension hat M. Foucault 1977 im Sinn, wenn er die »Nicht-Analyse des Faschismus« als eine »der wichtigsten politischen Tatsachen« der letzten 30 Jahre bezeichnet.

Giordano veranschaulicht (S. 83) die »Dauerverdrängung« an konkreten Fällen und zeigt, welche Interessen und Herrschaftspositionen sich hinter der von Hermann Lübbe (1983) gelobten »gewissen Stille« und »nicht-symmetrischen Diskretion« durchgesetzt haben. In der Tat ist nach 1945 die Beziehung z. B. zwischen Entnazifizierung, Zwangsdemokraten und der Charta der Heimatvertriebenen (1950) sowie dem nicht militärischen, christlichen oder konservativen Widerstand, besonders den Kommunisten (und was »man« so dafür hält), asymmetrisch. Noch 1983 ruft Weizsäckers vollständiger Opferkatalog faschistischer Barbarei von rechts Kritik hervor (was zeigt, wie wenig normal das Verhältnis allein zu simpelsten Fakten ist).

Der »Historikerstreit« wird als Zeichen einer »dritten Schuld« aufgefaßt. Es handelt sich um die öffentliche und seriöse Verdrängung und Uminterpretation bisheriger wissenschaftlicher Befunde – ein Prozeß, der retrospektiv bei einigen Beteiligten schon Mitte der 60er Jahre beginnt, der (im Falle Noltes) sich ab 1980 mehr und mehr verdichtet. Es sind Mitte der 80er Jahre nicht mehr private Biertischgespräche, sondern z. B. FAZ-Leitartikel und Beiträge, nicht mehr randständige Missionare der rechtsextremen Subkultur, sondern z. B. Professoren und anerkannte Stiftungen, die sich an der Interpretation beteiligen. Der »Historikerstreit« ist Zeichen dafür, daß sich »neue« Generationen und »neue« politische Verhältnisse »den« Nationalsozialismus und »die« Weimarer Republik »neu«, gemäß ihrer eigenen Interessen, aneignen.

Geschichte wird »neu« geschrieben, »neu« gedeutet, mit »neuen« Bezügen zur Gegenwart versehen; dies ist Ausdruck einer positiven Konstellation des Zusammentreffens von Änderungen in der »Zunft« der Historiker und im politisch-gesellschaftlichen System. Unter solchen Bedingungen wird Geschichte stets umgeschrieben, werden neue Akzente gesetzt, so wie z. B. die aufkommende Studentenbewegung zur Neuentdeckung der Anfangsphase der Weimarer Republik, der Rätebewegung in der »elenden halben Revolution« (R. Luxemburg), geführt hatte.

Die alten »Grundtatsachen« (K. D. Erdmann) gelten nicht mehr. 1961 definierte Karl Dietrich Erdmann (S. 405) »Das Dritte Reich im Zusammenhang der deutschen Geschichte« durch die Fixpunkte »Judenvernichtung«, »Entfesselung des Krieges« und »Zerstörung des Rechts«. 1978 konstatiert Andreas Hillgruber (S. 620 f.) eine zerstrittene Forschungslandschaft, noch aber hält er eine »Wiederannäherung« der Richtungen für möglich. Streitpunkte sieht er in der Deutung Hitlers und der Wahl eines angemessenen Kategoriensystems, um »Hitler und sein Regime« zu charakterisieren. Hillgruber selbst entscheidet sich gegen die von ihm so bezeichneten struktur- und sozialgeschichtlichen »Revisionisten« (besonders Hans Mommsen) und bewertet Hitlers Einfluß als maßgeblich. Ferner betont er die »Singularität« von Hitlers Regime, das als Phänomen sui generis nicht mit den Begriffen der parlamentarischen Demokratie oder der konstitutionellen Monarchie begriffen werden kann. 1961 ist dies für Erdmann noch gar keine Frage. Er versteht die mahnende »Orientierung« des Nationalsozialismus so, daß die republikanische Zusammenführung von Sozialismus und Bürgertum nach 1945 zu Ende geführt werden müsse; Erdmann knüpft also an Ordnungsgesichtspunkten der Weimarer »Vernunftrepublikaner« (F. Meinecke) und der demokratisch-nationalen Sozialisten (H. Heller) an.

Die »Grundtatsachen« von 1961 sind mittlerweile ebenfalls verschlissen: Für Filbinger ist heute noch Recht, was damals recht war; selbst Laien wie Ernst Topitsch vertreten die Präventivkriegsthese, die FAZ entfaltet die These von »Stalins Krieg« in Leserbriefen und Artikeln (Erler 1987); Auschwitz ist nurmehr ein Denkmal der Technikgeschichte, ansonsten ein Ausdruck der Rückwirkungen Asiens auf Europa.

Der »Historikerstreit« läßt den traditionellen Forschungsstand und selbst die Zeit scharfer, aber eben noch möglicher Diskussionen zwischen Personalisten und Strukturalisten hinter sich. Eine dritte Generation historischer »Revisionisten« – nach der rechtsextremistischen Kritik der Kriegsschuld und der »Auschwitzlüge« sowie der Propagierung nationalgeschichtlicher Identität (H. Diwald), nach der strukturanalytischen Aufgabe der Politik- und Akteursgeschichte – betont entweder sehr abstrakt die Singularitätsthese, so daß der Faschismus nur eine abgeschlossene 12jährige Episode ist, oder sie löst den Faschismus in der Allgemeinheit einer »Signatur des 20. Jahrhunderts« (K. Hildebrand) auf. (1974 fragte Hildebrand noch nach »Hitlers Ort in der Geschichte des preußisch-deutschen Nationalstaates«.)

Diese in sich nicht widerspruchsfreie Entwicklung seit Ende der 70er Jahre trifft sich nach der »Wende« in Bonn (1982 bzw. 1983) mit neuen legitimatorischen Stichworten. Auch diese politischen Stichworte werden jetzt freier artikuliert; es geht um die Befreiung vom »Schatten Hitlers«, um die »Gnade der späten Geburt«, um »nationale Identität« bzw. um ein Geschichtsbild, das die Jahre 1933 bis 1945 zu 12 Jahren unter 1 000 herabstuft; es geht um den »Schlußstrich«, um die Abwendung von der »Klagemauer« (so als hätte man jemals viel über die Juden getrauert).

Grundsätzlich avanciert eine traditionell begriffene Geschichte (die sich schroff von den »Barfußhistorikern« distanziert) zum museal, schulisch und publizistisch gepflegten Bildungsgut. Historiker steigen zu Ministern, Beratern und Leitartiklern auf. Das Fach (nicht aber die Strukturgeschichte und auch nicht die Adaption moderner Forschungsmethoden) gewinnt Konjunktur, der altdeutsche Rang der Hofgeschichte taucht wieder auf, und dies will genossen sein. Selbst ein Kritiker der neuerlichen Revision, Martin Broszat, schildert angesichts der neuen Möglichkeiten für alte Geschichten verständnisvoll die »psychologische Plausibilität«, die für die Tendenzwende der Zeitgeschichtler auch verantwortlich sei:

»Die nun schon Jahrzehnte anhaltende, das Herz des Historikers wenig befriedigende Anstrengung, die es bedeutet, sich einer Periode der deutschen Geschichte wie der Nazizeit kritisch zu stellen, stärkt naturgemäß das Bedürfnis, endlich wieder einmal Zeitgeschichte mit Liebe und Begeisterung schreiben oder lehren zu dürfen. Solchem Kompensationsverlangen ist es wohl zuzuschreiben, daß in manchen neueren Werken zur Geschichte der Bundesrepublik [Wissen Sie, wer gemeint ist? – E. H.] die Affirmation unbedenklich die Feder geführt hat, gleichsam als gelte es, mit der Bundesrepublikgeschichte auch das ganze, im Kielwasser der NS-Erfahrung entstandene, neue selbstkritische Verständnis von Historie ad acta zu legen.«[1]

Spurensuche einer Nation« – Wohin?

Positiv ist es, daß der »Historikerstreit« (entkleidet man ihn der Beimischungen, die der Eitelkeit aller Beteiligten – Professoren – geschuldet sind und die sich z. B. in dummen Zitatstreitereien ausdrücken) als ein Streit über politische Legitimation die Frage nach dem geschichtlichen Ort Hitlers und des Nationalsozialismus und nach der Bedeutung dieses Ortes für die Gegenwart wieder in das Bewußtsein hergestellter Öffentlichkeit und in die Wissenschaftsdiskussion zurückgeholt hat. – Wie positiv gegenüber den Zunftbestätigungen von Nipperdey bis Wehler ist die soziologische Selbstkritik durch Thomas Herz (1987), es bleibt zu wünschen, daß sie Folgen zeitigt! In dieser Situation ist es wieder legitim geworden, so wie 1923, 1930, 1933, 1939, 1945, 1952, 1966 und 1968, öffentlich nach der Bedeutung von Faschismus, d. h. nach den Zusammenhängen von faschistischer Herrschaft, bürgerlicher Gesellschaft und Barbarei zu fragen.

Bewußt wird am Begriff FASCHISMUS wegen seiner politischen Signalwirkung festgehalten.[2] (Vgl. Randnote 1: S. 203)

1 Broszat 1986, 321 f., vgl. Schulze 1987, 17 ff.
2 Hennig 1977, 15, 21 ff.

d. h. ohne Berücksichtigung der komparativen angelsächsischen Begriffsgeschichte etwa durch Peter H. Merkl oder Juan J. Linz) als »Gattungs- und Systembegriff« in Frage gestellt wird, dann wird (i. d. R.) die »Hauptschwäche« der Faschismustheorien als »(politisch bedingte) Undifferenziertheit« (Bracher) charakterisiert.

Eine von Gerhard Schulz gezogene Bilanz stützt neben dem politischen Argument die weitere Verwendung eines (analytischen) Faschismusbegriffes.

»(Es gibt) auch eine positive Seite der Bilanz der langen Entwicklung von Faschismus-Versionen ... (Sie) läßt ... den Schluß zu, daß unter Faschismus nichts anderes zu verstehen ist als jene Zeiterscheinungen, die hohlspiegelartig die verschiedenen gewalttätigen, von Emotionen beherrschten, atavistischen politischen Tendenzen, die durch klärendes Denken und rationale Einsicht nicht mehr aufgefangen werden, unter wechselnden Bedingungen in wechselnden Formen zusammenfassen.« (Schulz 1974, 170 f.)

Im Unterschied zu Gerhard Schulz (der sich wie Bracher für die Totalitarismustheorie entscheidet) bestärkt mich dieser Hinweis – zumal er für den Gesichtspunkt des Regimes durch Linz (1979) und für den der Analyse der politischen Bewegungen durch Merkl (1980) sekundäranalytisch ausgeweitet worden ist –, an der traditionell-kritischen Begriffswahl (»Faschismus«) festzuhalten.

Es soll ein gegen »Ökonomismus« und gegen die Theorie eines »zugerechneten Klassenbewußtseins« gerichteter politischer Ansatz verfolgt werden (Hennig 1983), der für begriffsüberschreitende Besonderheiten des Nationalsozialismus (wie den totalen Antisemitismus) offen ist. »Wer aber vom Kapitalismus nicht reden will, sollte auch vom Faschismus schweigen« (Horkheimer 1939 in Horkheimer u. a. 1981, 33). Und: »Man kann nicht vom Faschismus sprechen, und man kann ebenso wenig in der Periode zwischen den beiden Weltkriegen von der Arbeiterklasse sprechen, ohne die Politik der Komintern [kritisch – E. H.] zu behandeln« (Poulantzas 1973, 8). Dabei ist Horkheimers oft verkürzt und falsch verstandene Mahnung im Sinn des integralen Forschungsentwurfs der »Frankfurter Schule« aufzufassen: Politik = »autoritärer Staat«, Psychologie = »autoritäre Persönlichkeit« und Ökonomie = die »totalitäre Form des Staatskapitalismus« (Pollock 1941 in Horkheimer u. a. 1981, 81) oder – dieser Streit kann hier nicht aufgegriffen werden (Wilson 1982) – eine »Monopolwirtschaft ... *und* eine Befehlswirtschaft« (Neumann 1942 in Horkheimer u. a. 1981, 143) sind gleichgewichtige Bestandteile der Faschismusanalyse und des entsprechend material einzulösenden Faschismusbegriffs. Ein Forschungskonzept, dessen Erfüllung immer noch aussteht.

Peter Schneider stellt 1987 selbstkritisch fest, auch die »1968er« hätten zwar mit der »Kultur des Gehorsams«, nicht aber mit den komparativen und instrumentalisierenden »Entlastungswünschen« gebrochen, auch sie hätten »den Begriff des Faschismus entmaterialisiert« und zum rein-politischen Kampfbegriff verschlissen. Diese Kritik trifft auf die Position der »Linken« bezüglich des Antisemitismus zu (Schneider/Simon 1987) – die von der extremen Rechten immer zurechtgebogene »Auschwitzlüge« und die den »Historikerstreit« maßgeblich bestimmende Diskussion über den Stellenwert des extremen Ortes Auschwitz hat in der Faschismusanalyse der Studentenbewegung, beispielsweise in der »Argument«-Diskussion von 1964 bis 1968, keinen Vorläufer –; Schneiders Kritik ist ein Fingerzeig, gerade an dem *umfassenden* Konzept des »Instituts für Sozialforschung« festzuhalten.

Eine faschismustheoretische Position wird zur Beobachtung der legitimatorischen Deutungsangebote verwendet, die hinter dem Rücken der beteiligten Subjekte den »Historikerstreit« tatsächlich bedeutsam werden lassen. Diese Bedeutung wird vielfach verkannt und von den Kontrahenten selbst verdeckt.[3] (Vgl. Randnote 2: S. 210) Daß z. B. Habermas an »einer Form der akademischen Legasthenie« leidet (J. Fest) und die »tatsachenfreie Wissenschaft« erfunden hat (M. Stürmer), Hillgruber »von den Ressentiments seiner unreflektierten lebensgeschichtlichen Erfahrungen« getragen wird (J. Habermas), Nolte auf einer »außerordentlich schütteren, abschrekkend schwankenden Grundlage seine luftige Konstruktion«

3 Als einziger diskutiert dies explizit Türcke 1987 (bes. 769 ff.).

errichtet (H.-U. Wehler) und solcherart »skurrile Hintergrundphilosophie« (J. Habermas) betreibt, sind nur einige der zahlreich dargebotenen subjektiven Vorwürfe, die – zumeist schwach geprüft – die Integrität des Anderen absichtlich zerstören sollen. Sie belegen, daß die Kontroverse nicht als ein Streit wissenschaftlicher Kontrahenten, sondern als »Schauprozeß« (M. Stürmer) unter Feinden und vor der Öffentlichkeit geführt wird.

Mit breiten Einlassungen über die Qualität von Zitaten und das Bildungsniveau der Kontrahenten verfehlen die Beteiligten im »Historikerstreit« dessen relevante politische Dimension und geben professoraler Eitelkeit zu breiten Raum. Zugleich aber sind diese antagonistischen Stilmittel Ausdruck einer Tiefendimension, die Teil jener »Last, Deutscher zu sein«, ist. Die Schärfe der Auseinandersetzung ist ein Zeichen für die Intensität des Konflikts zwischen »demokratischen« und »autoritären«, zwischen »optimistischen« und »pessimistischen« Konsequenzen aus der Herrschaft des Faschismus. Gleichzeitig zeigt dieser Streit, welche »alternativen« und »transitorisch-linken« Positionen, ja Wissenschaftstraditionen, von beiden Streitpartnern bei allem wechselseitigen Antagonismus gemeinsam unbeachtet bleiben.[4] Insgesamt dokumentiert der »Historikerstreit« mit seinen Ausgrenzungen und durch seinen Tonfall die nicht gegebene Diskurssituation; dieses Thema *ist* – auch »40 Jahre danach« – nicht normal, wird nicht normal abgehandelt.

Legitimatorische Deutungen werden nicht durch positivistische Detailkritik aufgehoben.[5] Sie müssen zunächst als Deutung rekonstruiert werden, sind also als Versuch der kollektiv adressierten Sinngebung gesellschaftlicher Probleme und als »Selektionsraster« (T. Allert) für die Bewertung von Handlungen und Ereignissen von ihren praktischen oder intendierten Folgen her zu kritisieren.

---

4 Haug 1987, 14 f., 279 ff., 293 ff.; Gerstenberger/Schmidt 1987, bes. 170 f.

5 Dies gegen Wehler 1988, 149 ff., 174 ff., aber im Anschluß an seine Zweifel: 170 ff.

An sich ist es völlig belanglos, ob ein Historiker z. B. einem klugen oder einem »naiven Treitschkeanismus« huldigt (so Wehler über Hillgruber) oder ob er geschichtsphilosophisch oder positivistisch »die mühselige Annäherung an vergangene Wirklichkeit« (H.-U. Wehler) betreibt. Selektiv geht's allemal zu! *Politisch* relevant werden diese Forschungen für sich dann, wenn sie eine öffentliche Rolle spielen. Dies ist der Fall, wenn sie als Beitrag zu einem Deutungsmuster nachgewiesen werden können, weil sie über Massenmedien und politische Organisationen an Multiplikatoren herangetragen und von diesen aufgegriffen werden, um für die jeweilige Klientel Alltagssituationen und tagespolitische Forderungen zu interpretieren und zu legitimieren. Es wäre deshalb dringend geboten, Reichweite und Nutzung der Argumente und des Argumentationsstiles des »Historikerstreits« mit Hilfe der Sozialforschung zu analysieren. Die Abstinenz der Soziologie (Herz 1987) ist deshalb schon wegen dieser Aufgabenstellung überaus bedauerlich (wie aufschlußreich).

Im Fall Stürmers, Hillgrubers, Hildebrands und Noltes, die jedoch nicht als homogene »Viererbande« aufgefaßt werden, wird hier davon ausgegangen und evident gemacht, daß sie Beiträge zu dem sich verfestigenden öffentlich relevanten Geschichtsbild der »Normalisierung« liefern.[6] Ebenfalls bewirken *objektiv* die von Martin Broszat erhobene und von Habermas bis Nolte breit und eilfertig akzeptierte Historisierungsforderung[7], das von Jürgen Habermas propagierte Gegenmittel, der »Verfassungspatriotismus«, und die wortlose Aufgabe materialistischer Diskussionstraditionen[8] die Durchsetzung dieses Geschichtsbildes.

Diese Auswirkung des »Historikerstreits« und die *Koinzidenz* von Historikerargumenten mit der Tendenz zur »Renationalisierung« (D. Diner) in Form einer mitteleuropäischen

---

6 Vgl. Winkler in: Historikerstreit 1987, 262.

7 Vgl. ebd. 260 f., 365; Diner 1987, 34 ff.; bereits Allardyce (1979, 388) benennt das Problem.

8 Dazu Meier und Stürmer in: FS Fest 1987, 177, 267 ff., 273; Türcke 1987, 769 f.

Innenpolitik[9], also gerade die außerwissenschaftlichen Bedeutungen des Disputs, müssen herausgearbeitet werden. Dies ist der politische Kern dieses Konflikts über politische Legitimation, über den Legitimationsspielraum *in* der Bundesrepublik (d. h. über den Umfang akzeptierter Positionen und Begriffe) mittels historischer Argumente.

Für die Geschichtswissenschaft selbst ist der Streit um die »Hinterlassenschaft der NS-Zeit« (Chr. Meier) einerseits unergiebig, andererseits aufschlußreich. Er hat weder »neue« Argumente geliefert noch neue Quellen ausgewertet, noch ist er methodisch ein Fortschritt (diesbezüglich ist er gerade besonders deutsch-provinziell und hausbacken). Bezogen auf die »Zunft« offenbart der »Historikerstreit« einen teilweisen Qualitätsverfall – unisono wird dies von Reinhard Kühnl (1987, 284) und Hans-Ulrich Wehler (1988, 197) festgestellt – und anschließend, bei Bereinigung, einen schlichtenden »Zunftgeist«, der Ernst Nolte marginalisiert, um das gemeinsame Haus der Geschichte flicken zu können. Das Problem wird nicht in der Disziplin und in deren öffentlichem Auftritt, sondern in »Schwierigkeiten unserer (?) Geschichtserinnerung« verortet (Meier 1987, 86), als schlimmste Konsequenz erscheint der Ausschluß von den Fleischtöpfen durch »zielbewußte neokonservative Machtpolitik« (Wehler 1988, 11, 189 ff.).

Um Wehler (1988, 174) zu paraphrasieren: Nur wenn keiner darauf hereinfällt, wenn also angesichts öffentlicher Aufklärung und Kritikfähigkeit kein akzeptanzbedachter Politiker und keine populistische Politik bei Strafe wahlwirksamer Kritik es »wagen« dürfe, solche schlechte Versöhnung mit der Tätergeschichte und mit der breiten Toleranz gegenüber der massenhaften Barbarei zu verbreiten, ist dieser »Lockruf« tatsächlich »Makulatur der Zeitgeschichte« geworden.

Der Streit um Zitate und die wechselseitige professorale Beschimpfungen lenken ab von der zentralen politischen Aufklärung über Positionen und Begriffe bei der geschichtspolitischen Erinnerungsarbeit.

---

9 Schulze 1987, 179 ff.; Stürmer in: FS Fest 1987, 257 ff.

Materialien, Hilfsmittel und große Linien

Der Streit um das Geschichtsbild bezieht sich, wie gesagt, auf die Frage, welche politischen Konsequenzen für eine »stable democracy« aus dem Faschismus zu ziehen sind. Der »Historikerstreit« ist deshalb nur ein Bezugspunkt, wenn die Verlaufsformen dieses Konflikts betrachtet werden. Allerdings hat er das Thema aktualisiert und veröffentlicht und ermöglicht ein einfaches Studium (und das ist ein Muß!) der hauptsächlichen Argumente. Einige wesentliche Hilfsmittel und direkt einschlägige Publikationen seien aufgeführt und (ironisch) kommentiert. Eine Fachzeitschrift und ein wissenschaftlicher Verein (e. V.) fehlen. Sonst wären alle Momente der Professionalisierung (und abstrahierenden Entpolitisierung) erfüllt. Ansonsten gibt es: Ringvorlesungen, Tagungen, Rundfunk- und Fernsehsendungen, eine gesicherte Kolumne in der überregionalen Presse (überhaupt: der »Historikerstreit« ist nochmals eine Sternstunde der Printmedien), eine dichte Folge in- und ausländischer Berichte, Dokumentationen, einen regen Publikationsmarkt, weitere Ankündigungen. Für den erreichten Grad an Professionalisierung sprechen insbesondere die vorliegenden Sammelrezensionen und bilanzierenden Forschungsberichte.

Drei Forschungsberichte (Greß 1987; Hoffmann/Jesse 1987; Steinbach 1987) und eine annotierte Auswahlbibliographie (Melnik 1987) erleichtern den ersten Überblick. Bibliographische Hinweise finden sich auch in der erstgeborenen Dokumentation (Sygusch 1987 – auch in Gerstenberger/Schmidt 1987, 212 ff.), sowie in den Interpretationen von Erler und Haug (Haug verzeichnet vor allem die apokryphe Untergrundliteratur). (Vgl. Heß 1986; Meusch/Lutz 1987)

Daß wir »von Geschichte umgeben« sind, wie die 1986 zum 60. Geburtstag von Joachim Fest herausgegebene Festschrift anzeigt, hat wissenschaftliche und politische Gründe. Die wissenschaftlichen resultieren aus dem Aufwind der Disziplin. Waren Sozialwissenschaften die Leitwissenschaft der »Reform« (weswegen sie ihre historische Forschungsdimension auch so stark abgespeckt haben), so ist Historie die wieder gefragte Wissenschaft des »Problemklimas« und der »Risikogesellschaft«. Sie erscheint öffentlich als eine Wissenschaft des großen Wurfs über die vielen Alltagsprobleme von Ökonomie, Ökologie, Krieg oder Frieden, bemüht, den schwindenden »Vorrat an politischen Wertorientierungen« (M. Stürmer) aufzubessern. »Und endlich«, doziert Michael Stürmer (FS Fest 1986, 272) über die deutschen »Leitmotive« nach 1945, werden »die tausend Jahre europäischer und deutscher Geschichte wieder (entdeckt), die vor der deutschen Diktatur gelegen hatten, und die nicht samt und sonders Vorgeschichte waren.« Erste Informationen über den unterschiedlich-gleichen Umgang mit dieser Entdeckung geben einige Sammelbände zum »Nachdenken über die deutsche Geschichte« (Nipperdey), über den »schwierigen Umgang mit unserer Geschichte« (Broszat). Trotz einiger »Dissonanzen des Fortschritts« (Stürmer) ist die Dramatik – anders als die des Arbeitsmarktes? – auszuhalten: »Die deutsche Geschichte geht weiter« (Weizsäcker), denn: »Wir sind, was wir geworden sind« (Schulze). »Zweierlei Untergang« (Hillgruber), nämlich das »Ende« der Juden und die »Zerschlagung« des Deutschen Reiches, hilft, *die* Geschichte zu bewältigen (alles halb so schlimm, geteiltes Leid).

Bemerkenswerter ist die politische Linie, die in den »Historikerstreit« einmündet. Hier kann man mit »der Rede und ihrer Wirkung« (Gill/Steffani) beginnen. Die Ansprache Weizsäckers vom 8. 5. 1985 verdient ein *gründliches Studium*. Die Begleitlektüre der Privatschrift von Lorenz Niegel (MdB, CSU) führt in die innerkonservativen Konflikte über die Wahl der rechten Darstellungsform ein (Gill/Steffani 1986, 159 ff., leider ohne das Vorwort zu Niegels Broschüre von Professor Hans-Helmuth Knütter). Weitere Konfliktdimensionen erschließt der Streit um die Museumspläne (Stölzl/Tafel und Schäfer 1988), wogegen »Die Grünen« eine lesenswerte Broschüre und Dokumentation »Wider die Entsorgung der deutschen Geschichte« herausgegeben haben. »Materialien zur Spurensicherung einer Nation« sammelt Jürgen Weidenfeld (1987), während Jürgen Habermas (1985, 1987) die »Unübersichtlichkeit« des Arbeitsfeldes notiert und versicherungsrechtlich die »Schadensabwicklung« zuungunsten der SPD kritisiert.

Damit sind wir beim »Versuch, Vergangenheit zu verbiegen« (Hoffmann 1987), angelangt: Mit Ernst Noltes – wg. nörgelnder Selbstausladung (S. 10 ff., 13 ff.) – nicht gehaltener Rede beginnt der »Historikerstreit«; Nolte hat seine Rede nämlich geschrieben und vor allem am 6. 6. 1986 in der FAZ publizieren können:

»Vergangenheit, die nicht vergehen will«

Der bis Ende 1987 in direkter Auseinandersetzung geführte Streit ist mit vielen Überschneidungen und typischen Auslassungen dokumentiert, wobei letztere vornehmlich »linke«, »extremer rechte« und ausländische Beiträge betreffen.[10]

Nachdem das Hin und Her von Kritik und Antikritik Ende 1987 eingedämmt wird – enttäuschend ergebnislos, wie alle Anmerkungen zum »Historikerstreit« (1987, 381 ff.; Habermas 1987, 149 ff.) zeigen –, beginnt die Zeit der Tagungen (Diner 1987), der wissenschaftspolitischen Verarbeitung (Erler 1987; Gerstenberger/Schmidt 1987; Haug 1987) und der

---

10 Vgl. Haug 1987; Erler 1987, 116 ff.; Gerstenberger/Schmidt 1987, 178 ff; Diner 1987, 102 ff., 120 ff., 141 ff. Unerwähnt bleiben: Die Grünen 1986; Friedländer 1987 a; Kadritzke 1987; Eckhard/Bauch 1987; bereits Clausen, Diner, Faulenbach, Lodovico (alle 1986) werden verdrängt. Ebenso ergeht es Grebing, Narr, Tugendhat 1987 (vgl. Haug 1987, 15 – Hauses Beiträge im »Argument« 1986 und 1987 werden selbstverständlich übersehen). Auch »Grundlagenforschung« (wie z. B. Stöss 1978; Hurwitz 1983; Niethammer 1983 ff. Friedländer 1986) wird nicht einbezogen, selbst Lübbes Vorläuferbeitrag (1983) wird wenig erwähnt. All dies ebenso wie die methodisch-unbefriedigende Argumentation spiegelt den Provinziallismus der philosophisch-historischen Nabelschau wider.
Reinhard Kühnls Sammlung enthält gegenüber der »Dokumentation um die Einzigartigkeit der nationalsozialistischen Judenvernichtung«: »Historikerstreit« zwar zahlreiche Kürzungen, aber (wie Sygusch 1987) als zentrale Ergänzung die von Kosiek (1987, 167 ff., 200 ff.) ebenfalls gewürdigten Texte der Präventivkriegsthese (dazu Erler 1987, 86 ff.). Zur rechten Rezeption vg. Adolf v. Thadden, Der Rußlandfeldzug – Überfall oder Präventivschlag?, in: Nation Europa, 37. Jg., 1987, H. 3, 32–37.

bilanzierenden Einordnung in wissenschaftlich-politische Perspektiven (Kosiek 1987; Wehler 1988). Eher unbedeutend (wenngleich persönliche Positionen wünschenswert demonstriert/demontiert werden) ist das Nachtarocken beteiligter Akteure (Nolte 1987) oder Friedensrichter (Meier 1987; Nolte 1987, 49).

Noltes »Antwort« skizziert die längere Vorgeschichte des Streits, liefert vor allem aber Material zum Studium des Deutungsmusters, wie eine »Aufforderung zur Wissenschaft« durch eine »moralische Kampagne« umgebogen und verfälscht wird. Noltes Selbstgerechtigkeit wird breit und authentisch vorgeführt. Bezugnehmend auf Wehlers Streitschrift und Augsteins »Expektoration« (Nolte) gegen den »europäischen Bürgerkrieg« (im Spiegel 1/1988, 141–144) führt Nolte 1988 seine »Generalauseinandersetzung« in der Monatsschrift für »Einigkeit und Freiheit«: »Mut« fort. (Derselbe »Mut«-Macher enthält erstmalig einen Leserbrief des Bundes-Kanzlers!)

Wehlers Polemik (1988) richtet sich zuerst gegen Nolte, dann aber auch gegen Hillgruber und Stürmer. Hildebrand, für Wehler »einer der letzten Großmeister der tönenden Suada« (S. 93), wird als zu leicht bewogen und deshalb nur gestreift (S. 24, 92 ff., 145 ff.). Wehler faßt den »Historikerstreit« zwar als »politischen Kampf um das Selbstverständnis der Bundesrepublik« auf (S. 10), aber er diskutiert ihn dennoch nicht als Politikum, sondern entsprechend seines historischen Punktekatalogs (S. 8 f.), den er widerlegt (S. 202 ff.). Diese »Zwischenbilanz« geht davon aus, daß die »nationalkritische Loyalität gegenüber der Bundesrepublik« (S. 210) obsiegt hat. In diesem Streit, so meint Wehler (S. 198, 210, ebenso wie Kühnl 1987, 284 ff.), überwiegen in der Summe die positiven Ergebnisse.[11]

11 Die Aufgabe materialistischer Positionen und Begriffe, den methodischen Verzicht auf Verfahren der Sozialforschung und den »verfassungspatriotischen« Verzicht auf den »Kampf um Verfassungspositionen« diskutiert Wehler nicht, diese Aspekte nimmt er explizit gar nicht wahr. Vgl. Wehler 1988, 86 f., 137, 173, 207, 209 ff.

Wehler zufolge hat die »liberale Öffentlichkeit« »das kritische Selbstverständnis der Bundesrepublik verteidigt« (S. 210): »All das berechtigt zu der Hoffnung, daß auch künftig die besseren Argumente derjenigen, die im ›Historikerstreit‹ die Kritik am Revanchismus verfochten haben, die Oberhand behalten« (S. 211).

Diese optimistische »Zwischenbilanz« wird hier nicht geteilt. Zur Kritik sei wissenschaftspolitisch auf die von Wehler nicht berücksichtigte Problematik der Habermasschen Kritik hingewiesen (Gerstenberger/Schmidt 1987, 170 ff.). In politischer Hinsicht weist die rechtslastige »Zwischenbilanz« Rolf Kosieks auf Tatsachen hin, die Wehler ebenfalls übersieht:

»Der Historikerstreit brachte insoweit etwas Neues, als hier erstmalig wegen revisionistischer Forderungen angegriffene Wissenschaftler von einer ganzen Reihe ihrer Kollegen verteidigt wurden, so daß die öffentlich durchaus – etwa von Augstein [vgl. Historikerstreit 1987, 198 – Zusatz: E. H.] – geforderte Bestrafung im Gegensatz zu früher nicht vollzogen werden konnte. In dieser Hinsicht ist demnach ein gewisser Schritt zur Normalisierung erfolgt.« – »Der Historikerstreit hat bisher schon eine Reihe deutlicher und in der Diskussion wirksam nutzbarer Zitate ergeben. Ihr Inhalt ist zwar nicht neu, aber erstmals von bedeutenden Zeitgeschichtlern öffentlich ausgesprochen worden, die man kaum alle als ›Neonazis‹ abstempeln und damit wirkungslos machen kann.« (Kosiek 1987, 10, 183 f.)[12]

Nicht alles, was Rechtsradikale ansprechen, muß schon deshalb falsch sein, weil es aus dieser Richtung vorgetragen wird und von entsprechenden Wünschen geleitet ist.

12 Kraus 1987. Optimistisch dagegen Wehler 1988, 197, obwohl er gleichzeitig wichtige Differenzen zur seinerzeitigen Auseinandersetzung mit Diwald anspricht, S. 89. – Vgl. Graml 1984.

II

Geschichtskonjunktur: »Geschichten« über »Geschichte«

»The Evil is Always and Everywhere«
(Erste Allgemeine Verunsicherung)

»(Die) Postmoderne hat ... Einzug in die Historiographie gehalten

(Meusch/Lutz 1987, 234). – Schade!

»Individualisierung« und »Enttraditionalisierung« (Beck 1986) schaffen jene strukturellen und emotionalen Freiräume, die von der Geschichtspolitik und einem »strukturellen Konservatismus« (Lübbe) unbewußt und bewußt besetzt werden. In einer Zeit, in der Geschichtswissenschaft als Aufklärung über die Sicht der Vergangenheit und als Kritik am Einwirken von Vergangenheit auf die Gegenwart notwendig wäre, um die neokonservative Funktionalisierung von Geschichte bzw. allgemein um eine politische Zurichtung von Geschichte(n) als Legitimationsentwurf zu analysieren, dankt Geschichte als Wissenschaft und/oder als analytische Geschichtsphilosophie weitgehend ab. Die als »Umerziehung« denunzierten Tabus einer staatsantifaschistischen Symbolpolitik, einer entsprechenden Postulatpädagogik und einer sog. »politischen Hygiene« in den etablierten Massenmedien werden seit Ende der 70er Jahre ebenso brüchig, wie die parallele Ghettoisierung der Rechten von der »Neuen Rechten« aufgebrochen wird. Die traditionellen nicht-faschistischen Tabus werden jedoch nicht durch Aufklärung, sondern durch das öffentliche Bekenntnis zu entsprechenden Vor-Urteilen aufgehoben.

Präferiert die »herrschende Lehrmeinung« deutscher Geschichtsschreibung methodologisch klassische Quellenbestände und deren hermeneutische Kommentierung und thematisch die großen Männer und deren Staatspolitik, so treffen diese Schwerpunktsetzungen auf die Bedürfnisse neokonservativer Geschichtspolitik und auf innerwissenschaftliche und interdisziplinäre Entwicklungen bei der Zeitgeschichtsschreibung: Die Sozialwissenschaften ziehen sich mehr und mehr aus der Historie zurück (bereits ein erster Blick in die Inhaltsverzeichnisse der Fachorgane mag dies veranschaulichen).

»Kritische« Geschichtswissenschaften geben das politische Terrain und die politische Geschichte frei, wenden sich der Struktur- und Sozialgeschichte bzw. alternativer Geschichtspolitik (vor Ort) zu. Zusätzlich sind die Vertreter »kritischer« Geschichtswissenschaft als universitäre Disziplin und als außeruniversitäre Geschichtsbewegung der Geschichtswerkstätten untereinander zerstritten. (Wehler 1981, 1985)

Das grundsätzliche Dilemma der »Wende« nach hinten *und* nach vorn ist die Frage der Vereinbarkeit modernster (Raum und Zeit überspannender internationaler) Techniken (und Gefahrenpotentiale) einer auf den internationalen Austausch des Weltmarktes angewiesenen Volkswirtschaft und einer konventionell-altbackenen, national-beschränkten Ideologie, die sich z. B. um »nationale Identität« (ohne NationalISMUS) bemüht. Hermann Lübbe ahnt diesen Widerspruch, wenn er über »Fortschrittsreaktionen« plaudert.

Insofern moderne Technostrukturen und internationale Austauschprozesse von Waren und Kapital einer aufs Gruppen- und Einzelschicksal in »Deutschland« rückkoppelbaren Botschaft entbehren, produzieren sie – parallel zu den «Fortschrittsnebenfolgen« (Lübbe 1976) im »Problemklima« der 80er Jahre (Glatzer/Zapf 1984, 14 f.) – eine »Rückkehr zur Tradition« mit einem »verhältnismäßig ›autoritär‹« zu nennenden Fundus an Orientierungen (Klages 1984, 153 ff.; Weidenfeld 1987, 220 ff.)

Das Novum des neuen »Diskurses über den Nazismus« (Friedländer) besteht darin, daß, semi-wissenschaftlich abstrahiert, traditionell nur privat tolerierte Äußerungen nunmehr in dieser wissenschaftsförmigen Präsentation und in dieser politisch-aktuellen Anbindung an die Dimensionen des modernen »Problemklimas« öffentlichen Orientierungsrang beanspruchen können.

Dem Auseinanderfallen je vereinzelter technischer Entwicklungen und technopolitisch-sozialer Innovationen korreliert eine von Lübbe seit 1976 beklagte »Orientierungskrise«. Diese führt nicht nur zu »Alternativen«, sondern auch zur individuellen Flucht und schließlich zur geschichtspolitisch veranstalteten »Wende«. Konventionelle Werte und Tugenden, »nationale Identität« und ein seiner irritierenden Anstöße weitgehend befreites Geschichtsbild sollen den »Vertrauenskitt« (Lübbe 1987, 117) abgeben, der die »Orientierungswaisen« (Lübbe 1982) als übergreifende Normenordnung mit den »Steuerungexperten« verbindet (Lübbe 1987, 89, 119).

Die Vielzahl einzelner technischer und politisch-administrativer Fortschrittsaspekte läßt sich angesichts der von ihr widergespiegelten »Komplexität« nicht als ein Ganzes der kollektiven wie individuellen Sinngebung zusammendenken. Die von Horkheimer mit dem Begriff der »instrumentellen Vernunft« bezeichneten Unterschiede zwischen technischen und sozial-humanitären Fortschrittsgesichtspunkten ebenso wie die von Horkheimer und Adorno als »Dialektik der Aufklärung« bezeichnete Einheit von Natur- und Menschenbeherrschung, von Mythen und Analysen drücken sich seit dem Imperialismus als eine klaffende Schere von punktueller Modernisierung wie Modernität und totalitätsbezogener Desorientierung einerseits wie autoritätsbezogener Gläubigkeit und Abhängigkeit andererseits aus. Als eine sinnstiftende Überhöhung nur teilweise begründeter Sichtweisen ist die Geschichtspolitik bemüht, diese Schere zu schließen, zumindest aber affirmativ erträglich auszugestalten. Lübbe (1987b, 154) drückt dies so aus: »Zum Fortschritt verhält sich der Fortschritt der Musealisierung komplementär.«

Insofern diese polemisch gegen »selbsternannte geschichtsphilosophisch-ideologische Pfadfinder«[1] gerichtete praktische Orientierung in »Deutschland« allgemein als »Geschichte« und insbesondere als »Bewältigung der faschistischen Zeitgeschichte« konkrete Gestalt annimmt, kommt dem »Historikerstreit« besonderes Gewicht zu. Grundsätzlich widmet er sich dem »richtigen« Thema und stellt die Aufgabe, über diesen geschichtspolitischen Prozeß der Legitimation aufzuklären. Diese Aufgabenstellung beinhaltet, nach dem aktuellen Sinn von Faschismusanalyse zu fragen:

»Was heißt und zu welchem Ende studiert man Faschismus?«

Diese Fragestellung paraphrasiert den Titel der 1789 in Jena gehaltenen akademischen Antrittsrede Friedrich Schillers. Während Schiller 1789 ein »menschliches Jahrhundert« heraufkommen sieht (die Französische Revolution aber mißbil-

---

1 Lübbe 1976; 1987, 53–73; 1987a, 56 ff., 99 ff., 116 ff.

ligt), wird 1986 das »Zeitalter des Tyrannen« (Hildebrand) deduziert. Die eine Sicht blickt nach vorn, es kann nur besser werden, lautet die Botschaft; die andere Aufmerksamkeit neutralisiert diese Hoffnung, egalisiert den besonderen nationalsozialistischen Terror, vertritt ein verewigtes Realitätsprinzip.[2] Schiller wollte sich, wenn ihn denn die Franzosen um die Hoffnungen bringen, bei diesen selbst »bessere« beschaffen (Brief vom 26. 11. 1792 an Körner)!

Hagen Schulze (1987, 13) bezieht sich ebenfalls auf Schiller und fragt nach dem Verhältnis von (Staats)Geschichte zur Gegenwart. Seine Fragestellung zielt auf »Klarheit über die Identität« ab (S. 12), und selbstverständlich handelt es sich um kollektive Identität. Wenn Schulze fragt: »Wer und was sind wir«, dann will er die Geschichte des Nationalstaats klären und findet letztlich eine wiedervereinigende Perspektive in einer »europäischen Innenpolitik« (S. 195). Die Frage nach dem Studium des Faschismus zielt dagegen auf den Entwurf einer Gesellschaftsgeschichte, die die Fragen der Diskontinuität und Kontinuität deutscher Geschichte in bezug auf den Faschismus aufgreift.

Gefragt wird nicht nach kollektiv verfaßter Identität, nach Gemeinschaftssurrogaten, sondern nach der Konflikt*kultur* der Gesellschaft. Ist sie *pluralistisch* plural? Gibt es eine *tolerante*, nicht repressive Toleranz? Gefragt wird nach der Geschichte der Anläufe und Niederlagen »sozialer Demokratie«. Eine demokratische »neue Ordnung«, wovon die GG-Präambel spricht, geht der verfassungsstaatlichen Willensvereinheitlichung, vor allem aber der machtpolitischen Arrondierung des Staatsgebiets voraus.

Die Vision einer »offenen Zukunft« (Hildebrand), für die heute »Revisionisten« und Neokonservative streiten, erhält von hier aus ihren schalen Beigeschmack, der zu angsterregenden Hochrechnungen führt, durch die Aufgabe der aufklärerischen Hoffnungen und durch die relativierende Komparatistik der Gewalt und des »Ernstfalls«, die als internatio-

---

2 Hildebrand und Fest: Historikerstreit 1987, 90 ff., 104 f., 110 ff., 288 ff.

nalisiert-entdeutschtes Datum akzeptabler erscheinen sollen. (Anmerkung: Wenn »wir« schon gar nicht »so« waren, wie viel weniger »sind« »wir« »es« dann heute – im »Bündnis« –, wo doch mit Beherzigung der Völkerrechtsklauseln »regula sic stantibus« und »pacta sunt servanda« die Schulaufgaben gelernt worden sind. – Auch gegenüber Polen?)

Angesichts solcher Bedingungen für Geschichte und in diesem »Vakuum« verbinden sich (Stürmer weist darauf hin) politische Geschichte, Geschichtspolitik und konservative Publizistik und befriedigen gemeinsam die Bedürfnisse der legitimations-geschichtssehnsüchtigen »Orientierungswaisen« (Lübbe). Im Bereich historischer Aufklärung und der Aufklärung über Geschichte sind die Einflüsse kritisch-subkutaner »Subpolitik«[3] gering, weil sich die Position der Kritik durch heftige Binnenkonflikte selbst lähmt, sich ihres Darstellungsfeldes im Bereich politischer Geschichte begibt und gegenüber dem neuen Historismus in die Attitüde intellektueller (aber ohnmächtiger) Arroganz verfällt – oder, in moderater Form, ebenfalls Wertpolitik propagiert.

Andererseits vermittelt ein grassierender Wissenschaftsverzicht der politischen Geschichte jenen Erzählton, der sie für die Geschichtspolitik und für die Publizistik der »nationalen Identität« so verwertbar macht. Als Wissenschaftsverzicht wird besonders der unkontrollierte, bewußt vielschichtig interpretierbare, »rechtsradikale« Konnotationen aufgreifende und entsprechend weiter zu denkende Stil der nicht mehr auf ein ausgewogenes Verhältnis von »Beleg« und »Aussage« achtenden popularisierenden Geschichte bezeichnet.

Die Erosion der Wissenschaft – Urteilen auf Verdacht

Die Grundposition des »radikalen Antiradikalismus« (wie Axel Springer und dessen Sicht »von Berlin aus« charakterisiert worden sind) referiert z. B. Klaus Hildebrand auf dem

3 Beck 1986, 300 ff., bes. 315 ff., 368 ff.

im Oktober 1986 in Berlin von der Hanns-Martin-Schleyer-Stiftung veranstalteten Symposium »Wem gehört die deutsche Geschichte?« Gemeint ist die Botschaft, die deutsche Geschichte von der Frage, »wie es ›dazu‹, das heißt zum Jahre 1933, gekommen sei«, zu befreien und die grundlegende »Offenheit geschichtlicher Lagen« zu postulieren. Geschichte (als Ablauf und Reflexion) sei »Feindin jeder Utopie«! (Wem gehört die deutsche Geschichte? 1987, 17 f.) Der Schlüssel für die politisch-legitimatorische Ausbeutung bzw. für die »ideologie-politische Nutzbarkeit« (Lübbe) dieser Position liegt in dem partiell nicht-wissenschaftlichen Stil der »wilden« Geschichtsinterpretation (vgl. Lübbe 1979, 68, 82 ff.).

Am Beispiel von Äußerungen Ernst Noltes und Andreas Hillgrubers soll der behauptete Wissenschaftsverzicht illustriert werden. Diese Beispiele sollten stellvertretend gelesen werden und auf den Kontext der analytisch ebenfalls unausgewiesenen, deduzierten geschichtspolitischen Grundposition bezogen werden.

Andreas Hillgruber (1986) adelt die von »Barfußhistorikern«, von »psycho« und »oral history« geschätzte Aufgabe der Distanz des Analytikers und greift zum Mittel der Betroffenheit und Identifizierung. Nur gilt diese Parteinahme nicht den »Knechten« und »underdogs«, sondern den »Herren« und den »topdogs«; Hillgruber identifiziert sich mit dem Ostheer und sogar mit »bewährten« »Hoheitsträgern der NSDAP«.[4]

Die letzten Kriegsjahre 1944/45 werden von Hillgruber isoliert – was wissenschaftlich völlig unmöglich ist (Streit 1987; Wette 1987) – und erscheinen somit als Schutz »jahrhundertealten deutschen Siedlungsraums« – eines »Kernlandes« des Deutschen Reichs und der »europäischen Mitte«, die von einer »›Drei Meere‹-Großmacht Polen«, der Sowjetunion und Großbritannien bedroht werden – gegenüber »Racheorgien« und »Massenvergewaltigungen« durch die Rote Armee, gegen die »Auslöschung des Deutschtums« und gegen die Verkleinerung des Deutschen Reichs auf ein bloßes »Rest-Deutschland«.

4 Dazu Gerstenberger/Schmidt 1987, bes. v. Saldern, 160 ff.

Diese assoziationsbelasteten Begriffe nähern sich dem Deutungsmuster der »Charta der deutschen Heimatvertriebenen«, die die »Ent-Heimateten« (Zwerenz) »als die vom Leid dieser Zeit am schwersten Betroffenen« charakterisiert (Giordano 1987, 281 ff.).

Hillgruber (1986, 66 f.) interpretiert die »Massenvertreibung der Deutschen« als einen »vorläufige(n) Endpunkt« »der Idee einer völkischen Feld- und Flurbereinigung«, für die er den Völkermord (mit rund 1,5 Millionen Toten) an den Armeniern (1895, 1915–1917), die Vertreibung der Griechen aus Kleinasien (1921/22) und die »Ausrottungs- und Umsiedlungspraktiken Hitlers und Stalins« als weitere Beispiele nennt. Hillgruber bereitet damit die relativierenden Gewaltvergleiche des »Historikerstreites« vor, eine Argumentationsfigur, die (mit unterschiedlicher Akzentsetzung) von Nolte, Hildebrand und Fest aufgegriffen wird.[5]

Hillgrubers Bild des Ostheeres knüpft ferner an Michael Stürmers Plädoyer für »Maß und Mitte des Patriotismus« und an die breite Militaria-Soldatenehre-Publizistik an. Hillgruber (Historikerstreit 1987, 296) bereitet für das Jahr 1987 – d. h. im »Jahr 42 (n. d. St. N.)«, also Nach-der-Stunde Null 1945, wie Peter Hofstätter eine neue politische Zeitrechnung einführt[6] – Hans-Peter Schwarz' (1987, 40 f., 43 f., 45 f.) geläuterten Patriotismus vor; Heldenmut überschreitet den »Verfassungspatriotismus«, überdenkt die Tabuisierung des Ernstfalls, entwirft einen geometrischen Ort für Identität, wirkt der drohenden »psychologischen Erosion« (Schwarz) entgegen.

---

5 Historikerstreit 1987, 41 ff., 90 ff., 100 ff., 288 ff, vgl. ebd. Hagen Schulze, 144 f., und Horst Möller 324 ff.; positiv aus rechter Sicht dazu Kosiek 1987, 53 ff., 178 ff.

6 Andere politische Zeitrechnungen sind (in Deutschland) z. B. die von »Bild« betriebene Datierung seit dem Mauerbau (13. 8. 1961 ff.) oder die neonazistische Zeitrechnung ab Hitlers Geburtstag (20. 4. 1889 ff.). Immer soll so symbolisch auf einen verpflichtenden Tag hingewiesen werden – ein Tag (der im Guten oder Schlechten) zur »Gesinnung« hinführen soll.

Politisch läßt Hillgruber (1986, 73 f.) es jedoch »offen«, ob »jemals eine Rekonstruktion der zerstörten europäischen Mitte – als Voraussetzung für eine Rekonstruktion ganz Europas oder aber als Konsequenz einer in Gang kommenden Rekonstruktion des ganzen Europa – möglich sein wird.« (Vgl. Wem gehört die deutsche Geschichte? 1987, 117 ff.)

Ist dies Hildebrands Offenheit der Geschichte oder die Offenheit der deutschen Frage? Hillgruber läßt diese Fragen unbeantwortet, kokettiert offensichtlich aber mit der Möglichkeit solcher Konkretisierungen und Verweise. Für einen Analytiker jedenfalls verbietet sich eine derartig unkontrollierte Offenheit, deren Ambivalenz Michael Stürmer nahezu zeitgleich in einem FAZ-Leitartikel am 10. 12. 1986 verdeutlicht:

»Wo liegt Mitteleuropa? In den Erinnerungen der Kultur noch immer überall; nirgendwo aber vorerst auf den Landkarten der Politik.«

Während Hillgruber die Leistung des Ostheeres gegenüber der »Orgie der Rache« durch die Rote Armee beschwört und die aus dem faschistischen Kontinuum herausgetrennten Verteidigungsjahre 1944/45 mit dem Niedergang der Reichsidee betrachtet, wendet sich Ernst Nolte dem Tabu des Antisemitismus und folglich der Binnenstruktur des NS-Bildes zu.

Bereits 1980 bzw. 1985 möchte Nolte Auschwitz als irrationale »Kopie«, als »die aus Angst geborene Reaktion auf die Vernichtungsvorgänge der Russischen Revolution« verstanden wissen. Zwar hält er wegen der im Nationalsozialismus auf »quasi industrielle Weise« betriebenen »Menschenvernichtung« an der Singularitätsthese fest, dies »ändert aber nichts an der Tatsache, daß die sogenannte Judenvernichtung des Dritten Reiches eine Reaktion oder verzerrte Kopie und nicht ein erster Akt oder das Original war« (Historikerstreit 1987, 32 f.).

Klaus Hildebrand bespricht Noltes Beitrag im Fachorgan »Historische Zeitschrift« (1986, 466) positiv. Unter Erwähnung der reaktiven Kopiethese sieht Hildebrand nur einen anregenden und »wegweisende(n) Aufsatz« und verweist auf die einordnend-vergleichende Sichtweise Noltes – Peter Gay (1986, 14, 17) redet (mit Bezug auf Nolte 1974) von einer

Methode der »vergleichenden Verharmlosung« bzw. von »Raubzügen in die vergleichende Geschichtswissenschaft« – vor allem aber trägt Hildebrand seine durch nichts begründeten Wertungen vor, nachdem er den entsprechenden Sammelband »unter wissenschaftlichen Aspekten« geprüft haben will.

In der FAZ vom 6. 6. 1986 greift Nolte seine Sichtweise der »Ungeheuerlichkeit der fabrikmäßigen Vernichtung von mehreren Millionen Menschen« und die damit verbundene Kritik am »Nichtvergehen der Vergangenheit« wieder auf (Historikerstreit 1987, 40). Die Vergangenheit soll in ihrer ganzen (konturlosen) Komplexität erkennbar werden, weshalb die reduktionistische Einstellung verworfen wird, »die nur auf den einen Mord und den einen Massenmord« – also auf Auschwitz – fixiert bleibt (S. 46). Ein »kausaler Nexus« des sowjetischen und nationalsozialistischen Staatsterrors gilt Nolte als »wahrscheinlich«. Singulär ist allein die Vernichtungstechnik, die den Nationalsozialismus auf besondere Weise charakterisiert. Zwar will Nolte (S. 42) Hitler nicht rechtfertigen, aber er trägt gleichwohl eine psychologisch verständnisvolle Ableitung der NS-Terrorordnung vom Bolschewismus vor und plädiert für einen komparativ begründeten Schlußstrich.

». . . all dasjenige, was die Nationalsozialisten später taten, mit alleiniger Ausnahme des technischen Vorgangs der Vergasung, (war) in einer umfangreichen Literatur der früheren zwanziger Jahre bereits beschrieben . . . die folgende Frage (muß) als zulässig, ja unvermeidbar erscheinen: Vollbrachten die Nationalsozialisten, vollbrachte Hitler eine ›asiatische‹ Tat vielleicht nur deshalb, weil sie sich und ihresgleichen als potentielle oder wirkliche Opfer einer ›asiatischen‹ Tat betrachteten? War nicht der ›Archipel GULag‹ ursprünglicher als Auschwitz? War nicht der ›Klassenmord‹ der Bolschewiki das logische und faktische Prius des ›Rassenmords‹ der Nationalsozialisten? Sind Hitlers geheimste Handlungen nicht gerade auch dadurch zu erklären, daß er den ›Rattenkäfig‹ nicht vergessen hatte? Rührte Auschwitz vielleicht in seinen Ursprüngen aus einer Vergangenheit, die nicht vergehen wollte?« (Historikerstreit« 1987, 45)

Während Hillgruber vor einem sachlichen Hintergrund ungesicherte Interpretationen und Ausblicke präsentiert, vermengt Nolte durch und durch unklare geschichtspolitische Zielsetzungen mit quellenkritisch ungeklärten und vagen analytischen Ansätzen.

Nolte revidiert seine Argumentation weder im »Historikerstreit« (223 ff., 360) noch in zwei nachfolgenden Büchern.[7] Dieser Stil muß also ernst genommen werden. Auch redet Nolte von »schlichten Wahrheiten« und vom »Ethos der Wissenschaft« (Historikerstreit 1987, 45), die er in Anspruch nimmt. In einem Brief vom Dezember 1986 an den israelischen Historiker Otto D. Kulka reklamiert Nolte (1987a, 137) ferner simple Richtigkeiten im rechtsextremen Schrifttum (z. B. in Wilhelm Stäglichs – »Der Auschwitz Mythos«):

»Aber ich ergreife in diesem Falle die Partei der Rechtsradikalen – nicht deshalb, weil sie Rechtsradikale sind, sondern, weil seit vielen Jahren die simplen Richtigkeiten, die sich auch bei ihnen finden, nicht aufgegriffen und nicht zitiert werden.«

Tatsächlich entnimmt Nolte (vgl. Historikerstreit 1987, 224 ff.) seine »Schlüsselworte« den von Hitler geschätzten frühen Befürwortern der NSDAP, Max Erwin von Scheubner-Richter und Dietrich Eckart, und der breiten antibolschewistischen Literatur zum »roten Terror in Rußland« (Melgunow); selbst in seinem neuesten 600seitigen Werk unterbleibt jedoch die Auseinandersetzung mit dem Aussagewert solcher Quellen.[8] Die »Zuverlässigkeit« einer Quelle (Melgunow) wird bestenfalls immanent beurteilt.[9] Auch für die Aussage, Chaim Weizmann, Präsident der Jewish Agency, hätte 1939 »so etwas wie eine Kriegserklärung« gegenüber Deutschland ausgesprochen[10], so daß Hitler die Juden hätte internieren können, trägt Nolte keinen zureichenden Beleg vor.[11]

---

7 Nolte 1987a, 11 f., 16 ff.; 1987b, bes. 15 f., 113 ff., 499 ff.

8 Nolte 1987b, 114, 115, 116 f., 120, 132.

9 Nolte 1987b, 564 – Anm. 24. Vgl. bereits Nolte 1963, 402 ff.; 1968, 70 ff., 146; Historische Zeitschrift 1961, 584 ff.

10 Historikerstreit 1987, 24 f., 35, 228 f.

11 Kocka ebd. 135 f., 142; Puhle 1987, 386.

Nolte wählt einen Stil, der weitreichende Aussagen in Frageform vorstellt, aber dürftig begründet. Die Frage wird als möglich erachtet und somit gestellt, um dann wie ein Argument behandelt zu werden. Diese Argumentationsweise ist nicht transparent (Puhle 1987, 386) und hält konkreter Betrachtung nicht stand, was Stefan Merl (1987, bes. 368 f.) am Beispiel des Vergleichs von Auschwitz und dem GULag-System und Wehler (1988, 147 ff.) am Beispiel des »Rattenkäfig«-Bildes exemplifizieren.

Diese Ausführungen am Beispiel der Beiträge von Hillgruber und Nolte mögen die These vom Wissenschaftsverzicht zumindest veranschaulichen. Wissenschaftsverzicht setzt voraus, daß die Autoren (zumeist Universitätsprofessoren) diese Thematik seit langem schon bearbeiten und erfolgreiche, viel diskutierte Frühschriften aufzuweisen haben. Titel, altes Renommee und neuer Nimbus bürgen per se für den Wert auch der geschichtspolitischen Beiträge und Wertungen, verschaffen ihnen den Eingang in die Printmedien (Nolte 1987a, 10 f., 151 ff.) und die (vermutliche) Wirkung auf die von den überregionalen Zeitungen angesprochenen Multiplikatoren, auf den neuen »postideologisch-ideologischen« Politiktyp (impressionistisch dazu Scheer 1986, 852).

Der »Historikerstreit« heute – die Faszination damals

Eine weitere Bedeutung besagten Wissenschaftsverzichts besteht darin, was mit Bezug auf Saul Friedländer[12] jedoch nur angedeutet werden kann, daß – kritisch betrachtet – der aktuelle »Diskurs über den Nazismus . . . auf der imaginären Ebene, im Bereich der Bilder und Gefühle« helfen kann, »Mechanismen der Faszination von damals« zu ahnen. Die sprachliche Ausgestaltung der Geschichte von Faschismus und Antisemitismus zur »normalen« Vergangenheit läßt den Betrachter solche Mentalitäten und Überlegungen spüren, die 1932/

12 Friedländer 1986, 11, 13 f., 17, 44 ff., 75, 78 ff., 125 ff.

33 einflußreiche Teile der Eliten in Wissenschaft, Kultur, Kirchen, Politik, Justiz, Verwaltung, Industrie und Militär zur Toleranz oder sogar zur politischen Kooperation mit der NS-Oligarchie motiviert haben könnten.

Wenn Hillgruber für das Kriegsende zwischen Deutschem Reich, Heimat und Nationalsozialismus strikt unterscheidet, wenn Nolte (1968, 146) den Nationalsozialismus als »Todfeind und Affe des marxistischen Sozialismus, als Spiegel und Gegenbild in einem« charakterisiert, sowie – ohne eine ausführlichere Auseinandersetzung mit Carl Schmitt (1987b, 424 f.) – die Politik von 1917 bis 1945 gemäß dem »Totalitätsanspruch« von Faschismus und Sowjetkommunismus als »Bürgerkrieg« begreift, dann werfen beide Autoren von heute aus Licht auf ein politisches Deutungsmuster, das den Erfolg des Faschismus mit bestimmt hat.

Nationalsozialistische »Bewegung« und faschistisches »System« werden trotz, ja gerade wegen ihrer nicht-bürgerlichen Bestandteile (z. B. wegen des Anteils an gewaltbejahender Dezision und Maßnahmestaatlichkeit bei der Durchsetzung des Leitmotivs »gesunde Wirtschaft im starken Staat« [C. Schmitt]) akzeptiert, weil sie, angesichts der Bürgerkriegsdeutung und der Weltwirtschaftskrise ein Ende der apokalyptischen Ängste, einen cum grano salis tolerablen Ausweg aus der Alternative »Sowjetstern oder Hakenkreuz« (H. Remmele) bedeuten. Der »Bürgerkrieg« wird so beendet, daß die Position des Reichs verbessert und (»arische«) Besitz- und Verfügungsrechte nicht strukturell in Frage gestellt werden.[13]

Der als »natürliches Erwachen« (Kosiek 1987, 199), als Kontinuitätsappell (S. 198; Ueberschär 1987, 79 ff.) oder als »eine differenziertere und damit gerechtere und treffendere Sicht der jüngsten deutschen Geschichte« (Kraus 1987, 18) bilanzierte »Historikerstreit« reproduziert in seinen affirmativen und teil-wissenschaftlichen Tönen die Motive der Jahre 1932/33 in einer aktualisierten und verallgemeinerten (hobbesianisch-schmittianischen) Form. Insofern trifft es zu:

---

13 Vgl. Nolte 1987b, 276 ff., 422 ff.; 451 ff., 546 ff.

»Die Art, wie bei uns über Hitler geschrieben wird, ist zugleich auch die Art, wie wir über uns denken«
(Herrmann 1983, vgl. Schnabel 1987, 18; Klönne 1987).

Das Ende der Nachkriegsgeschichte der »gezähmten Deutschen« – d. h. die Abkehr vom Weg »von der Machtbesessenheit zur Machtvergessenheit« (Schwarz) hin zum »geometrischen Ort« einer handlungsfähigen, nicht-»nationalneutralistischen« Identität (Stürmer) – schließt an Motive der Überwindung von »Versailles« an. – Die anderen zeitgenössischen Kampfgebiete »Weimar« und »Genf« (Schmitt 1940) sind in der aktualisierten (deshalb auch »konservativen« oder »rechtsradikalen«, jedenfalls aber nicht »rechtsextremen« oder »neofaschistischen«) Form nicht entscheidend umstritten. »Bonn« ist seit dem 4. 10. 1982 bzw. seit dem 6. 3. 1983 »gewendet« und kann unter Wahrung von Art. 1, 20 und 79(3) GG ausgestaltet werden; »Genf« bzw. »New York« ist kein feindlicher Platz mehr, zumal die bundesrepublikanische Souveränität z. B. in »Petersberg/Godesberg/Paris«, »Luxemburg«, »Brüssel« und »Heidelberg« in wesentlichen Teilen »internationalisiert-westorientiert« worden ist und diese Grenzen vom »mainstream« der Geschichtspolitik auch für die neue »nationale Identität« und/oder den »Verfassungspatriotismus« akzeptiert werden.

Die Gegenwart folgt der Vergangenheit: Hinweise zur Tätergeschichte

In seiner Schrift zur »Liquidierung (der) liberalen Periode« in der Dynamik der bürgerlichen Entwicklung – wie Herbert Marcuse resümiert (Marx 1965, 143, 150) –, im »18ten Brumaire des Louis Bonaparte« (1852), weist Marx (S. 9) auf die Bedeutung politisch-historischer Deutungsmuster im Zusammenspiel mit sozioökonomischen Entwicklungen hin:

»Die Menschen machen ihre eigene Geschichte, aber sie machen sie nicht aus freien Stücken unter selbstgewählten, sondern unter unmittelbar vorhandenen, gegebenen und überlieferten Umständen. Die Tradition aller toten Geschlechter lastet wie ein Alp auf dem Gehirn der Lebenden.« Marx redet in diesem Zusammenhang von »weltgeschichtlichen Totenbeschwörungen«.

Der gegenwärtige Versuch neokonservativer Geschichtspolitik, wieder einen klaren (d. h. weniger gedankenschweren) Kopf zu erlangen, ist ein derartiger Versuch, »Altes« zu »modernisieren« und zugleich Geschichte Vergangenheit werden zu lassen.

Die Wert- und Geschichtspolitik von Neokonservatismus und Postmodernismus mit ihrem bewußt selektiven Begriff zu Geschichten und Stilen ist bemüht, historische Unbefangenheit zurückzugewinnen (Habermas 1985, 51). Wenn Marx die französische Verfassung vom 4. 11. 1848 dadurch charakterisiert, jede Bestimmung enthalte zugleich ihre eigene Antithese, »nämlich in der allgemeinen Phrase die Freiheit, in der Randglosse die Aufhebung der Freiheit« (Marx 1965, 25; MEW 7, 503 f.), so ist dies auch ein Stichwort zur Charakterisierung der Ambivalenz des Nationalsozialismusbildes, das im neokonservativen Zugriff auf die Geschichte entworfen wird:

Während die Schrecken des Nationalsozialismus eingestanden werden, werden gleichzeitig Staat und Gesellschaft in der Gegenwart (für die Zukunft) entlastet, weiterhin – wie gelähmt – an einer weltgeschichtlichen Klagemauer zu stehen, und vergangenheitsbezogene Gegenwartsverpflichtungen zurückgewiesen.

»Hoffnung, daß die Schatten der Geschichte wegziehen«, hat die FAZ (Nr. 191 vom 20. 8. 1987, 3); Gewißheit, »wir« hätten »die Lektion der Geschichte« gelernt, äußert Bundeskanzler Kohl am 21. 4. 1985 im KZ Bergen-Belsen. In der ersten Antisemitismusdebatte des Bundestages bekräftigt der Bundeskanzler am 27. 2. 1986 dieses Urteil: »Die riesige Mehrheit unserer Mitbürger ist immun gegen Antisemitismus.«

Vier Monate später, am 6. 6. 1986 in der FAZ, weckt Ernst Nolte die »Erinnerung an den genuinen und keineswegs schon nationalsozialistischen Antisemitismus der Weimarer Republik«, um selbst bezüglich des transfaschistischen Begriffsmerkmals Antisemitismus (Schmidt 1985, 52 f.) »ein objektiveres Bild des Dritten Reiches ... zu zeichnen« (Historikerstreit 1987, 41 f., 43).

Ein und einviertel Jahr später, am 5. 9. 1987, wird vom hessischen Ministerpräsidenten Wallmann (»mit Zögern und Zweifeln«) »der falsche Weg, den dieses Land seit der Aufklärung gegangen ist«, als der Weg nach Auschwitz bezeichnet. Der christliche Antisemitismus (Nolte zufolge ist dies eine Spielart des »genuinen Antisemitismus«) wird aus der (un)-mittelbaren Verantwortung gegenüber dem totalen nationalsozialistischen Antisemitismus entlassen (FR, Nr. 206 vom 7. 9. 1987, 9).

Zwei Wochen später wiederholt und modifiziert der Frankfurter Oberbürgermeister Brück am 17. 9. 1987 dieses Urteil. Er möchte »das Ereignis von 1933 bis '45« isolieren, so daß die »eigene Vergangenheit« nicht insgesamt »mit einer Unvermeidlichkeit« in der »Einmaligkeit« dieser »Katastrophe« aufgeht.

So stützen nach bestem Wissen und Gewissen wohlverstandene Argumente des »Historikerstreits« eine Politikerrede!

Neben dieser Nutzanwendung zeichnet Brücks sorgfältige Rede eine weitere Zuspitzung aus. Der Frankfurter Oberbürgermeister gewinnt nämlich »seine Einsichten zur Geschichte aus dem Bekenntnis zum eigenen Volk«. Juden (auch solche deutscher Staatsbürgerschaft?) gehören dieser aus gemeinsamer Betroffenheit geborenen und durch gemeinsames Bekenntnis konstituierten Volksgemeinschaft nicht an. (»Das deutsche Volk muß sich wieder gegenseitig kennenlernen«, forderte Adolf Hitler am 1. 5. 1933.)

Brücks Zuspitzung deutscher Betroffenheit ist *kein* Nationalsozialismus! Es fehlen diesem völkischen Denken und Gemeinschaftsgefühl die rassistische Begründung und die militante Konsequenz, die die Nicht-»Volksgenossen« ausgrenzt, sie – wie Punkt 5 der »25 Punkte« besagt – als »Gast« der »Fremdengesetzgebung« unterstellt (was am 14. 11. 1935 dann die »Erste Verordnung zum Reichsbürgergesetz« konkretisiert). Rassismus *und* militante Durchsetzungskompetenz begründen den nationalsozialistischen (»transfaschistischen«) Antisemitismus und stellen entscheidende Besonderheiten des Nationalsozialismus dar:

»Reichsbürger ist nur der Staatsangehörige deutschen oder artverwandten Blutes, der durch sein Verhalten beweist, daß er gewillt und geeignet ist, in Treue dem Deutschen Volk und Reich zu dienen.« (»Reichsbürgergesetz« vom 15. 9. 1935, § 2 (1) – RGBl. 1935 I, 1146)

»Kein Jude kann ... Volksgenosse sein«, lautet Punkt 4 des NSDAP-Programms, den vor allem die Ausführungsbestimmungen der Nürnberger Gesetze vom 15. 9. 1935 zur Bestimmung der Reichsbürgerschaft benutzen. Im zeitgenössischen »Bücherschatz des Lehrers«: »Vorbereitungen und Unterrichtsbilder für den Geschichtsunterricht« (1939, 374) wird die rassistisch-militante Zuspitzung völkischen Denkens besonders griffig formuliert:

»Weil der Jude ein anderes Blut hat als der Deutsche, muß er auch anders fühlen und denken, muß er unserem deutschen Leben immer verständnislos und feindselig gegenüberstehen.«

Oberbürgermeister Brück begründet seine volkhafte Sicht 1987 aus der unterschiedlichen Betroffenheit der Völker gegenüber der Geschichte:
»Die Deutschen jener Zeit sind Täter, die Juden Opfer.«
Dies fordert unterschiedliche Geschichtsbetrachtungen, die in der Konsequenz jede universalgeschichtliche Betrachtung verhindern, die jedes deutsche Engagement für die jüdische Geschichte in Deutschland als artfremd/volksfern erscheinen lassen.

Die nationalsozialistische Zuspitzung, die (generalklauselartig) Juden (auch »jüdische Mischlinge«) a priori ausschließt, Deutschen Wohlverhalten abverlangt, sie ansonsten aber (selbst auf Verdacht) ebenfalls ausgrenzen kann, ist nicht die Zuspitzung, die Brück 1987 in der hier betrachteten Eskalationsleiter vertritt. Brück erreicht die Stufe der akademischen Rufer im »Berliner Antisemitismusstreit« 1879/80 (Boehlich 1965), die zeitlich und logisch *vor* dem Nationalsozialismus liegt (und *Möglichkeiten* der Eskalation wie der Deeskalation impliziert).

Der Vergleich mit Aspekten des »Berliner Antisemitismusstreites« bedarf weiterer Klärung. Gemeint ist die »deutsche Judenfrage«, die Treitschke 1879 abhandelt (Boehlich 1965,

5 ff.). Es geht um die Selbstbesinnung der deutschen Nation und darum, daß – bei Respektierung der Emanzipation und der Forderung nach weiterer Assimilierung, ja, sogar bei Kritik judenfeindlicher Meinungen und Verhaltensweisen – Heinrich von Treitschke die »Einwirkung des Judenthums auf unser nationales Leben« zurückweist. Treitschke (S. 12) verlangt »Toleranz« und »Pietät« von den Juden »gegen den Glauben, die Sitten und Gefühle des deutschen Volkes«. Aus der Geschichte ihrer Verfolgung sollen somit die Juden keine Forderungen und moralische Titel gegenüber Deutschen ableiten, sie sollen somit ihre Opferrolle akzeptieren und ihrerseits den »Gegensatz« nicht schüren. Treitschke weist latent drohend darauf hin, die Deutschen seien »nun einmal das leidenschaftlichste aller Völker«.

Derartige Drohungen und Assimilationsnötigungen trägt Brück nicht vor, hierin liegt ein tiefer Unterschied. Brück denkt pro-deutsch, ohne institutionelle oder gewaltträchtige Andeutungen zur Ausgrenzung der Juden mitzuteilen. Allerdings ermöglicht seine Argumentation den (deutschen) Juden gar keine Chance, an einer Geschichte aus deutscher Sicht, also aus Tätersicht, teilzuhaben (Opfer bleibt Opfer). Diese Sichtweise ist die einzige, die einem Deutschen entspricht. Immanent wirkt dies – wie schon bei Treitschke – als ein Appell an die Vernunft, seinen jeweiligen Standort zu erkennen und zu akzeptieren; die »Einwirkung des Judenthums auf unser nationales Leben« (im engeren auf die Ausgestaltung des Frankfurter Börneplatzes) wird also gemäß der Logik der Brückschen Ausführungen immanent als unsachlich, als die Vermischung völkisch unvereinbarer Aufmerksamkeitshaltungen zurückgewiesen.

Die von Treitschke (vor allem auch im weiteren Verlauf des Streits[14]) vorgenommene offene Zurückweisung von Juden unterbleibt jedoch 1987. Brück wendet aber wesentlich Treitschkes Sichtweise auf ein aktuelles Problem der deutsch-jüdischen Geschichte an, um dieses im deutschen Sinn zu entscheiden.

---

14 Boehlich 1965, 31 f., 38 f., 42 ff., 77 ff., 90, 225 ff.

Gegen einen jüdischen Kritiker hat Treitschke (S. 38) im Dezember 1879 die Position völkischen Denkens eingenommen:

»Da jedes große Volk nur aus seinem eigenen Wesen heraus gerecht beurteilt werden kann, so muß ein Historiker, der die deutschen Dinge vom specifisch jüdischen Standpunkte betrachtet, unvermeidlich manches schief und einseitig auffassen«; bis hier müßte Brück 1987 dem Berliner Ordinarius der Geschichte und (nach Ranke) dem Historiographen des preußischen Staates, Heinrich von Treitschke, Recht geben. Jedenfalls scheint es, als nehme er diese antijüdische Sichtweise nach dem Faschismus und dem nationalsozialistischen Antisemitismus als eine nicht-jüdische Beurteilung wieder auf. Treitschkes Antijudaismus geht dem Faschismus voraus und ist ein Vorläufer (weniger nicht, mehr nicht). (Schoeps 1985, 43 ff., bes. 58 f.)

Das deutsche »logische und faktische Prius des ›Rassenmords‹ der Nationalsozialisten« (so Nolte allerdings zum Archipel GULag: Historikerstreit 1987, 45) ist das völkische Denken, dessen Grenze gegenüber dem Nationalsozialismus weiterer Betrachtung bedarf. (Historisches Wissen »belehrt« a posteriori, daß diese Grenzen zum Nationalsozialismus äußerst fragil und durchlässig gewesen sind: Die Deeskalation müßte Ende der 80er Jahre also vehement und rapid betrieben werden!)

Wie Hillgruber und Nolte vertritt also auch Brück eine methodisch unkontrollierte, »wild« ablaufende Betroffenheitssichtweise, die den deutschen und den jüdischen Standpunkt aus unterschiedlichen Betroffenheiten voneinander absetzt. Die radikale Fehlleistung Brücks besteht nun darin, diese Diagnose nicht geschichts*therapeutisch* zu nutzen, um jüdische Diskussionen und Forderungen zu *verstehen.* Vielmehr leitet er aus der wesentlichen Differenz von Täter und Opfer eine logische Aufmerksamkeitshaltung ab und konstruiert von diesem archimedischen (Scheide)Punkt – einem Schibboleth! – der deutsch-jüdischen Geschichte aus ein ausschließlich deutsches Geschichtsbild. Gebotener Sensibilität verstehender Geschichte wird entsagt, indem sich diese Sichtweise nochmals zur Täterrolle bekennt und die historische Faktizität als einzige Richtschnur des Denkens, ja der Denkmöglichkeiten, anerkennt.

Gegenüber der Abstraktion Noltes ist diese völkische Subjektivität des Frankfurter Oberbürgermeisters ein weiterer entscheidender Schritt in die bejahte Abhängigkeit bzw. gegen die Aufklärung.

Vor den Frankfurter Stadtverordneten führt Oberbürgermeister Brück am 17. 9. 1987 aus:

»Ich verstehe die Betroffenheit eines Juden, die zum Nichteinverständnis mit meiner Wertung führt. Das ist selbstverständlich. Er wertet aus dem Schicksal seines Volkes, seiner Religion, und ich werte aus dem Schicksal unseres Volkes, und komme deshalb möglicherweise zu anderen Ergebnissen. Wenn ich mich zu meinem Volk, zu der Verantwortung, die sich aus den schlechten Teilen der Geschichte meines Volkes ergeben, ebenso bekenne wie zu den guten. Dann ist das selbstverständlich.

Herr Stadtverordneter, wer dazu nicht mehr fähig ist, seine Einsichten zur Geschichte aus dem Bekenntnis zum eigenen Volk zu gewinnen, den kann ich in der Tat nur zutiefst bedauern.« (FR Nr. 223, 26. 9. 1987, 16)

Ausstieg aus der Unmündigkeit!

Allein diese Eskalationsleiter: Kohl-Nolte-Wallmann-Brück im Zeitraum vom Februar 1986 bis zum September 1987 mag ein erster Hinweis sein, warum die Titelfrage nach dem Studium von »Faschismus« mit ihrer kritischen Stoßrichtung gegen selbstverschuldete Abhängigkeiten berechtigt erscheint:

»Freiheit/Gleichheit/Brüderlichkeit« und universelle Rechte stehen dem Dreiklang »Autorität/Rassismus/Barbarei« und den »Ariergesetzen« gegenüber. – Das, was geschieht, kann nicht unreflektiert akzeptiert werden. »Sapere aude!« lautet seit 1793 Kants Forderung.

Grundsätzlich werden diese tieferliegenden antiaufklärerischen Prozesse weitgehend hinter dem Rücken der Subjekte ablaufen, jedenfalls aber unterliegt ihnen keine bewußt konstruierte und eingeplante »faschistische« Logik. Dennoch ergeben sie in ihrer Summe – und das ist die Summe auch bewußt herbeigeführter und eingeleiteter »kleiner« und mittelfristiger Schritte – eine weitreichende »klimatische Zäsur«. Die »Normalisierung« *dieser* (der faschistischen) Vergangenheit deutet – angesichts des prägenden Nicht-Faschismus der bundesrepublikanischen Gründerjahre, so wie er in seiner öffentlichen Verschwiegenheit von Lübbe (1983) beschrieben worden ist, wie er auch die Vorsprüche der Verfassungen von Bayern (2. 12. 1946), Rheinland-Pfalz (18. 5. 1947) und Bremen (21. 10. 1947) prägt – auf einen seit Ende der 70er Jahre anwachsenden, neuen politischen Konsens hin, der dem traditionellen Verfassungsverständnis (keineswegs nur dem Anti-Faschismus von Minderheiten) diametral gegenübersteht. Ansätze eines pluralistischen Pluralismus werden wertpolitisch stigmatisiert und ordnungspolitisch in Abbau des Sozialstaats (als Korrektiv) einbezogen.

Dies führt zu einer neuen Schärfe und Tiefe der Konflikte *im* Verfassungsrahmen (also nicht mehr gegenüber randständigen Extremen bzw. als »verfassungsfeindlich« eingestuften Parteien, Sympathisanten und »Lagern«). In nuce bestimmt dies bereits den Tonfall des »Historikerstreits«.

Gegenüber dem affirmativen Denken, das die Realität verdoppelt moderiert, indem sie »ertragbar« aufbereitet wird (Hildebrand: Historikerstreit 1987, 291 f.), und in Kenntnis der »Dialektik der Aufklärung« verdient Friedrich Schillers Antrittsrede »Was heißt und zu welchem Ende studiert man Universalgeschichte?« eine erneute Lektüre. Die im Faschismus zur Macht gelangten »barbarischen Überreste« verpflichten zur reflexiven kritischen Rückbesinnung auf ein »Zeitalter der Vernunft«. In diesem Sinn ist Faschismusanalyse ein »Schuldner vergangener Jahrhunderte«, wenn und soweit sie an der Möglichkeit festhält, Aufklärung zu denken und Befreiung zu realisieren.

Gerade weil der historische Faschismus mit seinem (rassistisch-militanten) Begriff des Politischen und seinem rigorosen Dogmatismus und Autoritarismus die Weite der unaufgeklärten Räume (in uns und außerhalb) veranschaulicht und praktisch benutzt hat – um integrativ *und* terroristisch

»Volksgemeinschaft« herzustellen –, fordert er Aufklärung heraus. Angesichts des erprobten konservativen Zirkels:

das Böse – Autorität – Unmündigkeit – uneingeübte Humanität

ist Aufklärung unverzichtbare Hoffnung. Die Probe auf die Mit-Bestimmung hat kaum begonnen, der »Demokratisierung« folgten zu bald die »Macher« und »Wender«.

Die vom Faschismus gezeigten »barbarischen Überreste« sind weiter zu erforschen, zu begrenzen, und endlich gilt es, die von Schiller aus den Ansätzen der Personwerdung und Verfassungsgebung herausgelesene »Veredlung« zu fördern.

III

Der »Historikerstreit«: Ein Legitimationsangebot für die »Versöhnungsgesellschaft« mit »maßvollem Verhältnis« zum »Vaterland«

»Worst-case-Szenarien sind ... immer polarisierend, weil sie demjenigen, der ihnen nicht folgt, die Amoralität bewußter Inkaufnahme apokalyptischen Unheils unterstellen. Best-case-Projektionen hingegen appellieren an den Einsatz von Kopf und Herz zur Erreichung gemeinschaftsdienlicher Ziele, trauen also auch dem kritischen Mitmenschen moralische Integrität zu.« – »Die ordnungspolitische Wiederentdeckung des menschlichen Faktors, die Rehabilitation primärer Tugenden wie Hilfsbereitschaft, Nächstenliebe und Mitverantwortung, ist ... eine zutiefst soziale Aufgabe, die der Staat seinen Bürgern und die diese sich selbst und der Gemeinschaft schulden.«

(Lothar Späth 1985)

»Versöhnen statt spalten!«

(Johannes Rau 1986/87)

Es gibt – wie Helga Grebing (1986) konstatiert – einen modifizierten »deutschen Sonderweg«: »Was sonst – wenn nicht ›deutscher Sonderweg‹?«

Es gibt Kontinuitäts- und Bruchlinien, die nicht nur eindimensional auf den Faschismus (und der ist mehr als bloßer »Terror«) zulaufen, sondern die als soziale Demokratie und als Ausdehnung des Rechtsstaatsgedankens auf die Arbeits- und Güterordnung (H. Heller) auch das von der sozialdemokratischen Arbeiterbewegung getragene Konzept einer sozialstaatlich garantierten Gleichheit und Freiheit einschließen. Die geschichtspolitische Debatte der 80er Jahre verweist auf diesen doppelten deutschen Sonderweg, der (vergröbert »abgespielt«) noch die Teilung Deutschlands bestimmt. Ebenfalls ist es charakteristisch, daß der neu-deutsche Legitimationsentwurf über und als »Geschichte« vorgetragen und der »Kampf um Verfassungspositionen« (Seifert 1974) weitestgehend vergessen wird (Seifert 1987).

Die »Neue Rechte« in Frankreich erklärt aus Benoists »rechter Sicht« Biologie zur Königswissenschaft; Biologie ist es, »die uns ein neues Bild des Universums verrät«; die »Biopolitik« eines ethnopluralistischen Rassismus ist es, die auf der Höhe solcher Problemsicht betrieben werden soll. – Der amerikanische Neokonservatismus betreibt ein »agenda setting«, das von Werten und von angebotsorientierter Wirtschaftsphilosophie bestimmt wird. – Allein Italien hat seinen geschichtspolitischen Streit (Mitte der 70er Jahre), der – gegenüber der »deutschen Dumpfheit« – von Konservativen *und* Kommunisten bemerkenswert offen, lernintensiv geführt worden ist und wird. Renzo De Felice und Giorgio Amendola, zwei wichtige Streitpartner des italienischen politischen Streits über Geschichte, stellen Selbstkritik mit ins Zentrum dieses Streits – eine Zielrichtung, der die italienische Öffentlichkeit nicht ausweicht. Diskutiert wird Kontinuität! »Der Faschismus hat unsägliche Schäden hinterlassen«, so De Felice (1977, 14). »Einer der schlimmsten besteht in der Hinterlassenschaft einer faschistischen Mentalität auch bei Nicht- und Antifaschisten und selbst bei Angehörigen der nachfolgenden Generation ...«

Die Wahl des Kerngebietes, aus dem heraus sich die überhöhende Legitimation (und damit auch die »Freund-Feind-Unterscheidung«) »ableitet«, gibt Aufschluß über die Gesamtverfassung einer politischen Kultur und über die diesbezüglichen besonderen nationalen Wege zur Bewältigung von Orientierungsproblemen, zur Erklärung von Fällen und Entscheidungen, zur Begründung von Meinungen und Verhaltensweisen. Die Wahl der Geschichte und insbesondere die Diskussion über den »Nationalsozialismus in der deutschen Geschichte« (Thamer) zeigen an, daß der – modifiziert zu verstehende – Sonderweg, der 1933 als Ziel hatte, auch Mitte der 80er Jahre insoweit noch prägende Kraft hat, als er es der »Wende« »auferlegt«, sich in spezifisch legitimatorischer Form auf die deutsche Diktatur zu beziehen und von diesem Punkt aus ihr Deutungsmuster vorzutragen.

Der Nationalsozialismus als Schibboleth deutscher Geschichte

Die Geschichte des Nationalsozialismus ist ein Probierstein (daß »alle philosophischen Anstrengungen der deutschen Nation von Kant bis Hegel nutzlos« werden könnten, ahnt Friedrich Engels bereits 1843) – ein Probierstein, der die geringe Bestands- und Krisenfestigkeit von Humanität, allgemeinen Menschen- und Freiheitsrechten und rechtsstaatlich verfaßter Staatsgewalt und Politik nachweist und somit die einfache Rückkehr zur Normalität verhindert. Als Auftrag zur Selbstbesinnung auf Aufklärung und die alte Hoffnung nach allgemeiner Freiheit und Vernunft wirkt der Nationalsozialismus nach 1945 als eine manifestierte Möglichkeit des Bösen und somit als Aufforderung zum »Ausgang des Menschen aus seiner selbstverschuldeten Unmündigkeit« (Kant). Noch die sozialdemokratischen und liberalen Varianten der Totalitarismustheorie halten in halbierter Form an einer solchen Verpflichtung fest, indem sie von der säkularen Feindschaft von »Demokratie« und »Diktatur« ausgehen (und die Singularität von Faschismus/Nationalismus in der komparativen Verallgemeinerung der »rechts- wie linksdiktatorischen Formen« des Totalitarismus aufheben).

Gegenüber der zwischenzeitlichen fachwissenschaftlichen Spezialisierung und gegenüber der mit einer stillschweigenden Schlußstrichideologie verbundenen Entthematisierung stellt der »Historikerstreit«, als neuerlicher »Wendepunkt deutscher Geschichtserinnerung« (Chr. Meier), zunächst einmal die Dignität des Themas an sich wieder her:

Es wird wieder öffentlich und umfassend-deutend nach dem Ort des Nationalsozialismus in der deutschen Geschichte gefragt.

Die Kontroverse des »Historikerstreites« entbrennt darum, ob die Antwort auf diese Frage als unkritische Normalisierung, als entschuldigender – relativierender Vergleich und als Zurückweisung der traditionellen Essentials »Judenvernichtung« und »Entfesselung des Krieges« vorgetragen werden kann. 1986/87 wird vor aller Öffentlichkeit der wissenschaftliche und politische Fortschritt des Schlußstrichdenkens angezeigt, wogegen Adorno bereits 1959 angekämpft hat (»Was bedeutet: Aufarbeitung der Vergangenheit«).

Von einer »koordinierte(n) Aktion« »konservativer Historiker«, »großbürgerliche(r) Presse« und der (Schleyer) »Stiftung des Unternehmerverbandes«, bzw. von einer »rechten Offensive mit wissenschaftlichem Beistand«, die »im Resultat ein Ganzes« ergibt, kann nicht die Rede sein.[1]

Die Stoßrichtung der neokonservativen Geschichtspolitik ist nicht einheitlich und schwankt zwischen Vergangenheitsbewältigung und Zukunftszurichtung, zwischen Nolte und Stürmer, zwischen »Pankraz« (i. e. Zehm) und Fest. Es ist die Spannweite einer Arbeitsteilung legitimatorisch-ideologischer Akzentsetzungen von »Mitteleuropa« über die »Versöhnungsgesellschaft« bis zur Geschichtsrevision oder auch zur Anreicherung des »Verfassungspatriotismus« durch ein weiteres »Element natürlicher Heimatlichkeit« (Sternberg 1982, 11).[2]

Die gewichtigsten Akzentsetzungen und Argumentationsfelder des »Historikerstreits« widersprechen sich zwar nicht, fallen aber auch nicht zusammen und lassen innerkonservative Kontroversen zutage treten (dazu H. Mommsen und Broszat: Historikerstreit 1987, 156 ff., 174 ff., 192), wobei die gleichermaßen historisch-begründeten und regional verankerten Konzepte eines staatlich gebändigten Nationalismus und Patriotismus sowie der Sozialvision einer »Versöhnungsgesellschaft« die Zentren bilden. Der politische Nutzen des »Historikerstreites« besteht darin, diese Kontroversen transparent zu machen und den legitimatorischen Gehalt historischer Revisionismen zu dokumentieren.

---

1 Kühnl 1987, S. 266, 230, 237, dagegen S. 225 f., 232, 247 f, 250 f., 253, 255, 259 f., 263 f., 269, 282 ff.; ebda. 179 f. Hörster-Philipps.

2 Demzufolge scheidet auch aus, daß Fest »Regie« führe (Fülberth und Gossweiler in Kühnl 1987, 301, dagegen Fest: Historikerstreit 1987, 110 ff., 389 f.), wenngleich die FAZ eine bedeutende Rolle spielt (Nolte 1979, 7; Winkler: Historikerstreit 1987, 257 ff., 262).

In wissenschaftlicher Hinsicht werden – untergeordnet gegenüber der politischen Bedeutungsdimension – Fragen der Beziehung von Humanität und Barbarei in okzidentaler Politik und Kultur sowie von Funktion und Rolle politischer Gewalt und von Formen des Terrors aufgeworfen.[3]

Methodisch verbergen sich diese wissenschaftlichen Fragen in den derzeit primär politisch besetzten Diskussionsfeldern der Beziehung von Analyse und Deutung im Konzept der Historisierung oder Relativierung des Nationalsozialismus, in der Bestimmung singulärer oder epochaler bzw. allgemeiner Ereignisse und Charakteristika politisch-gesellschaftlicher Systeme sowie hinter Fragen des Vergleichs und der (Un)Vergleichbarkeit historischer Ereignisse. Es sind dies »klassische« Fragen der Nationalsozialismus-, Faschismus- und Totalitarismusanalyse, deren andauernde politisch-wissenschaftliche Bedeutung der »Historikerstreit« demonstriert. (Allardyce 1979; Friedländer 1987; Türcke 1987)

Ein Novum ist es, daß die innerwissenschaftlichen Diskussionsgehalte zur Singularität, Vergleichbarkeit, Kontinuität usw. so sehr Staffage geworden sind. Die wissenschaftlich wenig gehaltvolle Form des Konflikts belegt, »daß die konstitutive Bedeutung der Erfahrungen der nationalsozialistischen Epoche für das historisch-politische Selbstverständnis der westdeutschen Gesellschaft schlicht geleugnet wird« (H. Mommsen: Historikerstreit 1987, 169), daß man sich von den wissenschaftlichen Voraussetzungen des »politischen Konsensus der deutschen Demokratie nach 1945« abwendet (Sontheimer: Historikerstreit 1987, 279).

---

3 Gossweiler in Kühnl 1987, 304 f.; vgl. auch Nolte 1986, 275; Meier, Hildebrand: Historikerstreit 1987, 210 f., 266, 288 ff.

»Der Faschismus in seiner Epoche« oder »Deutschland erwache« im »Zeitalter der Tyrannen«?[4]

Im Imperativ oder Indikativ war einmal die Rede davon, die erforderliche »deutsche Zeitenwende« beginne mit »Deutschlands Erwachen«, also mit der Rückbesinnung auf nationale Stärke und Geschlossenheit, um die nach 1918 sowieso nicht angenommene Niederlage und »Vaterlandsbeschmutzung« zu revidieren (Jäger 1984). Flugzettel, Plakate, Sprechchöre und politische Reden verwenden den Signalruf, machen ihn öffentlich bekannt, verknüpfen »Deutschlands Erwachen« mit politischer Gewalt, der »Hauptaufgabe der SA« (so die »Dienstvorschrift für die SA der NSDAP«, 1932) und außenpolitischer Großraumsucht.

Auch literarisch wird das Motto verwendet. Ein »Buch der NSDAP« (1934), ein »Buch vom Niedergang und Aufstieg des deutschen Volkes 1918–1933« (1933), ein »Buch vom deutschen Weg aus lichter Höhe durch dunkle Nacht zu neuem Aufstieg« (1935) oder eine zweibändige Abhandlung über »Revolutionen der Weltgeschichte« (1933) greifen den Slogan »Deutschland erwache!« auf. Ein seinerzeit populäres (heute antiquarisch gesuchtes) Zigarettenbilderalbum vom »Werden, Kampf und Sieg der »NSDAP« trägt besagtes Motto (indikativisch) als Titel.

»Deutschland, erwache«: Dieser Weckruf wird so bekannt, daß er auch als Mahnruf umgekehrt werden kann. So liefert er für eine kritische Darstellung der »Geschichte des Nationalsozialismus« das Titelstichwort. 1932, in einer »Stunde welthistorischer Bedeutung«, betituliert Ernst Ottwalt seine Warnung vor dem »blutigen Schreckbild des deutschen Faschismus« mit dem kritisch-ironisch gewendeten Fanal »Deutschland erwache!«; und ein sozialdemokratisches Wahlplakat mahnt in demselben Jahr: »Deutsches Volk erwache!« – 1932 versagt die mahnende Interpretation des nationalsozialistischen Weckrufes.

4 Nolte 1963; Hildebrand: Historikerstreit 1987, 84 ff.; Narr 1987, 37 ff.

Tausend Jahre später greift Alexander Mitscherlich das Motiv nochmals auf, um es als Votum für einen »freien Sozialismus« zu benutzen:

»Es liegt ein bitterer Sarkasmus darin, daß der Schlachtruf, mit dem man im Vorfeld des Dritten Reiches die Massen aufwiegelte: ›Deutschland erwache!‹ in einem sehr schmerzhaften Sinn bis heute seine Gültigkeit bewahrt hat. Von Deutschland reden, heißt heute von der Anarchie der Handlungen und vom Nihilismus der Inhalte reden. In eine solche Welt erwacht man nicht gerne.« (Mitscherlich 1947, 7)

»Deutschland erwache!« 1987 erinnert das daran, daß der Nationalsozialismus an der Macht – d. h. ein System politischer Arbeitsteilung von Massenbewegung, einer politischen Elite von Newcomern und den etatistischen, autoritären und kapitalistischen traditionellen Funktionseliten – Deutschland den Deutschen »gestohlen« hat (Reger 1947, 16).

Rechte Traditionslinien: Eine erste Revision des Neubeginns

Ein Wunder, wenn es anders gewesen wäre: extrem rechte Meinungen (Verhaltensweisen unterliegen strafrechtlichen Sanktionen) überdauern – trotz aller staatspädagogisch und politisch-bildnerischen Kampagnen und aller Stigmatisierungen, getragen von einem Gestus des moralischen Aufschreis. Im Untergrund einer informellen politischen Subkultur und Traditionspflege bricht die Orientierung am autoritären Staat und an der autoritären Persönlichkeit 1945 selbstverständlich nicht ab; Meinungsumfragen von OMGUS stellen fest, daß der Nationalsozialismus populistisch als ein Regime für die soziale Absicherung der »kleinen Leute« verstanden wird.[5] Die für die politisch-kulturelle Auffassung des Nationalsozialismus charakteristische Aufspaltung der Leistungsbereiche des NS-Systems (wie: Vollbeschäftigung und Kriegsvorbereitung, Jugendpolitik und vormilitärische Ertüchtigung), die

5 Scheuch 1974, 438 ff., bes. 441.

zur bezeichnenden Bewertung immer nur von Teilbereichen führt (Hennig 1981), entwickelt sich nach 1945 und ist *immer* eine »Brücke nach rechts«, die auf der populitischen Meinungsebene rechte Extrempositionen mit der politischen Kultur unterhalb des legitimatorischen »Staatsantifaschismus« verbindet.

Rechte Gruppen und Individuen betreiben seit 1945 aktiv ihre Geschichtsdeutung, eine ebenfalls antikommunistische Nebengeschichte zum Staatsantitotalitarismus und eine Untergrundgeschichte, von der sich die Universitätshistorie abgrenzt[6], die aber nie abbricht und in ihrer Subkultur immer wirkt.

Gegen das »Netzwerk der Deutschenhasser« (W. Strauss, NZ, 1/87, 25), also der sog. Besatzer, Umerzieher und Heloten, wird Geschichtspolitik als geistige Aufrüstung gestellt. »Schuld« als eine Frucht von Lügen erzeugt »knechtische Abhängigkeit« (Christophersen), so lautet die bündige Prämisse, gegen die es zu agieren gilt. Geschichte als Volkspädagogik richtet sich gegen die »Umpolung« und gegen die als »Schöffenrichter« diffamierten Universitätshistoriker: »Heute hängt die Selbsteinschätzung der Deutschen in einem ungewöhnlich starken Maß davon ab, wie sie ihre Geschichte beurteilen und sich darüber informieren lassen« (Diwald 1986, 8). – Gefordert wird die Revision, »eine Neuentdeckung unserer Geschichte«.

Die rechtsextremen Autoren behandeln vorwiegend drei Komplexe:

Die nationalsozialistische Politik wird innenpolitisch als Reaktion auf Weltwirtschaftskrise und die »entkernte« Staatlichkeit und Handlungsunfähigkeit der Weimarer Republik sowie außenpolitisch als Reaktion auf das Unrecht des Versailler Vertrages (1919), als Wiederherstellung der (angestammten) Rolle Deutschlands gerechtfertigt.

Westliche Politiker werden kritisiert, weil sie – um der eigenen nationalen Größe willen – Deutschland zerstören und herunterwirtschaften wollen. (Dieses Motiv taucht auch in

6 Vgl. z. B. Broszat 1986, 187 ff., 262 ff.; Graml 1984.

Hillgrubers »Zweierlei Untergang« auf.) Genuin rechtsextreme Publizisten betonen zudem noch die staatsmännische, militäre und künstlerische Größe Hitlers.

Vielfach mit semantischen Akzenten verbunden (z. B. nicht von Mord, sondern von »Sonderbehandlung« ist die Rede, »Lebensrechte« eines Volkes werden beschworen, wenn es um einen Angriffskrieg – oder einen »Präventivangriff« [wie jetzt der Angriff auf die Sowjetunion bezeichnet wird] – geht) werden punktuelle Kritiken an Einzeldokumenten und Argumenten (z. B. Hoßbach-Protokolle, Hitlers Befehl zur »Endlösung«, Verbrennungsöfen) vorgetragen. Pars pro toto zielt solche Revision auf wunde Punkte der Gesamtinterpretation und betrifft insbesondere die Kriegsschuld und die Verantwortung für die totale Judenvernichtung.

Anfänglich handelt es sich um Bekenntnis- und Gesinnungsliteratur; ab Anfang der 60er Jahre läßt sich zunehmend eine Verwissenschaftlichung – bis hin zum Aufbau einer »Zeitgeschichtlichen Forschungsstelle« in Ingolstadt (1981), geleitet von Alfred Schickel, als einem Gegen-«Institut für Zeitgeschichte« – beobachten; ab Anfang der 80er Jahre beteiligen sich mehr und mehr auch Universitätswissenschaftler (jedoch keine Zeitgeschichtler) an dieser Publizistik.

Besonders in der Anfangsphase wird gern, als Quasi-Unabhängigkeits- und Wahrheitsbeweis, auf ausländische Autoren zurückgegriffen. (Auch die FAZ läßt am 14. 5. 1986 ausführlich einen »Sammler historischer Literatur« vor »falschen Schlüssen aus der deutschen Vergangenheit« warnen.) Taylors »Die Ursprünge des Zweiten Weltkriegs« (1962) und vor allem Hoggans »Der erzwungene Krieg« (1961) sind zu nennen. Mit Hoggans Arbeit, verbreitet durch die populären Akzentuierungen Walendys (1964), beginnt die Wissenschaftsförmigkeit der Darstellung, was Richtigstellungen seitens der Zeitgeschichte hervorruft.[7]

Diesbezüglich muß auch auf David Irving hingewiesen werden. Irving tritt 1963 bzw. 1964 mit einer Arbeit über die Zerstörung Dresdens hervor und legt dann 1975 »Hitler und

7 Vgl. VfZG, 10 (1962), 311 ff.; GWU, 14 (1963), 492 ff.

seine Feldherren« vor. In der deutschen Ausgabe fehlen die Bemerkungen zur Entlastung Hitlers von der Judenvernichtung (vgl. deshalb »Hitler's War«, 1977). Der erreichte Grad an Wissenschaftsförmigkeit – Martin Broszat attestiert Irving »umfassende zeitgeschichtliche Quellenkenntnis« und transparentes Forscherverhalten (VfZG, 25 (1977), 739 ff.) – und die feste Weltanschauung lassen Irving zu einem im rechten Lager gesuchten Publizisten und Vortragsredner werden. Ziel sind in affirmativer Absicht die Normalisierung, Entdämonisierung und Entkriminalisierung Hitlers und die Zurückweisung der Kriegsschuldthese.

Eine weitere Eskalationsstufe beschreiben ab Anfang der 70er Jahre – parallel zum Niedergang der NPD und zum lagerintern beginnenden Disput von »alten« und »neuen« Rechten, Kulturreform (»Junges Forum«) und Neonazismus – zunächst die Flugblätter, dann die Broschüren, die offen die Judenvernichtung zurückweisen. Als Stichwortgeber fungiert die Broschüre »Die Auschwitz-Lüge« (1973) von Thies Christophersen. Durch seinen Erinnerungsbericht will Christophersen die »Massentötungen in den Konzentrationslagern« widerlegen, um die »Nachkriegspolitiker« von ihrer »völlig falschen Politik« abzubringen; die Jugend soll begreifen, daß ihre »Väter«, »die als Soldaten für Deutschland kämpften«, keine »Verbrecher« gewesen sind; um die rechte Sache zu entstigmatisieren, soll die Jugend »von der Schuldlosigkeit ihrer Väter« überzeugt werden (Hillgrubers Reichsschutz ante portas!).

Rechtsextreme Autoren gehen davon aus, daß die Integrität ihrer Bezugsposition, des historischen Nationalsozialismus, rekonstruiert werden muß, wenn die Ent-Ghettoisierung ihres politischen Lagers Praxis werden soll. Kognitiv und emotional müssen Hitler und das NS-Machtsystem vom Makel eines irrationalen Terrorregimes befreit werden, dabei erfüllt diese Literatur (als eine auf Manipulation bedachte Entlarvung der Manipulation der anderen) durchaus auch eine »ingroup«-Funktion der Stabilisierung des rechtsextremen Lagers durch einen Kulturzusammenhang.

Christophersens Broschüre verdeutlicht diesen Motivkomplex. Angesichts der zentralen Bedeutung des Gegenstandes entwickelt sich derartige Widerlegungsliteratur zum eigenen Schwerpunkt. Harwoods »Did Six Million Really Die?« (1975), Butz' »Jahrhundert-Betrug« (1977) und – zusammenfassend, wiederum auf Wissenschaftsförmigkeit bedacht – Stäglichs »Auschwitz-Mythos« (1979) sind zu nennen.

In diese Eskalationsleiter mit ihrer Konsequenz und Stimmigkeit im rechtsextremen Bezugsumfeld reiht sich 1978 mit seiner »Geschichte der Deutschen« Hellmut Diwald ein: Diwald greift (bis auf die Auschwitzlüge und die direkte NS-Nutzanwendung und -Bezüge) die Argumentationstopoi auf und vertritt – ebenso wie Bernard Willms' »Die deutsche Nation« (1982) – eine extrem nationalistisch begründete Außenpolitik, um das »politische Selbstbewußtsein der Deutschen« (Willms 1986) zu rekonstruieren, um die »deutsche Neurose« und damit die Zeit »beschädigter Identität« aufzuheben (wie 1980 der Titel über eine Tagung der C. F. von Siemens Stiftung lautet).

Diwald und Willms markieren die Teilhabe von Teilen der wert- und etatisch-konservativen Intelligenz an diesem rechten Diskussions- und Organisationszusammenhang, beide publizieren in entsprechendem Verlag, im Zeitschriftenspektrum, treten als Redner auf. Betrachtet man die publizistische Entwicklung ab Anfang der 80er Jahre, so stehen sie am Anfang einer immer breiteren Teilhabe konservativer Autoren (z. B. Hornung, Maier, Ortlieb) an diesen literarischen Aktivitäten.

Zugleich differenziert sich das Spektrum, indem nationalrevolutionäre Zeitschriften – in denen die genannten Autoren (Diwald, Willms) ebenfalls publizieren – an Beiträgen aus »der« Friedensbewegung, von einzelnen »Grünen«, einzelnen Sozialdemokraten und nationalen Linken sowie den neurechten Ethnopluralisten bzw. Regionalisten anknüpfen. Im Kriegs-/Abrüstungsszenarium der »Supermächte« und Blöcke wird so das Nationalismusargument ausdifferenziert und kommoder. Dazu trägt bei, daß letztgenannte Beiträger allesamt den historischen Nationalsozialismus kritisieren; sie bürgern den Argumentationsgang somit dadurch ein, daß dieses entwickelte schichten- und adressatenspezifische Nationalismus-Syndrom vom Neo-Nazismus weggeführt, zum Neo-

Konservatismus, zur alternativen Dritte-Weg-Diskussion und zu den herrschenden Tabus bundesrepublikanischer Politik hingeführt wird.

Um Irvings Arbeit (1975 bzw. 1977) zu charakterisieren, prägt Broszat 1977 den Ausdruck »Revisions-Theorie« für diese Art der Literatur, für diese »Hitler-Apologie«. Im rechten Lager wird diese Bezeichnung als Markenzeichen aufgegriffen. Das Schwerpunktheft Zeitgeschichte (»Vergangenheitsbewältigung oder historische Wahrheit«) von »Nation Europa« (Aug. 1979) lobt Diwalds »Geschichte der Deutschen« als »Volksbuch«, das »den Deutschen ihre Geschichte von neuem geschenkt« habe: Revision als verbindliche Interpretation. Udo Walendys indizierte »Wahrheit für Deutschland« gilt als »revisionistisches Werk«; »Nation Europa« (März 1987, 50) urteilt über diese gerichtlich bestätigte Indizierung (über das »Faschingsurteil von Berlin«), »der Revisionismus (sei) nicht mehr aufzuhalten«. Ein weiteres zeitgeschichtliches Themenheft: »Historiker-Streit: Wandel im Geschichtsbild?« (»Nation Europa«, Febr. 1987) behandelt zeitgeschichtliche Neuerscheinungen unter der Überschrift: »Der Revisionismus im Spiegel neuesten Schrifttums«.

Gestützt auf Zehm (»Welt«-Chefredakteur), Kaltenbrunner und Hildebrand betont der »Schriftleiter« von »Nation Europa«, Peter Dehoust, gegenüber »Habermas u. Co.« die Notwendigkeit einer »›Enthitlerisierung‹ der tagespolitischen Diskussion der Bundesrepublik ..., um zur Normalität zu finden« (NE, 3/87, 6). Der »Historikerstreit« selbst wird positiv bewertet als ein Anfang: »Die Epoche der ›Revisionisten‹ beginnt erst richtig« (S. 14). Sie sei von »zukunftsentscheidender Bedeutung« für ein »realistisches Geschichtsbild« und für die Geopolitik Deutschlands und Europas (Mitteleuropas insbesondere). (Kosiek 1987a, 1987; Kraus 1987)

Nach dem Abtreten der »Schuldgeneration« (Zehm vgl. NE, 9/86, 19) wird das von »Habermas u. Co.« vorgetragene »Dogma der ewigwährenden Kollektivschuld« von den Revisionisten (gegenüber den »Orthodoxen«, alias »Rechtgläubigen«) zurückgewiesen. Mit Kaltenbrunner wird festgestellt, Revision sei »geradezu ein Wesensmerkmal wissenschaftlicher

Arbeit und der ihr zugrundeliegenden Ethik« (was im Einklang mit Hillgruber und Nolte steht).

Gegenüber der Umerziehungs- und Besatzerlinie gewinnt ein Teil der Zeitgeschichte somit im »Historikerstreit« aus Sicht der radikalen Rechten seine Dignität zurück. Dieser Ansicht ist auch die nationalrevolutionäre »Neue Zeit« (1/87, 3), wo Wolfgang Strauss den Zusammenhang »Habermas und der Revisionismus« diskutiert. Habermas gleiche dem Brutus in Shakespeares Cäsar, indem er für die »westliche Wertegemeinschaft«, nicht aber für »nationale Identität« streite. Strauss kennzeichnet diese Haltung als »Selbstkolonialisierung«, wobei er – anders als die neokonservativen Kritiker Habermas' – für »Gesamtdeutschland« (»Deutschland über alles«) eintritt. Seine Kritik gilt folgendem:

»Die Kolonialisierten als Verteidiger ihrer Kolonialherren, freiwilliges Lakaientum als höchste Bürgertugend. Hinsichtlich der Bundesrepublik haben pathologische Killer der geistigen und nationalen Identität Hochkonjunktur, an die Stelle der realen Existenzprobleme sind Hitlersyndrom und andere Scheinfragen getreten. Die Tabuisierung der Wirklichkeit feiert makabre Triumphe.« (Vgl. Kaltenbrunner 1987)

Entwicklungslinien des »Historikerstreites«

Der »Historikerstreit« ist Kulmination und Koinzidenz mehrerer (z. T. autonomer) Teilrevisionen der klassischen Tabuisierung und »Verinnerlichung« der »deutschen Katastrophe«, des »Giftgewächses des Nationalsozialismus« mit seinem »Verbrecherklub« an der Spitze (Meinecke 1946). (Selbst ein Kritiker der »Renationalisierung Deutschlands« siedelt den Extrempunkt des Nationalsozialismus, den absoluten Antisemitismus, außerhalb des Raumes rationaler Analyse an und bezeichnet den Extremfall Auschwitz als »ein Niemandsland des Verstehens« – Diner 1987, 73.)

Der »Historikerstreit« ist eine Schnittmenge (kein intentionales Produkt) mehrerer politischer und wissenschaftlicher Prozesse und politisch-moralischer Deutungsmuster. Diese Prozesse und Deutungen markieren allesamt Aspekte sowohl der neokonservativen »Wende«, der alternativen Punktualisierung und Regionalisierung politisch-ökonomischer Totalität als auch der Marginalisierung sozialdemokratischer Demokratisierung (W. Brandt) und Sozialtechnologie (H. Schmidt). Diese hier nur zu skizzierenden Prozesse spielen in ihrer Summe entlastende Varianten des Geschichtsbildes hoch (mit Stichworten wie »Historisierung«, »vergleichende Relativierung«, »Ent-Singularisierung« bzw. »Normalisierung«). Die politisch-kulturelle Besonderheit, nämlich der politisch-moralische Verpflichtungsgehalt des Themas löst sich entweder auf, wird bewußt abgeschliffen (dies der Part der offen »neurechten« Revision) oder manifestiert sich (z. B. im Falle Ernst Noltes) im missionarischen Ton der Gegenübertragung desjenigen, der überzeugt ist, gegen einen vermeintlichen Strom schwimmen zu müssen.

Im einzelnen ist der »Historikerstreit« Resultante insbesonders folgender Prozesse:

– Im Gefolge der faschistischen Niederlage und des faschistischen Antisemitismus entstehen nach 1945 u. a. drei neue Staaten: BRD, DDR und . . . Israel. (Wenn man die Westverschiebung wertet, entsteht eigentlich auch ein neues Polen.)
  Jeder dieser Staaten hat seine eigene legitimatorische Faschismusabgrenzung und Faschismusgeschichtsschreibung; jeder bezieht sich auf eine besondere »Verpflichtung«, die er gemäß seiner offiziellen Geschichtspolitik aus der NS-Vergangenheit zieht.
  Die Ausdifferenzierung dieser Staaten wirkt ebenfalls in die Geschichtsdebatte und -politik der Bundesrepublik hinein. Aus ihrer politischen Geschichte heraus, vielfach noch wegen entsprechender Zeitzeugenschaft werden kommunistische und jüdische Stellungnahmen – vielfach auch sozialdemokratische und gewerkschaftliche, bisweilen auch christdemokratisch-kirchliche – mit dem moralischen Duktus verbriefter »Wahrheiten« (für die Menschen gestorben sind) vorgetragen. Schon vor Hillgruber ist in der Bundesrepublik so auch die Rolle der Soldaten, einschließlich der Waffen-SS, aufgefaßt worden.
– Daß der nationalsozialistische Angriffskrieg und die Mas-

senloyalität die eine, die Vertreibung und Bombardierung sowie das Kriegsleid deutscher Bürger die andere Seite eines in der Alltagswahrnehmung vielfältig zerrissenen und nach »Gut« und »Böse« getrennten Systems sind, daß ebenso »Erfolge« des NS-Systems (wie: Vollbeschäftigung, Aufhebung des Versailler Vertrages) von den zugrundeliegenden Zwecken (wie: Aufrüstung, Kriegsvorbereitung) abgekoppelt werden, charakterisiert die herrschende Linie der politisch-kulturellen Verarbeitung des Nationalsozialismus. Dies ermöglicht Positionen, wie sie jetzt z. B. Hillgruber, Dregger, Vertriebenenorganisationen und auch rechtere Organisationen und Autoren als Kritik der »Umerziehung« und als Patriotismusplädoyer propagieren, um die antideutschen Greuel der letzten beiden Kriegsjahre und den entsprechenden Heimatschutz der Wehrmacht verwerten zu können.

- Die »Singularisierung« des Nationalsozialismus und die Stilisierung von Auschwitz als Zentralsymbol reduzieren den Nationalsozialismus wesentlich auf Antisemitismus. In Verbindung mit der antikommunistischen Nutzanwendung der Totalitarismustheorie entlastet dies die sozialen und politischen Eliten der Bundesrepublik vor Fragen nach ihren historischen Kontinuitätsbezügen. Ein »Philosemitismus« (»Aussöhnung« und »Wiedergutmachung«) ist charakteristisch für herrschende konservative Positionen und Interessen nach 1945 (von Springer bis Adenauer) und steht für einen »Schlußstrich« und kann für einen positiven Lerneffekt (in nuce) reklamiert werden.
- Eine weitere tiefe Brechung vermitteln die Generationen, die in jede dieser Dimensionen zusätzliche alters- und erfahrungsbedingte Ausdifferenzierungen hineintragen. (Vgl. S. 89 ff.)
- Schließlich: Die in der Tat polyglotte Sprache des internationalen Staatsterrorismus (bes. seit Beginn des imperialistischen Zeitalters) begünstigt komparative Entlastungslegenden. Jede Nationalgeschichte hat bei rechter Nachsicht ihr Algerien, Afghanistan, Vietnam, Armenien, Kurdistan, GULag, Südafrika (KZ's schon im Burenkrieg) und . . . Auschwitz.

In einem faßbareren Maßstab wirken sich die folgenden wissenschaftspolitischen Ereignisse aus:

- Wissenschaftlich wird das Forschungsklima seit Mitte der 70er Jahre durch die vom »mainstream« der Zeitgeschichte geübte Kritik am Faschismusverständnis der »Neuen Linken« und zeitgleich durch die »Historisierung«[8] beinflußt; der Nationalsozialismus löst sich in Alltags-, Lokal- und Lebensgeschichten auf. (Im Fall der alternativen Geschichtsbewegungen kann damit vor Ort zugleich eine durchaus praktisch folgenreiche Kritik des »hilflosen Antifaschismus« verbunden sein.)
- Publizistisch sind die von Ernst Nolte 1978 und 1980 in der FAZ, also an einer zentralen Stelle der bundesrepublikanischen Zeitungslandschaft, veröffentlichten Kritiken am »Frageverbot« und an der »negativen Lebendigkeit des Dritten Reiches« hervorzuheben. Anders als auf Diwald und andere »Revisionisten« der ersten, offen rechtsradikalen Provenienz reagiert die Zeitgeschichte auf diese Artikel nicht. Ihre Bedeutung wird erst im Rahmen des »Historikerstreites« ex post erkannt.
- Politisch-publizistisch markiert die seit Anfang der 80er Jahre zunehmende Bereitschaft zur wissenschaftsförmig-professoral drapierten Revision der »moralpädagogischen Behandlung der Geschichte«, »zum schroffen Bekenntnis zur Selbstachtung«, zum »Ja zur Geschichte« die Erosion der politischen Kultur (Graml 1984; Diwald 1987). Um die Bildung einer rechten Flügelpartei oder die Unionsabstinenz eines Publikums mit nicht-extremen autoritären Einstellungen durch die eigene Öffnung nach rechts zu verhindern, partizipieren Teile der CDU und die CSU an dieser Entwicklung. Im Unterschied zur neu-rechten Revision relativieren sie ihre ebenfalls harsche Kritik an der »ewigen Vergangenheitsbewältigung« jedoch durch das parallele Bekenntnis zur ganzen Geschichte, also auch zu deren »schlechten Kapiteln«.
- Politisch muß auf die seit 1983 zu beobachtenden Maß-

8 Broszat 1986, 92 ff., 114 ff., 159 ff.; Allardyce 1979.

nahmen und Zeichen zur »Entsorgung der Vergangenheit« (Habermas 1985) hingewiesen werden.

- Öffentlich, politisch, wissenschaftlich und politisch-kulturell, durchaus im Sinn einer Freund-Feind-Dezision, fließt 1986/87 die versuchte »Schadensabwicklung« (Habermas 1987) im »Historikerstreit« zusammen.

In ihrer Summe bilden diese Ebenen ein Netzwerk, in dem jedes Urteil über moderne Rechtstendenzen eingefangen und vielfältig überfrachtet wird. Wissenschaftliche Analyse, aber auch analytisch-aufklärerische Politik und Pädagogik zu betreiben, ist in der Bundesrepublik ein Tanz zwischen mehr als nur zwei Stühlen, ist ein Drahtseilakt ohne solidarisches Netz. Nicht Gelassenheit, sondern wissenschaftliche Postulat-Politik ist vielfach die Folge und bestimmt auch den gereizten Ton im »Historikerstreit«.

Exkurs: Der »Historikerstreit« als Ausdruck generationsspezifischer Deutungsmuster

Schwer faßbar, aber durchaus evident, viele Autoren erwähnen es: Der »Historikerstreit« ist *auch* ein Ausdruck der politischen und wissenschaftlichen Sozialisation und Kommunikation unterschiedlicher Generationen, so wie das zeitgeschichtliche Urteil der bundesrepublikanischen Historiker zwischen unterschiedlichen wertkonstitutiven Phasen schwankt (Bracher 1981, 233 ff.; 1986; 1987) und von divergierenden Bewertungen ihres Fachs in Politik und Öffentlichkeit bestimmt wird.

Die fachwissenschaftliche Sozialisation der am »Historikerstreit« beteiligten Wissenschaftler bleibt zumeist ausgespart, wenn vom Generationsmotiv die Rede ist. Zwar wird die Schutzwürdigkeit der »Historikerzunft« oft angesprochen (Geiss, Meier, Nipperdey), fachinterne Konventionen, Machtverhältnisse und »Schulen« werden aber nicht erwähnt. 
Das Argument wird somit bislang unzureichend vertieft oder

auf die reine Machtdimension verkürzt. (Wehler 1988, 189 ff.)

Auffällig ist, daß die an der Kontroverse beteiligten Historiker den »Außenseiter« (H. Mommsen) bzw. »großen Eigenbrötler der Zeitgeschichte« (Broszat), Ernst Nolte, schärfer kritisieren, während sie mit Hillgruber, Hildebrand und Stürmer mehrheitlich moderater und verständnisvoller umgehen.[9]

Diese unterschiedliche Behandlung der hauptsächlichen Protagonisten neokonservativ-revisionistischer Geschichte und Geschichtspolitik in der fachwissenschaftlichen Öffentlichkeit demonstriert, daß es sich bei Hildebrand, Hillgruber, Nolte und Stürmer nicht um eine monolithische »Viererbande« handelt. Aus Sicht des Faches wird differenziert. Nolte entspricht offenkundig nicht dem Tenor der »Tendenzwende« in der Geschichtswissenschaft, die sich – weg von vorangegangener strukturgeschichtlicher oder politikgeschichtlicher Aufklärung über traditionelle Geschichtsbilder, z. B. über den »Griff nach der Weltmacht« (Fischer 1961) oder über »Bismarck und (den) Imperialismus« (Wehler 1969) – dem »Ruf nach einer neuen nationalen Identität« nicht mehr verschließt.[10]

Es darf vermutet werden (weitere Untersuchung wäre jedoch geboten), daß Nolte aus Sicht des Faches (nicht aber z. B. der FAZ) die wissenschaftlich-legitimatorischen Aspekte neuer Geschichtspolitik nicht fördert, daß er aus Sicht des Faches nicht nur zu »radikal«, sondern auch zu »geschichtsphilosophisch« argumentiert (Nolte 1986, 1987) und Archive vielleicht zu wenig besucht (übrigens: wie »viele Historiker der älteren Generation«, so Berghahn 1987, 28 – Anm. 17).

Mangels einer ausgeprägten fachinternen Rezensions- und

9 Vgl. Historikerstreit 1987, 116, 133, 157, 165, 168, 173 – Anm. 7, 177, 184, 189 f., 191 f., 193, 209, 212, 219 – Anm. (a), 221, 260, 268, 271, 274, 324, 325 f., 375; dazu Kühnl 1987, 240, 256 f., 294, 295 f.

10 Dazu W. J. Mommsen: Historikerstreit 1987, 302 ff.; Berghahn 1987.

Konfliktkultur können über die Gründe der tendenziellen Ausgrenzung Ernst Noltes nur Mutmaßungen angestellt werden. Daß sich kritische Strukturgeschichtler mehr in einen zweiten Konflikt zwischen Alltags- und Universitätsgeschichte vertiefen, daß sie ihre streitbare Energie also bis zum Niveau eines Historikertages (1984) und eines internationalen Historikerkongresses (1985) im Streit um »alternativen Hirsebrei« und »mikroanalytische Besenkammern« bzw. um einen »romantisierenden Neohistorismus« (Wehler) verbrauchen, führt dazu, daß diese Seite über die allgemeine und polemische »Erinnerung an ältere Belastungen der deutschen Geschichtswissenschaft« nicht hinausgelangt (Wehler 1979, 745 ff.) und somit wenig zur Aufklärung über den Binnenzustand der Geschichtswissenschaft beiträgt. (Jetzt Wehler 1988 – dazu im Text S. 38 f.)

Die fachwissenschaftliche und politische Gewichtung von Geschichte sowie deren Ausdifferenzierung beeinflussen jedoch entschieden den »Historikerstreit«, der ja wesentlich ein Streit um die Legitimationsfunktion wissenschaftlich vorgetragener Geschichtsbilder ist. Hierauf weist Kurt Sontheimer hin, der gegen den »Marsch der historischen Sinnstifter« an die Politikwissenschaft als »Gegengewicht« appelliert (Historikerstreit 1987, 277 ff.). Nach 1945 bzw. 1949 ist Geschichte zunächst nicht die »Leitwissenschaft für den demokratischen Wiederaufbau der Bundesrepublik« (Sontheimer); diese Rolle spielt die Politikwissenschaft, deren Konstitutionsphase zudem durch die Verbindung von »Politischer Wissenschaft und Zeitgeschichte« charakterisiert wird (beispielsweise lautet so die Widmung der Professur Karl Dietrich Brachers).

Nachdem Soziologie und Politikwissenschaft generell und entsprechende Faschismusanalysen, insbesondere nach der Studentenrevolte, öffentlich eher in Mißkredit und fachintern in eine Identitätskrise geraten, ändert sich im Zuge der »Tendenzwende«, ab Anfang/Mitte der 70er Jahre, die Rolle der Geschichtswissenschaft. Geschichte gewinnt öffentlich, politisch und sozialisatorisch (d. h. auch schulpolitisch) Terrain zurück und schickt sich an, wieder unbestrittener Teil der Allgemeinbildung und des politischen Legitimationssystems zu werden.

1970 berichtet Günther Gillesen in der FAZ beispielsweise über das »Ende des Historismus«, dennoch zeige aber der Kölner Historikertag, daß (Struktur)Geschichte »nicht mehr im letzten Wagen« fahre. 1978 signalisieren Jens Flemming und Achatz v. Müller in der FR anläßlich des Hamburger Historikertages »Geschichte im Aufwind«, die »organisierte Geschichtsverdrängung« sei gestoppt, man trage »wieder Geschichte«. 1985 schließlich rundet sich der wiedergewonnene Bedeutungsgehalt ab. Konrad Adam berichtet über den Stuttgarter Internationalen Historikerkongreß unter der Überschrift »ein neuer Historismus«: »Überall wächst die Überzeugung, daß die Vergangenheit mehr ist als nur die Vorgeschichte der Moderne« (FAZ Nr. 204 v. 4. 9. 1985, 25).[11]

Der Bedeutungswandel der Fächer Politikwissenschaft und Geschichte ebenso wie der historische Paradigmenwechsel im Fach Geschichtswissenschaft (wie die Enthistorisierung der Politologie) eröffnen somit überhaupt erst den Raum für den »Historikerstreit«. Ohne die erneute bildungsbürgerlich-konservative Bewertung von Geschichte als Lieferant von »Geborgenheit, Sicherheit und Selbstvertrauen« oder einer »geistigen und seelischen Heimat« für den einzelnen und die Nation (so 1982 Bundespräsident Carstens anläßlich der Eröffnung des Historikertages in Münster) wäre dieser Streit über historisch-politische Legitimationsentwürfe unvorstellbar.

Diese fachwissenschaftlichen und öffentlich-politischen Begründungszusammenhänge und Differenzierungen überlagern sich mit Aspekten der beruflichen Orientierung und des Werdegangs der beteiligten Wissenschaftler.[12] Diese Dimensionen treffen sich schließlich mit der allgemeinen Abfolge von Generationen und generations- wie sozialisationsspezifischen Geschichtsdeutungen. Auch der Gesichtspunkt professioneller Sozialisation wird jedoch lediglich beiläufig in die Diskussion eingebracht.[13]

11 Dazu Broszat 1986, 140 ff., 271 ff., 310 ff.

12 Am Beispiel Stürmers vgl. Berghahn 1987; polemische Hinweise finden sich in Wehler 1988.

13 Vor allem Helga Grebing (1987, 6) Hans Mommsen (1987, 17 f.) und Andreas Hillgruber streifen diesen Aspekt.

Grebing betont, die beteiligten Historiker ließen sich nicht nur einer Generation zurechnen; im Kern handele es sich aber um Männer, »die entweder bereits zur Kriegsgeneration gehörten oder doch das Ende des nationalsozialistischen Terrorregimes mit erwachender Bewußtheit erlebt und die Nachkriegszeit mit geschärftem Bewußtsein mitgestaltet haben.«

Hans Mommsen fällt auf, daß sich die »jüngere Historikergeneration kaum« an der mit »eher rückwärts gerichtete(r) Perspektive« geführten Diskussion beteiligt. Diese jüngere Generation sei am »Bismarckschen Nationalstaatsgedanken« und an der »›Offenhaltung‹ der deutschen Frage« weniger interessiert, »während bei den über 55jährigen die Enttabuisierung ihrer zurückgehaltenen politischen Ressentiments eine gewisse Erleichterung auslöst.« Mommsen bezieht die Aussage nicht nur auf die Historiker, sondern auf die gesamte Bevölkerung; dabei stützt er sich vermutlich auf die SINUS-Untersuchung »Rechtsextreme politische Einstellungen in der Bundesrepublik Deutschland« (was noch zu diskutieren ist).

Hans Mommsen entlastet die jüngeren Historiker zu sehr und übersieht, daß gerade jüngere Sozialwissenschaftler zu den Kritikern der neokonservativen Geschichtspolitik zählen (vgl. z. B. die Beiträge in »links«, den »Gewerkschaftlichen Monatsheften« und der »Neuen Gesellschaft/Frankfurter Hefte«). Er verbindet sein Urteil nicht mit der angesprochenen Differenzierung von Nolte und Hillgruber und ebenso wenig mit der zunftbezogenen Zurückweisung kritischer Debattenbeiträge, besonders durch Geiss, Meier, Möller, Nipperdey und Schulze.

Aus fachwissenschaftlicher Perspektive wird deshalb das Sozialisationsargument von Mommsen (aber auch von Grebing) nicht genügend vertieft. Hillgruber schreckt vor einer solchen augenscheinlich tabuisierten »Nestbeschmutzung« ebenfalls zurück.

Hillgruber interpretiert (wie u. a. Fest, Hildebrand und Nolte) die Kritiken nicht nur allgemein als Angriff auf die Wissenschaftsfreiheit (Historikerstreit 1987, 233 ff.), sondern spezifischer als versuchsweise Neuauflage der »noch allzu vertrauten APO-Pamphlete der endsechziger Jahre«; schließlich zieht er sogar eine Parallele von der heutigen Kritik zur

»Agitation« und zum »psychischen Terror« der von ihm offenkundig bis heute nicht bewältigten Studentenrevolte.[14]

Wenn die wissenschaftlich-politische Kritik des Revisionismus somit nachgerade kriminalisiert, jedenfalls aber diskriminiert und diskreditiert wird (wenn selbst Hans Mommsen konstatiert, »bezüglich Hillgruber« schieße Habermas »über das Ziel hinaus«), dann sollte sich Mommsen angesichts derart deutlicher Duftmarken der »Platzhirsche« auch fragen, ob (angesichts knapper Stellen und Ressourcen) solcherart ein Meinungsklima entsteht, in dem sich jüngere (ergo abhängigere) Wissenschaftler wie Assistenten, Habilitanden und Privatdozenten angstfrei in der Debatte äußern können.

Wenn das Schweigen dieser Gruppe bewertet werden soll, dann muß ferner die Wirkung von Verhaltensweisen kritisch beleumdeter Historiker berücksichtigt werden (dazu Kühnl 1987, 270, 296 f.): Immanuel Geiss denkt zuerst an die Zunft und interpretiert die Kritik vom Ton her als Bedrohung des Wissenschaftspluralismus, als möglichen «geistigen Bürgerkrieg‹ « und als das Herbeireden des »Perhorreszierten«.[15] Ein streitbarer Sozialgeschichtler, Hans-Ulrich Wehler, tritt zuvor zwar durch barsche Kritiken der Staats- wie der »Barfuß«historiker hervor, aber zu der »Großdiskussion« (Bracher) um das historische Legitimitätsmuster bezieht er öffentlich erst nach einem Jahr Stellung. – Wehlers Mitstreiter, Jürgen Kocka, verbindet die Kritik an Fest und Nolte (Hillgruber wird ausgespart!) mit der weiterlaufenden Polemik und der in diesem Kontext fehlplaziert erscheinenden Kritik an den Lokal- und Alltagshistorikern.[16] Dies alles sind Signale, die kaum einen solchen Schild aufrichten, in dessen Schutz sich die von Mommsen erwähnten jüngeren Historiker zur Kritik sammeln könnten.

Die fachspezifische wissenschaftlich-politische Sozialisation wirkt selbst auf geschichtswissenschaftliche Kritiker der neo-

14 Historikerstreit 1987, 331, 349; dazu Kühnl 1987, 269.
15 Historikerstreit 1987, 220 f., in einem späteren Beitrag schwächt er sein Urteil ab: 373 f., 377 f., 380, ähnlich ebd. Fleischer: 123 ff.
16 Historikerstreit 1987, 136 ff.; FR Nr. 3 v. 5. 1. 1988, 10.

konservativen Geschichtspolitik zurück und vermittelt ihren Beiträgen jene teilweise affirmativen Züge. Sie verbleiben insofern im Kodex der »Historikerzunft«, als sie die fachinternen Sozialisations- und Machtverhältnisse kaum reflektieren. (Am schärfsten – wenngleich gegenüber Habermas – verurteilt dies Tugendhat (1987), für den in diesem Streit gegenüber Noltes Position die Regeln und Konventionen der »scientific community« offensichtlich nicht mehr gelten.) Gräben bleiben eben auch ungezogen!

Fachspezifische (aber generationsunabhängige) Bestandteile des Ordinariats finden sich nicht nur in der neokonservativen Polemik gegen die »Desinformationskampagne« (Stürmer in Historikerstreit 1987, 392) oder gegen den »Monopolanspruch der kritischen Historie mit ihren Verdammungsurteilen«.[17]

Jenseits dieser Vermutungen über einige Aspekte der fachspezifischen Sozialisation soll nunmehr auf allgemeinere Beziehungen des »Historikerstreites« zur Frage politischer Generationen in der Bundesrepublik hingewiesen werden. Im Rahmen der bisherigen Debatte trifft diesbezüglich Helga Grebings eher positives Urteil, die beteiligten Wissenschaftler gehörten vornehmlich der Kriegsgeneration an und hätten insofern die »Nachkriegszeit« gestaltet, auf eine skeptische Äußerung von Hans Mommsen (1987a, 141). Mommsen zufolge beleuchtet dieser Streit »den Konflikt zwischen autoritären Demokratiepostulaten und reformistischem Republikanertum«; im Hintergrund dieser Kontroverse Meineckescher Dimension steht »die ungeklärte politische Identität der Angehörigen jener Generation, die noch im Dritten Reich sozialisiert wurde«.[18]

17 Nipperdey: Historikerstreit 1987, 217. Wehler (1988, 24 ff.) stellt ein »verblüffend altertümliches Verständnis« der Berufsrolle als Ordinarius bei Hildebrand fest.

18 Allgemein dazu Schelsky 1975, 74 ff., 380 ff.; Maaß 1980; Klönne 1982, 283 ff.; Hurwitz 1983, 137 ff.; Preuss-Lausitz 1983; Franzke 1984; Schörken 1985; Rosenthal 1986; Beiträge in Niethammer 1983–1985; Bude 1987.

Zunächst: Helga Grebings Urteil scheint durch einen ersten Blick auf die Generationenzugehörigkeit der Streiter belegbar zu sein.

Geburtsjahrgänge einiger beteiligter Wissenschaftler, Publizisten und Politiker

(Altersdurchschnitt 1987 ≈ 55 Jahre, 11 Monate)

»Generationen«[19]		
»Krieg«	»Wiederaufbau«	»Protest«
Dregger 1920	Sontheimer 1928	Kühnl 1936
Weizsäcker 1920	Habermas 1929	Stürmer 1938
Bracher 1922	Jäckel 1929	Winkler 1938
Augstein 1923	Meier 1929	Hildebrand 1941
Nolte 1923	Kohl 1930	Kocka 1941
Hillgruber 1925	Geissler 1930	Möller 1943
Broszat 1926	H. und W. J.	
Lübbe 1926	Mommsen 1930	
Fest 1926	Grebing 1930	
Nipperdey 1927	Geiss 1931	
Fleischer 1927	Wehler 1931	
Alter 1987		
∅ 62,9	57,3	47,5

Zumindest fünf Generationen haben jeweils typische Bewertungen des Faschismus, typische Ausprägungen von Faschismusdarstellung und -verarbeitung hervorgebracht. Es sind dies:

(a) die »Gründerväter« der BRD,
(b) die »Flakhelfer-Generation« bzw.

19 Zu der heuristisch-groben Einteilung vgl. die Bemerkungen im Text S. 92 u. 96. Die Angaben entstammen dem »Who is Who«.

(c) die »skeptische Generation« (Schelsky), die den »Wiederaufbau« und das »Wirtschaftswunder« tragen und heute (als »Enkel« der »Gründerväter«) regieren,
(d) die »Protestgeneration« der kulturrevolutionären Studentenrevolte,
(d) die »post-materialistischen« Generationen der »Konsumkinder« und »Neo-Idealisten«, aus denen sich heute z. B. die »Grünen« und Alternativen rekrutieren.

Aus allgemeiner Position widmet Karl Dietrich Bracher der »Mehrdimensionalität des historischen Bezugssystems« Überlegungen, die die historisch-politische Sozialisation und Generationenfolge mit Anmerkungen zum fachwissenschaftlichen Bezugssystem Wissenschaftsbetrieb verknüpfen. Besonders der letztgenannte Gesichtspunkt wird von ihm ausführlicher (aber allgemein) vorgestellt, wenn eine »doppelte Zeitgeschichte« als maßgeblicher Pluralismus der Sichtweisen behandelt wird (Bracher 1981, 1986, 1987).

»Doppelte Zeitgeschichte«[20] meint die Ko-Existenz von pragmatisch-formaldemokratischen und re-ideologisierten Orientierungen unter den Geschichtsbetrachtern, wobei die formativen Phasen für die jeweiligen Vertreter die Weimarer Republik und die Entwicklung nach 1945 bzw. 1949 sind. Die Jahre des Nationalsozialismus an der Macht liegen als Block (als Einsprengsel oder Findling?) zwischen beiden deutschen Demokratien. Die Weimarer Republik und die vorangegangene konstitutionelle Monarchie werden dabei sowohl als Eigenwert wie aber auch schwergewichtig als NS-Vorgeschichte, als Ausdruck eines (undemokratischen, autoritär disponierenden) »Sonderweges« einer »verspäteten Nation« betrachtet.[21] Für die Bundesrepublik wiederum spielt die »Zwischenperiode 1945–50« (Bracher) mit ihren zahlreichen und entscheidenden »Weichenstellungen« (H. A. Winkler) die entscheidende Rolle.

Aus diesen formativen Phasen der Realgeschichte sowie der wissenschaftlich-politischen Sozialisation und Orientierung

20 Bracher 1986, 60 f.; vgl. auch W. J. Mommsen: Historikerstreit 1987, 302.
21 Grebing 1986, 76 ff., 138 ff., 193 ff., 196 ff.

von Zeitgeschichtlern und Generationen ergibt es sich, daß eine zumindest »doppelte Zeitgeschichte« die Bilder deutscher Geschichte prägt. Die zeitlich dichte Abfolge:

konstitutionelle Monarchie (bis 9. 11. 1918) – Weimarer Demokratie (ab 11. 8. 1919 bis zum 27. 3. 1930) – Nationalsozialismus (bis 8. 5. 1945) – »Zwischenperiode« (1945–1949) – Bonner Demokratie (ab 23. 5. 1949)

beschert im Verlauf noch nicht einmal eines Menschenalters vielen Zeitgenossen mehrerer Generationen den Eindruck gravierenden politischen Wandels, der sich jeweils auch in unterschiedlichen Bewertungen der Zeitgeschichte und demzufolge auch in unterschiedlichen »Lehren« aus »der« Geschichte ausdrückt.

Die »Kriegsgeneration« der Jahrgänge von 1910 bis 1920 erlebt die Weimarer Republik und den Nationalsozialismus als Kind und als Jugendlicher, als Heranwachsender nimmt sie am Zweiten Weltkrieg teil und ist 1945 und 1949 mindestens 25 Jahre alt. Die Kindheit der »Flakhelfer« und »Hitlerjungen« fällt in die Zeit des Nationalsozialismus und des Krieges, mit den Jahren des »Wiederaufbaus« fällt ihr Berufseintritt zusammen. Die »Protestgeneration« verfügt über Erinnerungen an den Krieg, während des »Wiederaufbaus« und »Wirtschaftswunders« geht sie zur Schule; ihre Jugend ist in besonderem Maße durch ein »Kontroll-Loch« (Preuss-Lausitz) geprägt. Nachfolgende Generationen (ab 1950) haben keine direkten eigenen Eindrücke des Nationalsozialismus und der Nachkriegszeit. Auch die Eltern dieser Generationen verfügen nicht mehr über bestimmende eigene Erfahrungen des Nationalsozialismus, die dann (was für die »rebellische Generation« bestimmend gewesen ist) die primäre – und auch die schulische wie universitäre – Sozialisation durch direktpersonale Konflikte – beispielsweise durch die Frage nach der eigenen Rolle der Eltern – bestimmen könnten. Für die Generationen der »Postmaterialisten« wird somit das Nationalsozialismusbild abstrakter und entbehrt der prägenden Eindrücke direkter personaler, familialer und schulischer Betroffenheit. Bildung und Fernsehen werden zu den wichtigsten Vermittlern der Geschichtsbilder dieser jungen Generation.

Gleichzeitig führen die Veränderungen im Altersaufbau der bundesrepublikanischen Bevölkerung dazu, daß der Anteil junger Menschen abnimmt. Das Durchschnittsalter der »Kriegsgeneration« (1925 liegt es z. B. bei 57,5 Jahren) bedingt, daß diese Generation ab 1980 mehr und mehr »ausstirbt«. Die seitherige Erhöhung des Durchschnittsalters, zusammen mit der sinkenden Geburtsrate, führt gleichwohl zum Anstieg des Altenanteils. 1985 sind 15 % der Bevölkerung 65 Jahre und älter (1950 sind es nur 9,3 %, 1961 nur 11,1 % gewesen); etwa 45 % der Bevölkerung sind 1985 älter als 40 Jahre; rund 30 % sind älter als 50 Jahre, verfügen also über eigene Erinnerungen an Krieg und Nachkriegszeit und können diese im Dialog der Generationen weitergeben.

Wenn von der »Gnade der späten Geburt« (Kohl) die Rede ist, und wenn Bundespräsident Weizsäcker 1985 anführt: »Der ganz überwiegende Teil unserer heutigen Bevölkerung war zur damaligen Zeit entweder im Kindesalter oder noch gar nicht geboren«, so daß er von eigener Schuld frei ist (Gill/Steffani 1986, 179 f.), dann übersehen solche Aussagen den wachsenden Altenanteil und müssen entsprechend modifiziert werden. Derartige Äußerungen lenken vom Erinnerungsvermögen und den Sozialisationsfaktoren der Generationen ab und verweisen (tendenziell entschuldigend) auf den abnehmenden Anteil solcher Jahrgänge, die die NS-Aktivisten – also den direkt »schuldigen« Personenkreis – gestellt haben. Gleichwohl weist die neutralisierende Deutung des Altersaufbaus der Gesellschaft durch Kohl und Weizsäcker auch darauf hin, daß direkte NS-Erinnerungen schwinden, daß Kriegs- und Nachkriegserinnerungen (abgetrennt von dem zeitlichen und ursächlichen Prius nationalsozialistischer Politik) diejenigen Eindrücke geworden sind, die am ehesten (aber eben doch bereits indirekt) noch auf den Nationalsozialismus verweisen. 40 % der Bevölkerung sind älter als 45 Jahre und verfügen somit über derartige prägende Erfahrungen.

Kohls und Weizsäckers Interpretation der demographisch bedingten Abstraktion der Erinnerung an den Nationalsozialismus ähnelt in ihrer mechanischen Grundstruktur der fehlerhaften »Ewig-Gestrigen«-Legende, als rekrutiere sich der aktuelle Rechtsextremismus in der Bundesrepublik oder eben auch ein entsprechend unkritisch-unsensibles Geschichtsbild primär aus demjenigen Personenkreis, der noch im Nationalsozialismus sozialisiert worden sei.

Die 1979/80 von SINUS durchgeführte Untersuchung (1981, 87, 102, 114) über rechtsextremistische Einstellungen unter der bundesrepublikanischen Wahlbevölkerung zeigt, daß die für die Bedeutung rechtsextremer Einstellungen maßgebliche Zäsur – wie Hans Mommsen vermutet – beim Alter von 50 Jahren (u. m) liegt. In der Altersgruppe der 40- bis 49jährigen (geboren zwischen 1931 und 1940) entspricht der Anteil rechtsextrem eingestellter Personen nahezu (– 1 %) dem Anteil dieser Altersgruppe an der Bevölkerung, während die Gruppen von 18 bis 39 Jahren mit 2,8 % diesbezüglich unter-, diejenigen über 50 Jahre schwach und die ab 60 Jahren deutlich überrepräsentiert (+ 5,5 %) sind. Der »Rechtsextremismus der Kriegsgeneration« bestimmt somit die Trägergruppen und Einstellungsmuster des rechtsextremen Potentials.

Von diesem Einstellungsprofil unterscheidet SINUS eine weichere Variante »von autoritären Tendenzen bei politisch nicht extremistischen Bevölkerungsschichten«, deren Potential sich deutlich anders auf die Altersgruppen verteilt. Hier relativiert sich die Dominanz des »Rechtsextremismus der Kriegsgeneration«, indem die jüngeren Altersjahrgänge deutlich schwächer unterrepräsentiert (– 1,2 %) sind.

Die Verteilung »rechtsextremer« und »autoritärer« Einstellungen nach Altersgruppen (1979/80, in %)

Altersgruppen	Wahlbevölkerung	»rechtsextremes« Einstellungspotential		»autoritäres« Einstellungspotential	
	∑	∅	∑	∅	∑
18–29	22	4,3	13	6,3	19
30–49	35	15,0	30	16,0	32
50 u. ä.	44	19,0	57	16,7	50

SINUS 1981, 114.
Lesebeispiel: Die Altersgruppe der 18 bis 29jährigen stellt 22 % der Wahlbevölkerung dar. 4,3 % dieser Jahrgänge verfügen über eine »rechtsextreme« Einstellung. Bezogen auf die gesamte Wahlbevölkerung sind dies 13 % des »rechtsextremen« Meinungspotentials überhaupt.

Korreliert man die entsprechenden Werte der Altersanteile und Meinungspotentiale, so bestätigt dies die genannten Befunde. Bezogen auf die Altersgruppen bis 49 Jahre (geboren ab 1931) decken sich die Anteile der Bevölkerung und der Einstellungspotientiale, sowohl was die rechtsextreme als auch die autoritäre, politisch nicht extremistische Variante anbelangt. Bezüglich autoritärer Meinungen ist diese Entsprechung besonders ausgeprägt (r = –.99). Ab 50 Jahren unterscheiden sich die geringeren Bevölkerungsanteile deutlich von den höheren Anteilen der Meinungsgruppen. Diese Differenz ist im rechtsextremen Meinungslager viel stärker ausgeprägt (r = –.87, i. e. signifikant auf dem 0.05-Niveau) als bezüglich der altersmäßigen Verteilung autoritärer Einstellungen (r = –.5). Das rechtsextremistische Einstellungspotential wird somit in der Tat besonders stark von den Jahrgängen ab 1930 geprägt und kann von seiner signifikanten Mehrheitstendenz her als »Rechtsextremismus der Kriegsgeneration« bezeichnet werden (SINUS 1981, 102).

Wird jedoch nicht gleichzeitig betont, daß diese Zuordnung und Gewichtung die »weichere« Variante der autoritären Einstellung *nicht* bestimmen, daß diesbezüglich jüngere Jahrgänge gar nicht so klar unbeteiligt sind, dann bezeichnet die von Hans Mommsen (1987a, 141) erwähnte Prüfung der Kriegsgeneration nur eine Hälfte des Problems. Nachhaltig wird auch das autoritäre Einstellungspotential geprüft, das z. B. zu 73 % (völlig, besonders aber teilweise) der Meinungsäußerung zustimmt: »Die Deutschen haben eine Reihe von guten Eigenschaften wie Fleiß, Pflichtbewußtsein und Treue, die andere Völker nicht haben.« (Vgl. SINUS 1981, 75 f., 92 ff.) Insofern dieser autoritären Position auch jüngere Generationen stärker zustimmen, müssen die entlastenden Bewertungen von Kohl und Weizsäcker zurückgewiesen werden.

Zur Zeit des »Historikerstreites« wird das historiographisch-demographische Bild der Bundesrepublik von vier Generationen mit ihren divergierenden historisch-politischen Eindrücken, Bildern und Deutungsmustern bestimmt. Dabei handelt es sich vom Wertbezug der Generationen untereinander bei der »Kriegs-« und der »Protestgeneration« um die »Vätergenerationen« der »Protestgeneration« und der »postmaterialistischen Generation«. Die »Wiederaufbaugeneration« sieht sich als Enkel derjenigen Weimarer Demokraten, die als »Gründerväter« die Bundesrepublik bestimmen. Auch der »Rechtsextremismus der jungen Neonazis« (SINUS 1981, 102 ff.) versteht sich als eine Äußerung der Enkel aus den Jahrgängen ab 1955, die sich an den Großvätern der »Kriegsgeneration« orientieren.

Auf die prägenden Formationsphasen dieser Generationen und auf ihre im öffentlichen Urteil vorherrschenden Wesensmerkmale deutet bereits die folgende popularisierende Kurz-Geschichte hin: Einer von der 1910 bis 1920 geborenen Generation der NS-Zeitgenossen und (stillen) Teilhaber, die sich selbst auch als »geschmähte Generation« betrachtet (Filbinger – vgl. Fromme in: FAZ Nr. 203 v. 3. 9. 1987, 8) und die die »Kriegsgeneration« ist, folgt die um 1930 geborene Generation der Hitlerjugend, der Flakhelfer und/oder des Wiederaufbaus. Dieser schließt sich die um 1940 geborene »Protestgeneration« an – i. s. kritische Söhne der »geschmähten Generation« –, gefolgt (ab 1955) von unterschiedlichen Erscheinungsformen der »Postmaterialisten«, den idealisierten Söhnen von »Wiederaufbau« und »Wirtschaftswunder«.

Bracher (1987, 11) sieht die Generationenfolge im Rhythmus von 15 Jahren. Ohne Berücksichtigung der noch in der Weimarer Republik sozialisierten Gründervätergeneration der bundesdeutschen Demokratie und Wirtschaft ordnet er die Generationen den Bezugsjahren 1945 (i. e. Schelskys »skeptische Generation«), 1960 (i. e. »eine Generation der drängenden Kritik, der Rebellion und Re-Ideologisierung«) und 1975 (i. e. »die Generation des Zweifelns an Werten und Sinngebung«) zu. Ähnlich unterscheidet Preuss-Lausitz zwischen den Generationen der »Kriegskinder« (geboren um 1940), der »Konsumkinder« bzw. »eigentlichen Konsumkinder« (geboren um 1950 bzw. 1960) und der »Krisenkinder« (geboren um 1970).

Selbstverständlich können solche Jahrgangshinweise, Titel und Verwandtschaftsverhältnisse lediglich heuristischen Wert beanspruchen.

Die Angaben beziehen sich auch auf maßgebliche, im öffentlichen Bewußtsein als bestimmend interpretierte Teilpopulationen der jeweiligen Jahrgangsgruppen bzw. Generationen. Beispielsweise rekrutiert sich die »Protestgeneration« vornehmlich aus den Mitte der 60er Jahre Studierenden, die von der Bevölkerung, aber selbst von der nicht-akademischen Jugend scharf abweichen. 1968 z. B. verneinen zwar 91 % der befragten Studenten, aber nur 56 % der nicht-akademischen Jugend und lediglich 45 % der Bevölkerung die Einstellungsfrage: »Der Nationalsozialismus war im Grunde eine gute Idee, die nur schlecht ausgeführt wurde.«[22]

Besonders von politischer Seite aus wird immer wieder auf den als »progressiv« oder »reaktionär« bezeichneten Charakter von Generationen hingewiesen. Dies geschieht besonders auch von »konservativer« oder »rechter« Seite. Einige stellvertretende Beispiele mögen die Tendenzen dieser Wertung veranschaulichen.

Wie Dregger (Sygusch 1987, 109 f.) so betont auch Weizsäcker Anstand und Ehre der Kriegsgeneration. (Lübbe redet 1983 (587) zumindest auch von »weniger respektablen Gründen«, Nazi zu werden.) Am 8. Mai 1945 blickt laut Weizsäkker deshalb die Mehrheit (politisch unbeteiligt) »in einen dunklen Abgrund der Vergangenheit«:

»Die meisten Deutschen hatten geglaubt, für die gute Sache des eigenen Landes zu kämpfen und zu leiden. Und nun sollte sich herausstellen: Das alles war nicht nur vergeblich und sinnlos, sondern es hatte den unmenschlichen Zielen einer verbrecherischen Führung gedient« (Gill/Steffani 1986, 176). Hillgrubers (1986) Deutung des Ostheeres und der Bedeutung des Reichs knüpft an diese offizielle Lesart an.

22 Allerbeck/Rosenmayr, Aufstand der Jugend?, München 1971, 173.

An Weizsäckers implizite Schlußfolgerung, nach der Desorientierung, nach der Enttäuschung über das Auseinanderfallen der privaten und politischen Geschichtsdeutungen setzt man nach 1945 mehrheitlich auf die private Perspektive des »nachgeholten«, »guten« und »normalen« Lebens (dazu Fuchs in Niethammer 1985, 358 ff.), knüpft ein Kritiker Weizsäckers, der CSU-Bundesabgeordnete Lorenz Niegel (geb. 1933), an. Die Kritik besteht darin, daß die Latenz öffentlich manifest vorgetragen wird (was gemäß offizieller Geschichtsmoral vermieden werden muß).

Niegel mobilisiert den Stolz auf den »Wiederaufbau«, aus dem seiner Meinung nach (s)eine Generation ihre Identität zieht. Diese Identität ist primär privat begründet, insofern sie jedoch vom »normalen Leben« des Einzelnen auf nationale Tugenden schlußfolgert, ist sie gleichzeitig auch kollektiv. Als kollektive Identität weist sie die »Sippen- und Generationshaftung« zurück und kritisiert es ebenso, »ständig auf Deutschland herum(zu)trampeln«. Dem Entwurf des »normalen Lebens« in Wohlstand und Freiheit von totalitären Zwängen entspricht, wie Niegel für die »Wiederaufbaugeneration« zeigt, ein »normales Nationalbewußtsein«:

»Die Generation, die am 8. Mai 1945 wenigstens 12 bis 14 Jahre alt war – ich gehöre zu dieser Generation – ist auch der Personenkreis, der dem Wiederaufbau sein ganzes Leben geopfert hat. Diesen Menschen ist es kaum zuzumuten, ein Büßergewand anzuziehen.« (Gill/Steffani 1986, 161)

Der Konsensus dieser Generation findet sich auch in solchen sozialdemokratischen Visionen, die die »Lähmung« durch »vaterländische Verantwortung« und Wirtschaftsaufbau überwinden wollen (Schmid 1946, 9 ff., 14 ff.). Sich ohne nach rechts zu gucken, in den Wiederaufbau zu stürzen, flankiert durch eine abstrakte Sozialisierungsforderung (die von einem Faschismusbild ausgeht, das strikt elitentheoretisch ist), ist auch eine Art der »Vergangenheitsbewältigung« ohne tiefgreifende Folgen.

Macht man sich solche Erfahrungen und Orientierungen klar, dann wird verständlicher, warum – viel zugespitzter als Lübbe (1983) – der Chefredakteur des Wirtschaftsmagazins »Capital«, Ludolf Herrmann, 1983 als leitender Redakteur in dem CDU-Theorieorgan »Die Politische Meinung« die wertzerstörende Wirkung, die Gehorsamsverweigerung also (Schneider 1987), der »Rebellion von 1968« geißelt. 1968 »zu bewältigen ist daher wichtiger«, so Herrmann, »als ein weiteres Mal Hitler zu überwinden«. Dieser Aufruf kann in der von Bruno Heck, vormaliger Städtebau- und Familien/Jugend-Minister (bis 1968) und Vorsitzender der Adenauer-Stiftung, herausgegebenen Zeitschrift erscheinen.

»Erziehung zum Fleiß, zur Sparsamkeit oder zur Ordnung gilt nicht mehr viel in der Bundesrepublik. In die Krise gerieten diese Werte aber nicht 1933 oder 1945, sondern in der Studentenrevolution von 1968.« (Herrmann 1983, 2)

Der von den Baumeistern des »Wirtschaftswunders« behauptete Konsens wird wesentlich erst durch die »Protestgeneration« mit ihrer Kritik und Denunziation des »hilflosen Antifaschismus« (Haug) und der »Diskretion« bzw. der »Zurückhaltung in der öffentlichen Thematisierung individueller oder auch institutioneller Nazi-Vergangenheiten« (Lübbe) aufgekündigt und, politisch wie wissenschaftlich, öffentlich »entlarvt«. Nachdem Hermann Lübbe 1976 bereits die Technik-, Fortschritts- und Wachstumskritik der in nuce sich konstituierenden grün-alternativen Bewegungen zurückgewiesen und negative »Fortschrittsnebenfolgen« als Ergebnis einer (sozialdemokratischen) »Steuerungskrise« kritisiert hat (worauf er 1987 anläßlich seines Votums für die Expertokratie, gegen den »politischen Moralismus« jedweder Couleur zurückgreift), geißelt er 1983 die Episode der rebellischen Faschismuskritik:

»In der zweiten Hälfte der Geschichte der Bundesrepublik Deutschland haben die politisch desintegrativ wirkenden Formen der Auseinandersetzung mit dem Nationalsozialismus zu relativen Ungunsten der integrativen zugenommen.«[23]

Gleichzeitig spricht Lübbe 1983 die (neo)konservative Erkenntnis aus, die dann extremere rechte Stellungnahmen im »Historikerstreit« bestimmt. Lübbe stellt fest, daß eine Besonderheit des Nationalsozialismus in seiner Unvergänglich-

23 Lübbe 1983, 596 f., in Kühnl 1987, 18; Haug 1987, 185 ff.; Leggewie 1987, 213 ff.

keit liegt; dieser ist – wie Nolte seit 1980 ausführt (Historikerstreit 1987, 13 ff., 39 ff.) – »Vergangenheit, die nicht vergehen will«, bzw., so Lübbe (1983, 589), »die Schatten der Vergangenheit wurden um so länger, je tiefer das Dritte Reich in den Zeithorizont zurücksank.« Dies aufzuheben ist Ziel der konservativen Faschismuskritik.

Armin Mohler (1984, 122 f.) skizziert eine »Soziologie der Vergangenheitsbewältigung«. Lübbes (1983, 585, 587) »stille« »Zurückhaltung« und »nicht-symmetrische Diskretion« charakterisieren Mohler zufolge die »Vergangenheitsbewältigung der Tüchtigen«; die »Vergangenheitsbewältigung der Untüchtigen und Zukurzgekommenen« aber ist der »›Als-ob-Antifaschismus‹, dessen Motor eine maßlose Ausbreitung des Begriffs ›Faschismus‹ ist«. Dieser »Antifaschismus« ist Produkt der »Kulturrevolution« Ende der 60er Jahre, einer Minderheitenrevolte von »Meinungsmachern«. Er ist eine Ideologie, die als »Selektionsmechanismus« den »Aufstieg zu den Machtpositionen und den Kampf um die Pfründen« regelt.

In Fortführung langjähriger Überlegungen schließt sich Franz Josef Strauß in seinen Reden während des Wahlkampfes zum 11. Bundestag solchen Überlegungen zur Kritik der Faschismuskritik an (Sygusch 1987, 112). Die »Antifa-Mythologie«, so Strauß, »birgt die Gefahr der Selbstzerstörung, auch die Zerstörung eines normalen Geschichtsbildes« in sich. Ein unnormales Geschichtsbild widerstrebt dem »aufrechten Gang«, »der Wiederherstellung einer nationalen Identität«, und stellt »die deutsche Geschichte als eine endlose Kette von Fehlern und Verbrechen« dar. Dies aber nimmt vor allem »der Jugend die Möglichkeit ..., ein echtes Rückgrat wieder innerhalb unseres Volkes« zu erwerben:

»41 Jahre sind vergangen, bald werden es 42 sein, seit dem Ende des 2. Weltkrieges. Es ist jetzt höchste Zeit, daß wir aus dem Schatten des Dritten Reiches und aus dem Dunstkreis Hitlers heraustreten und wieder eine normale Nation werden.«

Das Ernst Bloch entlehnte Motiv des aufrechten Ganges aus dem »Schatten« des Nationalsozialismus hin zur »nationalen Identität« bestimmt, in schärferer Form, auch die rechte Kritik am politischen System der Bundesrepublik. Diese Kritik richtet sich gegen »die tatsächlich weltweite Einzigartigkeit des Sonderweges der Vergangenheitsbewältigung« (v. Thadden), derzufolge Deutschland – lies: die Bundesrepublik – nach 1945 die »Ideologie der Sieger« übernommen und einen »Charakter hündischer Servilität« (Willms) ausgeprägt hat.

Ein Rechtsintellektueller, Günter Maschke, vertieft diesen Akzent, wenn er, aus schmittianischer Sicht, die »Flakhelfergeneration« als unfähig (weil nicht mehr macht- und souveränitätsbewußt) tadelt. Diese Generation ist ganz besonders der »Re-Education« ausgesetzt gewesen. Nach einem »letzten Aufgebot autoritärer Patriarchen« – wie z. B. Adenauer, Heuss, Schumacher und Zinn – präsentieren die »Flakhelfer an der Macht« als Ergebnis ihrer »Umerziehung« Züge eines »neuen, geläuterten Ich ... geldgierig, sanftmütig und schlau«. Aus ihrem Geschichtsverständnis heraus entsagt diese Generation der Macht, überantwortet »Deutschland« den USA, »so als wäre Deutschland eine Art Liechtenstein«. (Maschke 1985, 106 ff., 113 ff.)

Damit auch nach der von Maschke kritisierten Generation ein entsprechend gebrochenes Geschichtsverständnis vorherrschend bleibt, betreiben die »Linken« die Indoktrination der »Urenkel«. So jedenfalls sieht der Chefredakteur der »Welt«, Günter Zehm, den »Historikerstreit«, der dementsprechend über der Macht- und Sozialisationsfrage entbrannt (vgl. auch Meier: Historikerstreit 1987, 268). Zehm meint über den Zusammenhang der »Urenkel« mit der »Kollektivschuld«: »Da die bisherige ›Schuldgeneration‹ politisch abtritt und allmählich wegstirbt, versucht man nun, den Enkeln und Urenkeln den Schuldbazillus einzuimpfen« (vgl. Kühnl 1987, 299 f., 303).

Im Anschluß an ausführliche wohlwollende Zitate aus diesem »Pankraz«-Artikel Zehms stellt Peter Dehoust, »Schriftleiter« der rechtsextremen Zeitschrift »Nation Europa«, fest, Hitler solle »zum historischen Gegenstand« werden, damit die Bundesrepublik zur »Normalität« finde. Gleichzeitig schließt sich Dehoust der Zehmschen Interpretation des Generationenbezugs des »Historikerstreits« an und trägt ein generelles Urteil vor: »In diesem Zusammenhang beziehen namhafte Historiker und Publizisten Standpunkte, wie sie bislang fast nur von der nationalen Opposition eingenommen wurden.« (Nation Europa, Febr. 1987, 5 f.)[24]

Zusammenfassend: In der Summe haben sich (auch wegen der globalen Defensive und der vorwiegend lokalen Stärke kritischer Geschichtsinitiativen) bis zum »Historikerstreit« die Parameter der Diskussion und Wahrnehmung des Nationalsozialismus dermaßen verschoben, daß selbst traditionell linkslastige Themenfelder wie die Beziehung von NSDAP und Industrie und die politisch-ökonomische Frage nach Handlungsspielräumen »konservativ« aufgegriffen und besetzt werden (Borchardt; Turner). Auf die geänderten politisch-moralischen Maßstäbe verweist ferner z. B. die Bereitschaft seriöser Medien, Arbeiten von Laienhistorikern mit passender Gesinnung herausragend zu publizieren (z. B. Lübbe 1983; Topitsch 1985; Oppenheimer 1986). Schließlich ist die weitgehend positive Resonanz auf die Rede des Bundespräsidenten Richard v. Weizsäcker vom 8. Mai 1985 in diesem Sinn aufschlußreich. Diese Rede wird in einem Jahr mit einer Auflage von 1,5 Millionen ein politischer Bestseller, dafür spricht auch, daß ebenfalls im ersten Jahr 150 000 Briefe im Bundespresseamt und im Präsidialamt eingehen.

»Staatsgründung« nicht »Demokratiegründung«: »Historikerstreit« und politische Kultur

Wenn – worauf bereits hingewiesen ist – Erik Reger (1947, 16) bemerkt hat: »Die Nationalsozialisten haben gestohlen in aller Welt ... Kunstschätze, Gold, Industriepapiere, Devisen«, um dann mit Bezug auf das deutsche Volk festzustellen:

24 Dieses Themenheft trägt den Titel: »Historiker-Streit: Wandel im Geschichtsbild?«; vgl. auch Mohler 1984, 122; Kaltenbrunner 1987; Schönhuber: Wir Selbst, 1/1987, 6; Kosiek 1987 und zuletzt die Veröffentlichung der Gesellschaft für Freie Publizistik, Revisionismus in der Zeitgeschichte, Basseem 1988.

»Uns ... haben sie mehr gestohlen, nämlich Deutschland«, dann kennzeichnet er den markanten Unterschied und Zusammenhang von materieller Zerstörung und dem Verlust eines orientierenden konsenten Bezugssystems. Reger weist auf die Ambivalenz des Neuaufbaues nach 1945, nämlich auf die Entzweiung von »Wirtschaftswunder« und »Verfassungspatriotismus« hin, und bezeichnet somit die Tiefe und die Dimensionen der Orientierungskrise und Sinngebung, die nach 1945 einen doppelten Ausgangspunkt allen Neubeginnens bezeichnen.

Zu Recht auch erachtet Reger das Bestreben nach einer positiven Aufhebung der Entfremdung von wesentlichen Teilen nationaler (jedenfalls aber kollektiver) Kultur und Geschichte als das schwierigere Geschäft. Eine Abhandlung zur Geschichte der politischen Kultur aus der Perspektive der bewußten Aufarbeitung der nationalsozialistischen Vergangenheit als einer zu überwindenden Vorgeschichte von Demokratie (Anmerkungen dazu finden sich in Hennig 1981) würde zeigen, daß diese Aufarbeitung normativ, institutionell und organisatorisch (Gewerkschaften, Parteiensystem) »von oben« durchgeführt worden ist und im Grundgesetz kulminiert, daß die politische Kultur aber durch die Schere zwischen Einstellungen und Verhaltensweisen sowie durch das Differenzieren zwischen Zielen und Mitteln nationalsozialistischer Politik gekennzeichnet wird.

Eine vom Grundsätzlichen her immer konsenter werdende (Verfassungs)Politik und Ökonomie verhindern bis Mitte der 60er Jahre, bis zum Ende des »CDU-Staates«, bis zur programmatischen Gesellschaftsformierung (Erhard, Altmann, Briefs, Voegelin) und bis zum kurzen Sommer der NPD (1966–1969) kritische Fragen nach der politisch-kulturellen Basis der verfaßten Bewältigung der NS-Vergangenheit. Vor dem Aufstieg der 1964 gegründeten NPD (die von 1966 bis 1968 in 7 Länderparlamenten vertreten ist, 1969 mit rund 480 000 Stimmen hinter der FDP bzw. mit 4,3 % der Stimmen knapp am Einzug in den Bundestag scheitert und anschließend in Agonie zerfällt) liest sich die Geschichte des organisierten Rechtsextremismus und Rechtsradikalismus in der Bundesrepublik als eine Geschichte kontinuierlichen Scheiterns und der permanenten Integration vornehmlich in die CDU, als der bürgerlichen Sammlungsbewegung auf Grundlage von »Freiheit, Menschenwürde, christlich-abendländisches Denken« gegen den »antichristlichen Bolschewismus« (Adenauer 1950). (Vgl. Randnote 3: S. 212 f.)

Aus »Hunger, Not und tödlicher Vereinsamung« beansprucht die CDU – gemäß ihres Hamburger Programms 1953 – »das deutsche Volk in der Bundesrepublik« herausgeführt zu haben. Die Erneuerung wird weitgehend auf die materielle Seite reduziert, das soeben erwähnte Wahlprogramm betont, mit der Rehabilitierung der deutschen Soldaten und einer »gerechten Bereinigung der Kriegsverurteiltenfrage« die Auseinandersetzung mit der NS-Vergangenheit definitiv abzuschließen. Als bedeutendste Sammlungsbewegung im »Bürgerblock« von CDU/CSU/FDP/DP/BHE überwindet die CDU gegenüber der Weimarer Republik das zersplitterte bürgerlich-agrarische Parteisystem: die Aufhebung der Gegensätze von Stadt und Land, der Konfessionen und tendenziell auch regionaler Sonderentwicklungen (besonders in Norddeutschland) machen die Integrationsleistung der CDU aus.

Politisch-ideologisch beinhaltet diese Sammlung die Pflege der sozialen Marktwirtschaft, der Westintegration und des totalitarismustheoretisch vorgetragenen »Verfassungspatriotismus«. Diesbezüglich geht der »Bürgerblock« zur Tagesaufgabe über, während die weitergehende Aufgabe einer politisch-kulturellen Sinnstiftung und Neubestimmung deutscher Geschichte in den Hintergrund tritt. Die Aufgabe der Entnazifizierung wird auf Bundes- und Länderebene entstrukturalisiert und zudem als »Liquidierung der Entnazifizierung« (Fürstenau) betrieben.[25]

Auch außenpolitisch entwickelt sich im Zeichen des Kalten Krieges und dann des (heißen) Korea-Krieges (1950–1953)

---

25 Fürstenau 1969, 151 f., 169 ff., 216 ff.; Niethammer 1972, 165 ff., 436 ff., 483 ff., 653 ff.; Billerbeck 1971; Jung 1976, 33 ff., 125 ff.; Henke 1981, 80 ff., 187 ff.; als Problemüberblick vgl. Albrecht 1979.

eine der Entnazifizierung nicht dienliche Interessenkoalition von deutschen Eliten und den Westalliierten, besonders den USA. John Herz (1948) unterstreicht den Bedeutungswandel, dem das Entnazifizierungsprojekt in dieser innen- wie außenpolitischen Konstellation unterliegt:

Zuerst bedeutet Entnazifizierung die Entfernung von Nazis aus dem öffentlichen Leben, um dann in eine individualisierte Überprüfung zur Entfernung individueller Stigmata verwandelt zu werden. Nach diesem Reinigungsritual können die Entnazifizierten dann ihren vorherigen Beruf (sogar im öffentlichen Dienst) wieder bekleiden!

Die Tagesaufgaben (Westintegration, soziale Marktwirtschaft, »Verfassungspatriotismus«) sind nicht gering zu achten, auch wird diese Hausaufgabe – um den Sprachgebrauch des jetzigen Bundeskanzlers und »Adenauer-Enkels« zu benutzen – erfolgreich ausgeführt. Angesichts der politisch-moralischen und politisch-kulturellen, sozialstrukturellen und sozialpsychologischen Bedeutungsgehalte des Nationalsozialismus bleibt diese Politik jedoch äußerlich.

Der Bereich der Einstellungen und Deutungsmuster bleibt den Ressentiments überlassen. Politische Bildung und totalitarismustheoretische Verfassungspolitik sind bemüht, die tatsächliche Umsetzung solcher Einstellungen zu verhindern (was mit strafrechtlicher Hilfe weitestgehend gelingt).

Wesentlich betreibt die CDU, betreibt der gesamte »Bürgerblock«, eine »Staatsgründung«, nicht aber eine »Demokratiegegründung« (Niclauß 1974; Plum und Wiesemann 1976). Gerade unter dem Eindruck des Nationalsozialismus als einer Massenbewegung entwickelt die Union ein Demokratieverständnis, das sich keinem »Druck der Straße«, keinem politischen Streit beugt (worauf die Gewerkschaften 1951/52 ebenfalls verzichten). Dieses Demokratieverständnis setzt auf den »Staat«, also »von oben« auf Normen, Institutionen, Multiplikatoren, Medien und Organisationen, die allesamt leichter zu steuern sind als die »Massen«, deren Spontaneität, deren Lernprozessen (»von unten«) man mißtraut. Für die Bevölkerung werden orientierende Anstöße von Medien, Multiplikatoren und Organisationen sowie die integrierenden Offerten der sozialen Marktwirtschaft (des »Wirtschaftswunders« mit seinen Möglichkeiten, nach dem Lebens- und Konsumverzicht ein »gutes Leben« zu führen) präsentiert.

Gesellschaft oder Staat – Klasse oder Nation?

Ein immanenter Kritiker des »Wende«-Konservatismus, Günter Rohrmoser, weist auf die Belastung des deutschen Konservatismus hin und trägt dieses Argument gleichzeitig gemäß der neuen Sprachregelung vor. Es ist die Rede von einer bloß nachgesagten Belastung (Lübbes Kritik an der zersetzenden Faschismusanalyse der »Protestgeneration« mit ihrer »Faschismus-Theorie in antifaschistischer Perspektive« (Haug) klingt ebenso an wie Mohlers Etüde zur »Soziologie der Vergangenheitsbewältigung«), wogegen Rohrmoser an die weltweite Überhöhung apelliert, die jeden Vernichtungswahn gleichermaßen in graues Dämmerlicht taucht und der Aufklärung (»Enlightment«) entzieht.

»Die deutschen Konservativen haben sich nicht von dem Schlag erholt, (den) ihnen die nachgesagte Komplizenschaft mit dem Nationalsozialismus versetzt hat ... Wer aber historisch begreifen will, der muß vergleichen und ... kommt an der Erkenntnis nicht vorbei, daß kollektive Ausrottungs- und Vertreibungsaktionen, wahre Exzesse grausamer Inhumanität und wahninduzierter terroristischer Praxis Kennzeichen unseres Jahrhunderts waren und es noch sind.«[26]

Von dieser Warte aus erfolgt 1986/87 die Uminterpretation der nach 1945 bzw. 1949 betriebenen »Staatsgründung« mit ihren politisch-kulturellen (»informellen«) Defiziten zugunsten institutionell, organisatorisch und normativ greifbarer (»formeller«) Regelungen, die immer die Aufwertung von »Staat(lichkeit)« gegenüber der »Gesellschaft« beinhalten.

Die Versäumnisse beim Neuaufbau sind aber alt und strukturell bedingt, resultieren aus objektiven Interessenlagen und

26 Rohrmoser 1987 b, 39; dagegen Euchner: Historikerstreit 1987, 356 f.

subjektiv aus solcherart objektiv begründeten kollektiven Deutungsmustern. (Es bedürfte weiterer besonderer Analysen, um die Rolle von Sozialdemokratie und Gewerkschaften zu klären, die sich im Ergebnis ebenfalls auf sozial-/wohlfahrtsstaatlich ausgekleidete repräsentative Staatsautorität beschränken.)

Vom Ergebnis her löst sich in der Summe dieser Politik und politisch-historischen Maximen die Dignität der Faschismuskritik in dem Maße auf, wie die Neuauflage eines organisierten Rechtsextremismus scheitert, wie die Erinnerung und Vergangenheitspflege im Szenarium von Beschwörungs- und Feierfloskeln erstarrt. Daß »Deutschland« erst noch aufzuwachen hätte, solche Erinnerung an 1933 (und 1956) verstößt gegen alle Regeln der herrschenden Traditionspflege und politischen Bildung. Die Betonung von Geschichte und die damit verknüpfte Befürwortung »nationaler Identität«, also ein Votum für einen kontinuierlichen Geschichtsfluß aus der Vergangenheit (ohne die besondere Qualität der »historia interrupta« von 1933 bis 1945) in die Gegenwart und die Zukunft, gehen von der faktischen Überwindung des Nationalsozialismus als einer Verpflichtung zur Reflexivität und Demokratiesicherung aus, greifen auf vornationalsozialistische Traditionen der Obrigkeit zurück.

Michael Stürmer (Historikerstreit 1987, 36) geht – ohne Begründung – vom Zustand der Erinnerungslosigkeit und des Verschleißes der Geschichtsdeutungen aus und leitet daraus die Herrschafts- und Legitimierungsmaxime ab, »die Zukunft gewinnt, wer die Erinnerung füllt, die Begriffe prägt und die Vergangenheit deutet«. Stürmer (1983, 84) spitzt die Frage nach dem sinnstiftenden Zentrum auf das Gegensatzpaar »Nation und Staat« oder »Klasse und Gesellschaft« zu und entscheidet sich für das – von ihm durchaus konfliktträchtig gesehene – erstgenannte Begriffspaar (S. 98 f. und Sygusch 1987, 14).

Zur Retusche (Leicht) bzw. zum »nationalen Religionsersatz« (Broszat, Habermas) wird dieses Projekt »nationale Identität« zwischen den Polen Nationalstaat und Nationalismus als Skylla und Charybdis erst (Stürmer 1987, 26 f.), wenn die Beziehung solch eines gegenwarts- und zukunftsbezogenen Orientierungswissens zum Nationalsozialismus nicht explizit thematisiert wird.[27]

Vollends unangemessen gegenüber deutscher Vergangenheit ist die politische Nutzanwendung dieses Konzepts:

»Die Zukunftsangst weicht, vor allem die junge Generation macht sich wieder mit Mut und Optimismus ans Werk. Das Interesse an der deutschen Geschichte, das zu zerstören selbst einer Unzahl von Bildungsreformen nicht gelungen ist, nimmt spürbar zu. Die Frage, woher wir Deutschen kommen, wer wir sind und wohin wir gehen, wird so lebhaft diskutiert wie schon lange nicht mehr.«

»Für die Zukunft der Bundesrepublik wäre es verhängnisvoll, wenn die Geisteshaltung grübelnden Kleinmuts in großem Rahmen politische Wirkungsmöglichkeiten gewinnen würde.«

»Wir Deutschen können unser Land nur dann als Heimat empfinden und uns offen und selbstbewußt dazu bekennen, wenn wir unsere Geschichte mit allen Facetten – den glanzvollen ebenso wie den schrecklichen – kennen und annehmen. Nationale Identität wird vor allem gestiftet durch das Wissen um die literarischen und kulturellen Wurzeln.« (Kohl 1987, 9, 11, 12)

Eine leichter gewordene Vergangenheit und die Besinnung auf Tugenden des »Wiederaufbaus« sollen die schwere Zukunft bewältigen helfen.

Wider das Trauma: Nationale Identität und Patriotismus

Eine Relativierungsformel schält sich heraus, die sich Götz von Berlichingens Spruch »Wo viel Licht ist, ist starker Schatten« zu eigen macht. Aber nach den nationalsozialistischen

27 Dazu Schulze und Meier: Historikerstreit 1987, 148 f., 212 – von Meier vgl. aber auch 272 f. – dagegen ebd: Helbing, 153; H. Mommsen, 170 f.; Broszat, 193 f.; Sontheimer, 276, 278 ff.; W. J. Mommsen, 300 ff.; Leicht, 362 ff.

Zeichen von Dachau, Hadamar und Auschwitz (die für die Zerschlagung der Arbeiterbewegung sowie jeder Opposition und Nicht-Teilhabe, für die Vernichtung sog. »unwerten Lebens« und für den systematischen auch »rassehygienisch-wissenschaftlich« angeleiteten Holocaust stehen) kann »nationale Identität« keine bloße Zusammenschau darstellen z. B. des Stolzes auf Goethe, Bach und Dürer sowie der Scham über Hitler, Himmler und Streicher (vgl. Strauß 1985, 453; Weidenfeld 1983, 27 f.). Auch Stürmers historische Ausführungen (1987) verdeutlichen nur das Problem, wenn sie die Vereinigung von »freiheitlicher Demokratie und Nation« als die deutsche Aufgabe darstellen und dabei mehr über die Rolle eines »bis heute« wirkenden »psychischen Traumas« des Dreißigjährigen Krieges als über den Nationalsozialismus philosophieren.

Schroffere Nebentöne verdeutlichen die deutsche Unmöglichkeit derart paradoxer Additionen. So plädiert Hans-Peter Schwarz (1987, 35 f., 40, 43, 45 f.) in diesem Kontext z. B. für die »Läuterung des Patriotismus« als ein »ruhiges Selbstbewußtsein eines tüchtigen Landes«. Gegen einen »defätistischen Patriotismus« bzw. einen »anti-patriotische(n) Defätismus« stellt Schwarz den »Patriotismus des Ernstfalls«, »notfalls« also den »Heldentod«, Machtstaat und Krieg werden nicht mehr tabuisiert, sondern wieder bedacht.

In einer Zeit, in der die Kraft der Gewöhnung schwindet (Stürmer 1983, 99), in der auch der »Verfassungspatriotismus« (Habermas in Historikerstreit 1987, 75 f.) als zu wenig wertbeladen erscheint, um einer »psychologischen Erosion« entgegenzuwirken (vgl. Schwarz 1987, 43 f., 46), in der ein Projekt »nationale Identität« z. B. von Stürmer geradezu à la Max Weber als vorbeugend-gezieltes Angreifen irrationaler politischer Verzauberungen vorgestellt wird (vgl. Schulze: Historikerstreit 1987, 148 f.) – in einer solchen Zeit nimmt die Neigung zu, sich hobbesianisch-schmittiänisch wieder am Ausnahmezustand zu orientieren. Legitimiert wird dies auch mit dem Scheitern der ersten deutschen Demokratie.

Schwarz kritisiert den zu blassen und abstrakten »Verfassungspatriotismus«, den Habermas (Historikerstreit 1987, 75) in die Debatte eingeführt hat als den »einzige(n) Patriotismus, der uns dem Westen nicht entfremdet«. Habermas versteht darunter eine »Bindung an universalistische Verfassungsprinzipien« in Gegnerschaft zur »konventionellen Form (der) nationalen Identität«.

Ohne Hinweis bleibt es, daß Dolf Sternberger 1982 dem Begriff »Verfassungspatriotismus« eine Abhandlung gewidmet hat. Sternberger (1982, 11) versteht unter »Verfassungspatriotismus« die Bindung an das »Vaterland«, in dem »die Luft der Freiheit« zu atmen als Verfassung verankert ist (Weizsäcker 1987). Von Habermas wird es nicht diskutiert, daß Sternberger die Grundrechte mit dem Verfassungsstaat verbindet, daß »auch ein Element natürlicher Heimatlichkeit« in den Verfassungspatriotismus »wieder« eingeführt wird, daß die »nationale Zusammengehörigkeit« der »Deutschen« in diesem Konzept nicht in Vergessenheit gerät.[28]

Die emotionalen und etatistischen Beimischungen des »Verfassungspatriotismus«, wie ihn Sternberger meint, werden von Habermas zumindest in Form des Schwarz-Dreggerschen »elementaren Patriotismus« kritisiert. Den vom Neokonservatismus öffentlich inszenierten Patriotismus mit europäischer bzw. NATO-Überhöhung, wie er 1984 in Verdun und 1985 in Bitburg gezeigt worden ist, weist Habermas – ebenso wie Broszat und Hans Mommsen – scharf zurück.[29] Ebenso kritisiert Habermas die patriotische Haltung, die Hillgruber gegenüber »den Racheorgien der Roten Armee« zur Identifikation mit dem Ostheer und der Marine führt.

In Unkenntnis der emotionalen Gehalte des »Verfassungspatriotismus« (unglücklicherweise hat eben Habermas diesen Eingriff – ohne Rückverweis auf Sternberger und ohne weitere Klarstellung – in den »Historikerstreit« eingeworfen) wird der extremeren Position von Schwarz implizit Terrain bereitet, wenn diese Haltung auf krisenfreie Zeiten begrenzt

28 Sternberger 1982, 11, 13, 15 f., 17; an diesem Punkt wird Habermas denn auch von »links« kritisiert: Kühnl 1987, 92, 280; Tugendhat 1987, 22; Narr 1987, 29 ff., 38 f.; Claussen 1986, 11.

29 Historikerstreit 1987, 198, 244 f.; Mommsen 1987, 20.

wird.[30] Aus Sicht der Rekonstruktion staatlicher Souveränität und des Muts zu autoritärer Entscheidung kritisiert auch Günter Maschke (1985, 106 f. – Anm. 20) den »Verfassungspatriotismus«. Er fügt somit der emotionalen Kritik durch Schwarz (und Dregger) eine etatistische Ergänzung bei.

Gerade solche Beimischungen zur neokonservativen Geschichtspolitik verdeutlichen deren Ratio: Über geschichtliche Kontinuität (deshalb erfolgt von dieser Seite aus auch die Kritik der Sonderwegargumentation) soll kollektive Identität als Orientierung, Legitimation und Anpassung/Einordnung und als zukunftsorientiertes Zielkonzept gestiftet werden. Der Irritation des Nationalsozialismus muß deshalb ein moralisch, politisch-strukturell und -kulturell nachwirkender Stachel gezogen werden. Durch die Wahl dieser historischen Perspektive verflüchtigen sich die besondere Anschaulichkeit und Verpflichtung des Nationalsozialismus, der nicht mehr als Extremwert, sondern als Durchgangsstufe wahrgenommen und belichtet wird. Bezogen auf den Nationalsozialismus selbst bedeutet dies »Relativierung«, »Normalisierung« und »Historisierung«:

»Die Geschichte der Gemeinschaftserfahrung der Deutschen ist weder ein einziger Höhenflug noch ein einziges Jammertal«; sie ist nämlich »Dialektik aus Leistung und Schuld« (Weidenfeld 1983, 27).

Oder – bis hinein in »liberale« Aussagen – es setzt sich ein trotziges Dennoch als Votum für die »Entschlackung« bzw. gegen die »Blockade« der Sichtweise, für die »historische Befreiung« und die »Normalisierung« des Geschichtsbildes durch:

»Auch die Zeit des Dritten Reiches selbst ist nicht ausschließlich Geschichte der politischen Diktatur, sie ist auch deutsche Geschichte, die vorher anfing, die NS-Zeit durchlief und nachher weiterging.« (Broszat 1986, 120, 172, 321 f.)

Richard v. Weizsäckers Buchtitel »Die deutsche Geschichte geht weiter« kennzeichnet eigentlich eine Trivialität, deren

30 Broszat 1986, 318; Meier und Leicht: Historikerstreit 1987, 271 f., 363 f.; weitergehend Thüne 1987, 330 f.

aus- und nachdrückliche Erwähnung jedoch andeutet, daß diese Verbindung von Vergangenheit, Gegenwart und Zukunft in Deutschland nicht trivial, sondern vielmehr mythisch ist. Kohls »Gnade der späten Geburt« bleibt in der Realität doch ein sehr seltenes Wunder, ein Akt der Zwanghaftigkeit. Sinn dieser Geschichtskonstruktion sind die Abkehr von der »blaue(n) Blume der geschichtlichen Unschuld« und der Aufbau eines Geschichtsbildes allgemeiner und internationaler »Schuld und Hybris« (Strauß 1985, 480). Die solcherart normalisierte deutsche Geschichte (deren Besonderheit gerade durch diese Beschwörung unterstrichen wird) soll entlasten. Es sind ja auch gar keine rechten Deutschen gewesen, die das Schlimmste begangen haben:

»Wir Deutsche brauchen uns bei allem Entsetzen darüber, was Millionen von Menschen in unserem Namen angetan wurde, nicht als ein Volk von Missetätern zu fühlen und uns viele Generationen lang lähmen zu lassen ...« (Strauß 1985, 453).

Diese Geschichtslegende verschweigt die »Barbarei der Nationalsozialisten« nicht (Strauß 1985, 452). Jedoch diese »aberratio mentis« wird zurechtgerückt und in einen breiten hobbesianisch-schmittianisch betrachteten weltgeschichtlichen Ablauf hineingestellt, so daß die deutsche Geschichte dann als »Mäander im gemeinsamen Fluß der europäischen Geschichte« erscheint und die »moralische Substanz der Nation« unbefleckt bleibt (Strauß 1985, 452, 454). Geschichte wird damit nicht mehr analytisch betrachtet, sondern (Lübbe sei's geklagt) moralisiert: eine »unwiderrufliche Wertentscheidung« wird als Geschichtsbild hingestellt und legitimiert (Strauß 1985, 442 ff.).

Wiederum mag ein Blick nach »rechts-außen« die unausgeleuchteten Stellen in grelles Licht stellen, die angedeuteten Linien konsequent zu Ende ziehen, wenn es darum geht, »die Wunde Hitler« (Willms) zu schließen, aus seinem Schatten herauszutreten, um wieder »ein selbstverständliches Nationalbewußtsein« zu begründen (Klönne 1987 und in Kühnl 1987, 317 ff.).

Hiroshima und Nagasaki werden ebenso als »Vernichtungswahn« bezeichnet wie die »braune und rote Unmenschlichkeit« (Schönhuber). Es heißt, »Verbrechen in der N. S.-Zeit in das komplexe Unrechtsgeschehen der neueren Weltgeschichte einzuordnen« (Nation Europa, 2/1987, 11). Von »rechts« her wird dies betrieben, wobei die auch von Weizsäcker und Strauß propagierte Trennung von Nationalsozialismus und deutschem Volk anklingt, dann aber durch einen anderen auch über Nolte hinausgreifenden Vergleich radikalisiert wird:

»Das deutsche Volk in seiner Gesamtheit auf Generationen hinaus für die Verbrechen einer eng begrenzten Herrschaftsgruppe, die mit ihrem Apparat gegenüber der Bevölkerung sorgfältig abgeschirmt war, moralisch und politisch haftbar zu machen, liegt auf der gleichen Ebene wie die Identifizierung des gesamten Judentums mit der in eine Flut von Gewaltverbrechen und Massenmorden verstrickten jüdisch-bolschewistischen Führungsschicht unter Lenin und Stalin und ihren Exponenten im Deutschland der frühen Weimarer Zeit« (Nation Europa, 2/1987, 11).

Auch Strauß' Hinweis auf die im Kern unbefleckte »moralische Substanz der Nation«, die Hitler als ein »Novum« erscheinen läßt, kann extremer betrachtet werden. In den rechtsextremen »Deutschen Monatsheften« finden sich dieser Argumentationsgang und die zugehörige Berlichingen-Perspektive bis hin zur eigenen Karikatur aufs Klarste entwikkelt.[31]

»Gemessen an der von Massen- und Meuchelmorden strotzenden Geschichte der meisten Nachbarn, war die der Deutschen bis dahin [d. h. vor dem »Kind der Zwangslage«, vor Hitler – E. H.] geradezu harmlos verlaufen. Und es schien, als warte die Welt nur darauf, wann dieses Deutschland endlich aus seiner jahrhundertelangen Zurückhaltung heraustreten und es den anderen in der Wahl seiner Mittel gleichtun würde ... Und nun war da einer, der ihnen diesen Gefallen tat. Er war ihr Werk ... Fünf Jahre danach ist die deutsche Geschichte nicht mehr die, die sie war, ist nun auch sie wie die aller anderen. Hat sich das Ärgste hier unter strengstem

31 Vgl. auch »Pankraz« in der »Welt«: Kühnl 1987, 299 f.

Ausschluß der Öffentlichkeit vollzogen, ohne Mitwisserschaft der Bevölkerung und nicht wie anderswo – in Prag etwa oder Paris – auf offener Straße, blank ist nun auch der deutsche Schild nicht mehr.«

Selbst dies wird dann noch übertroffen. Sind alle Grenzziehungen vom »wilden Denken« erst einmal eingeschliffen worden, triumphiert ein Alltag voller Vorurteile und Chauvinismen. In demselben Artikel »Hitler und die Macht der Konvention« spekuliert Heinrich Jordis v. Lohausen weiter vor sich hin: »Wäre Hitler nicht Deutscher gewesen, das Urteil über ihn wäre weithin ein anderes. Wenngleich wider alle Absicht, liegt in seiner gnadenlosen Verurteilung sogar eine stille Verbeugung vor seinem Land, birgt sie trotz aller Zweckverunglimpfung auch Zeichen echter Enttäuschung. Ein Mord von deutscher Hand wiegt eben doch schwerer als zwanzig von Tschechen, Polen, Russen oder Serben verübte. Nur Deutschland ist Mutter der Völker und war Herzstück des heiligen Reiches. Nur die Deutschen sind das Volk Bachs und Mozarts, Luthers und Meister Ekkehards, Kants und Goethes, Beethovens und Jakob Böhmes, Anton Bruckners und Jakob Lorbers, Rudolf Steiners und Anton Schneider-Frankens, bekannt unter seinem Schriftstellernamen BO-YIN-RA« (Deutsche Monatshefte, 4/1984, 12 f.).

Diese enthemmte nationalistische Phantasie ist es, vor der Stürmer und Strauß *warnen,* die sie bedrohlich heraufdämmern sehen, wenn sie selbst keine *staatsnationalistischen* Ventile anbieten und gleichzeitig Dämme ziehen.

Für die neokonservative Geschichtspolitik fungieren diese Positionen der »rechten« Extremität als Beweis für die politische Notwendigkeit der Abfangstrategie »nationale Identität«. Bestritten wird, daß die Halbheiten des neuen konservativen historischen Legitimationsangebots von solchen »Rechten« aufgegriffen werden können, daß dadurch auch deren weitertreibende Gedankengänge von der Struktur, den Leitbegriffen und den Bildern her kommoder werden können. Der »neue Diskurs über den Nazismus« (Friedländer 1986) und die nationale Frage (Klönne 1984) umfaßt aber diese beiden Dimensionen in ihrer sich gleichzeitig wechselseitig vorantreibenden und kritisierenden Form.

Das neokonservative Integrationsbemühen nach »rechts« ist nicht zuletzt deshalb so bemüht, weil mit der umschriebenen »Normalisierung« der deutschen Geschichte vielfach die Legitimation der Alliierten bestritten wird. Die Westintegration erscheint deshalb zusätzlich belastet. Solchen Gang der Argumentation beleuchten z. B. die rechtsextremen »Unabhängigen Nachrichten« (11/1986, 6):

»Wie kann überhaupt den Besatzern das Recht zugesprochen werden, über Deutsche zu richten, nachdem die Sieger ihre massenhaft nachweisbaren und nachgewiesenen Kriegsverbrechen großzügig amnestiert haben?«

Eine halbierte »Dialektik der Aufklärung«

An diesem Punkt wird danach gefragt, warum – nach, bei und trotz aller Rationalität und Rationalisierungsprozessen – »die Menschheit, anstatt in einen wahrhaft menschlichen Zustand einzutreten, in eine neue Art von Barbarei versinkt« (Horkheimer/Adorno 1944), warum sich »soeben noch feinsinnige Humanisten« – doppelt promoviert z. B. zum Dr. med. und Dr. phil. – in »Apologeten der Brutalität« (Mitscherlich) mutieren.[32]

Die Struktur dieses Nebeneinanders rückt aus kritischer Sicht ins Zentrum der Analyse und der politischen Gegenpraxis (Mitscherlich 1947, bes. 22 f.). Im affirmativen Sinn wird demgegenüber die Versöhnung eines Sowohl-als-auch und einer langfristigen, mitteleuropäischen oder gar weltgeschichtlichen Addition bzw. Nebeneinanderstellung von Gut und Böse in einem »Zeitalter der Tyrannen« (Hildebrand) vorgenommen.

Die »Schrecken eines Jahrhunderts«, »Totalitarismus, Völkermord und Massenvertreibung gehören zur Signatur des 20. Jahrhunderts«, wenngleich sie nicht »Norm« und »Normalität« bezeichnen und nicht als »Schicksal« hingenommen werden müssen (Hildebrand: Historikerstreit 1987, 91).

32 Vgl. Arendt 1986 zu Eichmann; Fest 1964 zu Höß.

Wenn der moderne (Staats)Terror aber nicht die Norm ist, welche Norm bricht er bzw. hebt er (warum?) zeitweilig auf? Wenn diese Tendenz nicht »blind« ertragen werden muß, welche politische Praxis – im Dienst der anderen Norm – ist dagegen zu entwickeln? Diese kritischen Fragen werden von der mentalen Aufrüstungskampagne »nationale Identität« angeschnitten, bleiben aber ausgespart. Der Teufel wird gesehen, um nach dem Beelzebub zu rufen. Zugleich aber hofft man, durch »umfassende Diagnose« (Hildebrand) Handlungsräume gegen die »Herrschaft des Terrors« zu erweitern.

Diese Paradoxie wird dadurch gelöst, daß »nationale Identität« nicht im spontanen, irrational-vermischten Wildwuchs gedeihen soll, daß sie vielmehr gegen einen »Nationalneutralismus« (Stürmer) als *kontrollierte Staatsideologie* gewährleistet, ja verordnet werden soll. »Nationale Identität« greift die Orientierungsmöglichkeiten der Nation auf und will durch Lenkungsmaßnahmen den Versuchungen des Nationalismus zuvorkommen. Diese Quadratur des Zirkels ist das Max Weber nachempfundene Movens neokonservativer Geschichtsbewegung und -politik. (Grundsätzlich Weiß 1986)

Das »Dickicht der Vergangenheitsbewältigung« (Mohler) wird deshalb beschritten, um es verwalten zu können. Seine Sprengkraft erscheint aus neokonservativer Sicht so groß, daß dieses Feld nicht unbestellt bleiben darf. Stürmer formuliert die Furcht vor einer neutralistischen, pazifistischen oder sozialistischen Bewegung der »deutschen Frage«:

»Die Verhältnisse aber, einmal ins Tanzen gebracht, im Takt zu halten, und dies mitten im Umbruch des nuklearen Systems, das wird leicht unberechenbar.« (FAZ Nr. 74 v. 28. 3. 1987, 1)

Die »Idee der Nation« muß deshalb gegenüber einem möglichen »Nationalneutralismus« – und auch weil die DDR die Frage der nationalen Tradition stellt und »nach ihrer Melodie« beantwortet – kontrolliert werden, was aber nur gelingen kann, wenn sich sowohl die herrschende Politik als auch die Deutungsmuster diesem Thema und den gebotenen Ritualen nicht entziehen, sondern voranschreiten (also denn: die deutsche Fahne mit Stander neben das Aquarium).

Auch Strauß vertritt das Konzept dieses antinationalistischen Nationalismus mit Verweis auf die außenpolitische Normalisierung und Berechenbarkeit der Bundesrepublik. Die Normalisierung der »nationalen Interessen« ist im wohlverstandenen Interesse der »europäischen Identität« und der bundesrepublikanischen Freunde und Verbündeten:

»Kein Volk kann auf die Dauer mit einer kriminalisierten Geschichte leben. Gemeinsam kann mit den anderen europäischen Völkern nur die Nation die Zukunft unseres Kontinents mitgestalten, die selbst innerlich stark und ihrer selbst gewiß ist.« (Strauß 1985, 530)

Ein sich antifaschistisch verstehendes Deutschland bedeutet demgegenüber gemäß Strauß (in Anlehnung an Lübbe) einen »Bruch im deutschen Geschichtsbewußtsein«, der »das Selbstverständnis und ... Selbstbewußtsein ... ganz Europas« lähmen würde.

Diese Motivkette hat, auf der »Suche nach einem Daseinszweck«, Stürmer bereits 1984 klar vorgestellt.

Als Memento für die nach dem 4. 10. 1982 bzw. dem 6. 3. 1983 noch im Anfangsstadium begriffene Regierung Kohl kennzeichnet Stürmer die sozialliberale »Reformära« als anfänglich technokratisch, letztlich aber ideologisch. Bei Strafe von Gefahren für den sozialen Frieden, für »Maß und Mitte des Patriotismus« (offensichtlich à la Schwarz) und für die außenpolitische Berechenbarkeit kann sich die Bundesrepublik solche Ideologisierung nicht leisten. Eine Erneuerung ihrer Identität ist deshalb obligatorisch. Unter der Frage »Konsensus der Historie?« führt Stürmer 1984 aus:

»Die Republik braucht einen geometrischen Ort ihrer Identität, einen Konsensus mit sich selbst. Heute wird allenthalben um uns gefragt, wohin die Bundesrepublik, und viele Freunde Deutschlands fragen, wohin sie treibt. Dies kann, wenn die Antwort lange Zeit verweigert wird, gefährliche außenpolitische Folgen haben. Unsere Bündnispartner beginnen zu fragen, mit welchen Deutschen denn die Verträge geschlossen wurden, die auf Gedeih und Verderb bestehen. Nicht mit denen von gestern, aber auch vielleicht auch nicht mit denen von morgen. Es wird Zeit, daß wir zu uns selbst finden, daß wir unsere Geschichte wieder kennenlernen ...

Wir müssen nicht auf den Knien gehen in alle Ewigkeit, wir dürfen aber auch nicht Versuchung und Verdammnis unserer europäischen Mittellage vergessen. Die Bundesrepublik ist fast vierzig Jahre nach dem Krieg kein Provisorium mehr. Sie ist Schlußstein des westeuropäischen Verteidigungsbogens der NATO. Wie fest aber ist dieser Stein, und wie lange trägt er das Gewölbe?«

Geschichte muß stringent eindimensional festgelegt werden. Jede Irritation, jede objektive Möglichkeit des Wechsels gilt es zu vermeiden. Deshalb müssen auch die kritischen Impulse aus der NS-Vergangenheit in der »nationalen Identität« eingefangen werden. Eine strukturanalytische Analyse des Nationalsozialismus scheidet deshalb aus, würde sie (notgedrungen) doch wieder zur »Belastung« des (historischen) Konservatismus führen. (S. o.: S. 106, vgl. S. 189 ff., 207 ff.)

Der Nationalsozialismus wird nicht strukturell diskutiert, sondern als eine Denkfigur, als irrationale Heilsbewegung in Gegnerschaft zu einem schwachen Staat wahrgenommen. Insofern die »Grünen« ebenfalls irrationales Kapital aus einer Orientierungskrise schlagen (Lübbe 1976, 1987), insofern Teile der »Grünen«, der »Linken« und der »Rechten«, vor allem aber die DDR nationale Geschichte und nationale Souveränität als orientierende Werte in die Öffentlichkeit bringen, muß der Staat in der Bundesrepublik ebenfalls ideologisch aufrüsten.

In diesem Zugzwang – bildlich erscheinen vor allem Stürmer und Nolte als Getriebene – befindet sich die »geistige Erneuerung« gegen »Ausstieg, Pessimismus, Zukunftsangst«, sie muß diese »geistige Herausforderung« aufgreifen, um diese Gefühls- und Stimmungslage integrieren und steuern zu können. Kohl (1987, 8, 10 f., 12 f.) wendet sich deshalb vom »kulturellen Nachtwächterstaat«, vom »technokratischen ›Krisenmanagement‹ ohne Perspektive« ab und propagiert im Kontext einer »menschlich geprägten Industriegesellschaft« neben »nationaler Identität« zusätzlich noch Sekundärtugenden, Verantwortung und Subsidiarität und die Renaissance christlicher Werte, um für die Zukunft Mut zu machen.

Max Weber zufolge handelt es sich um die Gleichzeitigkeit der »Entzauberung der Welt« durch Rationalität, Rationalisierung, Intellektualisierung und Berechenbarkeit sowie um die Mythologisierung, die sich von den freigewordenen Nischen der Gesamtorientierung und Emotionalität her zurückbildet. Insofern Politik »nicht nur mit dem Kopf« (M. Weber) gemacht wird, ist die neokonservative Geschichtsbewegung bestrebt, die Emotionalität einer nationalen Wir-Orientierung auszunutzen und gleichzeitig vor nationalistischen Auswertungen zu bewahren.

Wegen des Risikos, wegen der unzureichenden Abgrenzung angesichts der bemühten Funktionalisierung dieser Gefühlspolitik durch eine extremere rechte Politik mit noch mehr »Mut zur Geschichte« (Diwald) und antidemokratischer Autorität und Staatlichkeit, schließlich wegen der Voraussetzungsarbeit, den Nationalsozialismus Vergangenheit werden zu lassen, kann diese neokonservative Geschichtspolitik und -bewegung nicht als verantwortungsethisch charakterisiert werden. Die »geschulte Rücksichtslosigkeit des Blickes in die Realitäten des Lebens« (M. Weber) ist nicht erkennbar, denn diese Blickrichtung wäre in Deutschland zuerst am Nationalsozialismus zu schulen.

Innenpolitische Ruhe und außenpolitische Berechenbarkeit sind für den Neokonservatismus die ersten allgemeinen Motive. Ein »ruhiges Selbstbewußtsein eines tüchtigen Landes« wird als Garant gegen den Hasard, gegen die Gesinnungsethik dargestellt.[33]

Ein weiteres allgemeines Motiv ist die generell sinnstiftende und orientierende Bedeutung von Werten. Orientierung wird als anthropologische Konstante begriffen (Stürmer 1983, 99); es kommt also darauf an, *wie* und von *wem* dieses Bedürfnis gestillt wird. Der »Glaubenskampf« in der »Fachhistorie« entspricht also den Erfahrungen aus dem Weimarer »Bürgerkrieg«. In den Zweifeln der Geschichtswissenschaft spiegelt sich »ein nagender Zweifel der Nation, wie sie denn selbst beschaffen sei« (Stürmer 1983, 84).

---

33 Hans-Peter Schwarz, Konrad-Adenauer-Stiftung: Presseinformation v. 4. 2. 1987, 3; Stürmer 1983, 99 und FAZ v. 25. 4. 1986, Das Parlament v. 17./24. 5. 1986.

Besonderes Motiv ist die Wiederherstellung eines neutralen Raumes. Jedwede Güterabwägung soll möglich sein, ohne daß politisch-moralisch auf Fesseln und Bedingungen eines Demokratie fordernden NS-Deutungsmusters hingewiesen werden kann. Die moralisch-politische Wirkung des Faschismusvorwurfs soll aufgehoben werden. »Die Pflege des NS-Traumas« beinhaltet auch »die anachronistische Vorstellung von einer deutschen Weltgefahr«, weckt also antideutsche Aversionen und beinhaltet (etwa beim Waffenhandel, bei der Südafrika-Politik, aber auch bei Durchsetzung des autoritären Staates) besondere antizipierende Zurückhaltung, worin ein Gutteil der Konflikte zwischen und innerhalb von CDU, CSU und FDP beschlossen liegen. Wer radikalere Politik und Staat fordert, muß deshalb auch der radikalere »Revisionist« sein (Strauß)![34]

Eine besondere Akzentuierung der allgemeinen Motive prägt auch die Kohlsche Wertpolitik, die »der Ideologie des Aussteigens einen Zukunftsentwurf der selbstbewußten Zuversicht« entgegensetzt. Dies richtet sich gegen »Die Grünen« und »beachtliche Teile der SPD«. Die neokonservative »supply-side-economy« mit Gratifikation für den Erfolgreichen und einer finanziell leicht abgefederten Mißachtung der Erfolglosen benötigt flankierende Deutungsmuster, die einen gemäßigten – d. h. außenpolitisch nicht-chauvinistischen – Nationalismus einschließen.

Stürmer vertritt die zuletzt erwähnte Schwerpunktsetzung (ohne hier das Prius von Kohl und Stürmer klären zu wollen). Allerdings akzentuiert Stürmer die außenpolitische Komponente stärker, sein Mitteleuropa-/Europa-Konzept will einem außenpolitisch wirksamen Nationalismus (im Sinne nationaleigeninteressierter Sinnbestimmung bündnis- und abrüstungspolitischer Entscheidungen) zuvorkommen. Die »Idee deutscher Alleingänge« (Stürmer 1983, 99) schreckt Stürmer ab. Prägend ist seine Furcht vor einer »deutsch-gaullistischen Karikatur«; sein »Ernstfall« ist nicht mehr Hitler, sondern die

34 Vgl. auch Maschke – zit. in Klönne 1987, 37; Kaltenbrunner 1987.

Idee eines Dritten Weges: »Wenn man in Deutschland neutralistisch sein will, so muß man auch nationalistisch sein oder jedenfalls national« (1982, 71, 76).

Stürmer reagiert nicht von sich aus. Er stellt die Situation so dar, daß er auf den spaltenden Nationalismus der DDR und auf den negativen Nationalismus der Friedensbewegung antworten *muß*. Indem die DDR und Teile einer geschichtslosen Alternativbewegung in der Bundesrepublik die »Identitätsfrage« stellen, entwickelt sich – »aus der Stimmung der Apokalypse« – ein »Nationalneutralismus«. Die reüssierende »Idee der Nation« muß deshalb besetzt werden, um nicht den Wert eines konservativ nützlichen Zukunftsentwurfs zu verlieren. Der »Mitteleuropa«-Gedanke und die Westorientierung verstehen sich in Stürmers Geschichtspolitik als moderierendes Prinzip, in diesem Entwurf bleibt die Machtfrage ungestellt, aber die Zurückweisung des »Antifaschismus« als eines »Gespenstes der Vergangenheit« und der »progressiven Erwürgung (der Geschichte) von links« als einer schweren Schädigung der politischen Kultur wirft Schlaglichter auf die Positionen und Begriffe, die Stürmer bevorzugt, um »Orientierungsverlust und Identitätssuche« zu steuern.

Vor dem deutschlandpolitischen Kongreß der Gesellschaft für freie Publizistik vertritt Bernard Willms 1983 ein Nationalismuskonzept, das, strikt außenpolitisch gewendet, die Akzentuierung Stürmers beleuchten mag. Diese Gegenüberstellung kann auch geeignet sein, die Unterschiede zwischen neokonservativen und rechtsradikalen Konzepten zu erhellen.

Willms erachtet »die Zeit einer freiwilligen babylonischen Gefangenschaft« als vergangen (wobei er sich u. a. auf Calleo beruft). Die »freiwillige Schuldhaft« endet, womit vor allem auch der »Antifaschismus als kollektiver Selbsthaß« aufgegeben wird. Ebenso wie das »Schuldgefühl« ist er »identitätsstörend«, und diese Schuld »legt sich wie ein Mehltau über alles Errungene, . . . alle Zukunft« (Willms 1983, 17). Das neu gefundene Prinzip »Selbstbewahrung«/»Selbstbestimmung« führt zur »Wiederherstellung der Nation« und zum Plädoyer für das Konzept »einer Welt freier Nationen«. Dieses Konzept (mit dem sich Willms der nationalrevolutionären Sicht des »Ethnopluralismus« nähert [Eichberg 1978], die er allerdings durch seinen etatistischen Bellizismus wieder aufgibt) bricht mit der »Sinnlosigkeit« des »Antagonismus der Supermächte«, dem Szenario des »Weltbürgerkrieges«:

»Der Versuch, die Phase der Nationalisierung durch liberale menschheitliche Konzepte zu überwinden, führte zur menschheitsgefährdenden Konstellation der Supermächte. Diese aber, als Realisierung des Weltbürgerkrieges, sind eine Sackgasse der menschlichen Entwicklung, gigantisch wie Saurier und ebenso ohne Zukunft wie diese.« (Willms 1983, 14)

Indem die Nation wiederhergestellt wird, wird die »Servilität gegenüber den Siegern« aufgegeben. Dies setzt die Nicht-Akzeptanz der deutschen Teilung voraus. Auch die »Pazifizierung der Politik« wird aufgegeben (S. 20 f.), der »Kampf um Identität« wird als »Bewegung für einen Friedensvertrag« (S. 21) aufgenommen. »Anerkennung der Teilung bedeutet Aufgabe des Kampfes um Identität, also Aufgabe der Identität selbst.« – »Der Gedanke der Wiedervereinigung darf nicht von vornherein durch die Verteidigung liebgewordener oder erhabener Teilbestände relativiert werden. Das gilt für die Deutschen in beiden Teilen Deutschlands.« (S. 18 f., 19)

Dieser Konsequenz versucht das neokonservative Konzept mit seiner innenpolitischen Ausrichtung zu entgehen. Andererseits fallen die Überschneidungen und semantischen Entsprechungen auf. Es stellt sich die Frage, ob die neokonservativen Stichwortgeber, die das Thema einbürgern, in der Lage sind, dessen Motorik und Eigendynamik einzudämmen und zu kontrollieren.

Zusammenfassend: Neokonservative Geschichtspolitik ist ein primär innenpolitisches Deutungsmuster. Orientierungskrise und Wertewandel wirken sich, so Lübbe, primär für neue soziale Bewegungen (und »Die Grünen«) aus, wenn diese Felder nicht anders besetzt und organisatorisch eingebunden werden. Nahe an der regionalistischen Staatsausdifferenzierung (Lübbe) und am Konzept eines Bundes (Eichberg) votiert neokonservative Geschichtspolitik gegen Neutralisierung und dritte Wege für Subsidiarität und »gesunde Wirtschaft im starken Staat«.

Das Produktionsmodell neokonservativer und ordo-liberaler Angebotsökonomie beinhaltet die Verringerung sozialer Kosten und deren Umverteilung auf Selbsthilfegruppen und Einzelinitiativen. Deshalb die Wertpolitik der »Versöhnungsgesellschaft« (Späth), die Betonung z. B. der Familie, der Vereine und das Bemühen, »ein neues soziales Klima, eine Kultur der Nachbarschaft« (Kohl, Regierungserklärung 1987) zu schaffen. Diese Gesellschaftspolitik reagiert auf »staatliche Überlastungssymptome«. Die »Ordnungspolitik der primären Beziehungen« bzw. der »Ausbau der kleinräumigen, kulturellen und sozialen Infrastruktur« (Späth 1985, 176) treten in den Vordergrund. Solche Gesellschaftspolitik ersetzt partiell die Sozialpolitik. Dieser Wendung entspricht die Wertepolitik, die sich als Aufwertung der politischen Kultur versteht. Entsprechende Werte (Sekundärtugenden, Heimat, Geschichte, Nation) und Anstalten (Museen, Ausstellungen) rücken in den Vordergrund, wobei alle Anstrengungen unternommen werden, durch staatliche Maßnahmen der Diskussions- und Mittelsteuerung die Ambivalenz derartiger Politik zu sistieren.

Die Geschichtspolitik mit den Akzenten auf »Glanz und Glorie«, Identität, Entkriminalisierung/Normalisierung/Historisierung, mit Zurückweisung des Antifaschismus und dem Hinweis auf die Aufbauleistungen und Wertorientierungen der Nachkriegszeit entspricht besagter Gesellschaftspolitik, wobei die Grenzen zu einer stärker auf Souveränität und Aufhebung der deutschen Teilung setzenden Politik fließend sind. Hieraus ergeben sich Berührungspunkte des »alten« Konservatismus mit rechtsradikalen und extrem rechten Varianten nationalistischer Geschichtspropaganda, während der neokonservative Revisionismus Berührungspunkte mit regionalistischen, neu-rechten und radikalen konservativ-kulturreformistischen Akzentsetzungen aufweist.

Gerade wegen dieser Berührungspunkte, also wegen der Breite der Akzentsetzungen, Bezugskulturen, Verweise und Stilelemente, wegen der variierten publizistischen Streuung vom rechtsradikalen Pamphlet bis zur FAZ, vom Bundestagsabgeordneten, Hochschullehrer bis zum Propagandisten dürfte die Wirkung der geschichtspolitischen Revisionismen zusammengenommen groß sein. Der publizistische Protest, den

Habermas ausgelöst hat (Zeit, Frankfurter Rundschau, Spiegel, Süddeutsche Zeitung), sollte – ebenso wie Spekulationen über den Wahlausgang vom Januar 1987 – nicht überschätzt werden. Auch Enzensbergers (1987) Votum für die basisdemokratische Lebendigkeit vor Ort (s. S. 126), für die Unterwanderung der staatlichen Zielsetzungen überschätzt die Aktionsspielräume postmaterieller Kulturreform und Politik, unterschätzt das Restriktionspotential neokonservativer Demokratie und starker Staatlichkeit (Dubiel 1985, 46 ff.).

Noten zur Stornierung des »Historikerstreits«: Neuformierung der Geschichtspolitik?

Da sie ausländische Stellungnahmen weitgehend unberücksichtigt läßt und die Frage des zeitlichen Erfassungsspielraums (besonders vor dem 6. 6. 1986) nicht klärt, ist Syguschs Bibliographie (1987, 116 ff.) des »Historikerstreits« sicherlich unvollständig, aber sie verzeichnet allein 96 bundesrepublikanische Zeitungsartikel, die zu diesem Thema vom Mai 1985 bis zum März 1987 erschienen sind. Die genannten Erfassungsprobleme bestimmen auch die vorliegenden Dokumentationen. Die beiden Sammlungen (Historikerstreit 1987; Kühnl 1987) enthalten schwerpunktmäßig für den Zeitraum von April 1986 bis Februar 1987 fast 65 Dokumente, Zeitungsartikel, Aufsätze und Leserbriefe. Syguschs Sammlung enthält 50 Äußerungen für dieselbe Zeitspanne. Melnik (1987) verzeichnet ebenfalls gut 60 Beiträge, Hunderte längerer Berichte werden pauschal erwähnt.

Es ist ein Streit, der zwar auch Rundfunk- und Fernsehdiskussionen einschließt, der aber vornehmlich altmodisch für Multiplikatoren in und mit Printmedien ausgetragen wird, der im wesentlichen spätestens Anfang bis Mitte 1987 seitens der neokonservativen Protagonisten eingestellt wird. Das stillschweigende Abebben des Streites kündigt sich bereits Ende 1986 an (Kühnl 1987, 257 ff.). – Warum?

Ausländische Stellungnahmen – nicht nur (aber auch) solche aus Israel[35] – sind weitestgehend kritisch, beklagen den Tonfall der neokonservativen Argumentation und die Erosion der Grenzen nach »rechts«[36]. Für die Reputation der bundesrepublikanisch-staatstragenden Elite ist der Streit nicht dienlich, Habermas genießt (in der Presse des In- und Auslandes) offensichtlich mehr Ansehen.

In der »Historikerzunft« ist der Streit ebenfalls umstritten. Wegen der polarisierenden Wirkung auf die Zunft und die Öffentlichkeit hält Nipperdey im Oktober 1986 die Debatte für ein »Unglück«, ein Urteil, dem sich zur selben Zeit Geiss anschließt. Der Trierer Historikertag (Oktober 1986) zeigt auf, daß die Thematik in diesem Kreis nicht diskutabel ist, vor allem die konservativen Adepten entziehen sich der (fach)öffentlichen Diskussion (Mommsen 1987, 17; A. Meier 1986). Die auf wechselseitige Schadensbegrenzung angelegten Beschwörungen des Vorsitzenden des Deutschen Historikerverbandes, Christian Meier[37], verhallen. (Wehler 1988, 110 f.)

Meiers Forderung vom 10. 10. 1986 nach einem »modus vivendi mit uns selbst« bezieht sich implizit auf die Kontrahenten, diese aber können (wollen) »in der Hauptsache« nicht mehr diskutieren. Die politische Kultur der Bundesrepublik verdoppelnd, gehen die Diskutanten schweigend zur Lagerbefestigung über. Nolte trägt seine Thesen am 31. 10. 1986 nochmals – tonal etwas versöhnlicher – vor, bekräftigt per FAZ-Leserbrief vom 6. 12. 1986 aber, er hätte seinen Artikel vom 6. 6. 1986 »keineswegs ›entschärft‹« (Historikerstreit 1987, 360); Habermas nimmt Noltes Geste am 7. 11. 1986 an (was Tugendhat 1987 scharf kritisiert); Christian Meier formuliert dann am 20. 11. 1986 sibyllinisch-paradox den Abgesang als »Kein Schlußwort«.

Der Streit beweist die Nichtexistenz einer politisch-wissenschaftlichen Konfliktkultur, nämlich die Konfliktunfähigkeit

35 Vgl. Sygusch 1987, 80, 100, 113; Haug 1987, 20 f.

36 Vgl. z. B. Macke 1986; Maier 1986; Sullivan 1987; Lammers 1987.

37 Historikerstreit 1987, 204 ff.; Kühnl 1987, 111 ff.

der neokonservativen Historiker gegenüber den politisch-moralischen Aussagen Habermas' – wechselseitig (Habermas, Hildebrand, Hillgruber) schießt man sich auf den Stellvertreterkrieg der Zitatüberprüfung ein (»wahr« ist, was »richtig« zitiert worden ist?) und verteilt Invektiven. Er beweist ferner die Diskussionsunwilligkeit derselben Fachvertreter gegenüber den fachimmanenten und wissenschaftspolitischen Kritiken durch Jäckel, Hans und Wolfgang Mommsen und Winkler[38]; er zeigt schließlich die Unwilligkeit, auf vermittelnde Bemühungen und Zwischenpositionen von Broszat, Fleischer, Geiss, Meier und Schulze einzugehen.

Nachdem der Streit eingeschläfert worden ist, präsentieren sich demzufolge verkrustete Fronten, die schroffer als zuvor ausformuliert worden sind (Historikerstreit 1987, 383 ff.; Habermas 1987, 151 ff.). Der Streit ist kein diskursiver Prozeß, sondern geronnene Politik und erstarrt als solche: Diejenigen, die argumentativ »recht« haben (so Kühnl 1987, 284), die diversen Kritiker, argumentieren und polemisieren weiter, die anderen – kein Block – schweigen und versuchen, massiv ihre Position zu konsolidieren im Kampf gegen »die Erfindung der tatsachenfreien Wissenschaft« und die »Vereinheitlichung von Erkenntnis und Interesse« (Stürmer: Historikerstreit 1987, 391).

Hans Magnus Enzensberger betont Anfang 1987 das Kontrafaktische der neokonservativen Geschichtspolitik, die unterlaufen und konterkariert worden sei:

»Die Leute, die unsere Geschichte zuschaufeln wollten, haben sich als Ausgräber erwiesen.« – »Was in den fünfziger Jahren noch möglich war, ein Problem zu tabuisieren, eine Diskussion stillzulegen, das kann heute aus strukturellen Gründen nicht mehr gelingen.« – »Leute wie Dr. Kohl und seine Helfer bieten die beste Garantie dafür, daß die Diskussion über die Nazi-Verbrechen in absehbarer Zeit nie abreißen kann. Sie heizen die Auseinandersetzung viel effektiver an als der linke Aufklärer, der treuherzig versucht, an die Tatsachen zu erinnern.« (Enzensberger 1987, 77, 83)

38 Dazu Kühnl 1987, 237 ff., 284.

Reflektierte neokonservative Analytiker teilen offensichtlich diese Interpretationsrichtung. Die Suche des geometrischen Ortes für »nationale Identität«, dieses von Stürmer beschriebene Projekt, ist heikel und muß die Transparenz öffentlicher Kontroversen meiden. Schließlich soll dieses Deutungsmuster integrieren, affirmative Zukunftsentwürfe nähren und nicht polarisieren sowie auf Konflikte und divergierende Deutungsmuster aufmerksam machen.

Im FAZ-Leitartikel vom 16. 6. 1987 kritisiert deshalb Ernst-Otto Maetzke die »Vergleiche zum Kopfschütteln« von gegenwärtigen Problemen mit NS-Politikern und Konzentrationslager. Dies sind »Vergleiche hinter Scheuklappen«, die abgelehnt werden. Zwar werden die besonderen »Raubzüge in die vergleichende Geschichtswissenschaft«, die mit ihren »Gegenübertragungen« den »Historikerstreit« bestimmt haben[39], von Maetzke nicht analysiert und kritisiert, aber sein Signal zur Beendigung dieser Historisierung aktueller politischer Polemik ist unüberhörbar.

Wer z. B. Goebbels und Gorbatschow als PR-Manager vergleicht, wirft die Frage auf, ob der Vergleich stimme (damit wird der Nationalsozialismus als extremer Antipode mobilisiert), ob die historischen Kenntnisse und der politische Pragmatismus des Autors ausreichend sind. Solche potentiell kritischen Fragen sollen unterbleiben, zerreiben sie doch personalen Kredit, zerschleißen sie vor allem aber das Konzept der Orientierung durch »nationale Identität« sowie der Wegweisung durch Experten.

Konsequenterweise liefert Hermann Lübbe 1983 nicht nur eine wichtige generationsbezogene, auf eine »stable democracy« eingeschworene Kritik der rebellischen Faschismusanalysen, sondern tritt auch als neokonservativer Kritiker der neokonservativen Geschichtspolitiker auf. Für das Konzept zur Überwindung der »Orientierungskrise« (Lübbe 1976) fällt diese Politik im »Historikerstreit« zu »tumb« aus. Sie ist »unbedacht«; ihr moralisierender Ton ist »kein Plädoyer für die Entmoralisierung unserer Vergangenheitsverhältnisse«, son-

---

39 Gay 1986, 12, 14, 17.

dern nährt nachgerade den Hang zur »moralistisch enthusiasmierte(n) kulturrevolutionäre(n) Selbstverwerfung unserer Zivilisation« (Lübbe 1987, 72 f., 97).

Der polarisierende »Historikerstreit« zerstört den »gerade in der modernen Gesellschaft so hochnötige(n) Vertrauenskitt« (Lübbe 1987, 117; Narr 1987, 31) und unterminiert die soziale Stellung und öffentliche Reputation von Experten und Beratern.

Hauke Brunkhorst (FR Nr. 149 v. 2. 7. 1987, 10) überliefert einen Diskussionsbeitrag Lübbes zum »Forum der Philosophie«, wo er diese Kritik ausformuliert. Laut Lübbe (und hier folgt er Ludolf Herrmann und Armin Mohler (1984, 122) und greift Habermas' Votum für den »Verfassungspatriotismus« auf) ist die »verheerendste Spätwirkung der Nazis in unserem Vaterlande die Urteilsunsicherheit gegenüber konventioneller Moral«, demzufolge ist der »Historikerstreit« – und dies richtet sich besonders gegen Nolte und Hillgruber – »mutwillig vom Zaun gebrochen, überflüssig, ein weiterer Beitrag zur Destruktion unserer ohnehin prekären politischen Kultur«.

Neokonservative Geschichtspolitik soll wieder in der wirkungsträchtigen Stille vor dem Sommer 1986 stattfinden. Dahinter steht die Hoffnung, daß dann auch die durch den »Historikerstreit« erstmals wieder nach 1968 gewonnene Öffentlichkeit des Themas in sich zusammenfällt. Alles Schweigen hilft der Geschichtspolitik, die nicht auf Diskurs, sondern auf Vollzug setzt.

Erst jetzt wird sich zeigen, ob der von Kühnl bis Wehler und Enzensberger beschworene »Sieg« über die Neokonservativen von langer und essentieller Dauer ist. Die einzige »Infrastruktur«, die geeignet ist, arbeitende und denkende Gegenöffentlichkeiten herauszubilden, ist – von Einzelattacken abgesehen (Wehler 1988) – die *Praxis* der Geschichtsbewegungen *vor Ort*. Nach der Selbstkritik der Geschichtswerkstätten, die sie bei Aufnahme faschismusanalytischer Diskussionslinien anläßlich ihrer Kritik des »Historikerstreits« (auch der Habermasschen Halbheiten) vorgetragen haben (Gerstenberger/Schmidt 1987, 9 ff.), kann diese »Graswurzel«-Bewegung hoffnungsfroher betrachtet werden. Ansonsten sind alle

Teile einer liberalen, sozialdemokratischen, alternativen und aufgeklärt-konservativen Öffentlichkeit gefordert, die »Eindringtiefe« der Normalisierung zu begrenzen.

Angesichts der zurückgenommenen neokonservativen Schlachtordnung, angesichts des Triumphs der Urteilskraft von Hermann Lübbe, die Ernst Nolte endgültig als Einzelkämpfer und Querulant erscheinen läßt, besteht zu übertriebener Hoffnung kein Anlaß. Es ist kein Sieg gewonnen worden! Alf Lüdtke hat nachgewiesen, daß Alltagsanalysen und »oral history« zeigen, daß die geringere »Eindringtiefe« faschistischer Appelle nicht mit demokratischer Verhaltensorientierung verwechselt oder gar identifiziert werden darf. In diesem Sinn steht die »Demokratiegründung« wohl noch aus:

»So unerläßlich die Anstrengungen zu demokratischer Kontrolle von Herrschaft sind – sie regulieren nicht, ob die Menschen auf die Grenzen von Herrschaft pochen, ob sie Unrecht von Recht zu scheiden suchen. Vor allem läßt sich durch institutionelle Regelungen nicht sicherstellen, daß die unterschiedlichen Interessen, Erfahrungen und Deutungen auch zur Diskussion und zur Disposition gestellt werden.« (Lüdtke in: Gerstenberger/Schmidt 1987, 31; Henke 1984)

IV

Was heißt und zu welchem Ende studiert man Faschismus?

»Soeben noch feinsinnige Humanisten verwandeln sich in Apologeten der Brutalität, entwerfen kaltblütig Pläne für die Vernichtung ganzer Völker und die Auslöschung von Staaten ... es kommt ... darauf an, zu verstehen, daß das eigentlich Kranke in der Verbindungslosigkeit der Ebenen besteht ... Damit hat man dann zugleich in aller Kürze eine Definition des deutschen Schicksals überhaupt. Wir wagen nicht zu entscheiden, wieviel darin europäisches Schicksal enthalten ist. Die besten technischen Maschinen, die Erfindungen einer genialen Intellektualität und die gepflegteste Prosa hindern nicht, daß selbständig davon im Dunkel seelische Prozesse gedeihen, die jeder formal-ethischen Kontrolle Hohn sprechen und in die seltsamsten, eben absurden Beziehungen zum Intellekt-Bewußtsein treten.«

(Alexander Mitscherlich 1947)

1789, in dem Jahr der Französischen Revolution, dem Jahr, in dem sich die »höchst revolutionäre Rolle« (Marx/Engels 1848) »der« Bourgeoisie in der Geschichte besonders deutlich zeigt, ist Friedrich Schiller Professor der Geschichte in Jena. In diesem Jahr hält er eine akademische Antrittsrede zu der Frage: »Was heißt und zu welchem Ende studiert man Universalgeschichte?« Die Antwort ist geprägt davon, daß 1789, unter dem Eindruck einer Morgenröte des Bürgertums, noch niemand weiß, daß der menschliche Fortschritt, wenn er sich bürgerlich drapiert, »jenem scheußlichen heidnischen Götzen« gleicht, »der den Nektar nur aus den Schädeln Erschlagener trinken wollte« (Marx 1853). Schiller geht davon aus, daß »alle vorhergehenden Zeitalter« sich »angestrengt« haben, ein »menschliches Jahrhundert« herbeizuführen.

Das Geschichtsbild der Aufklärung ist das der Entwicklung von Humanität. Nach der Ansicht Schillers gibt daher die »allgemeine Weltgeschichte« eine Antwort auf die Frage: »Welche Zustände durchwanderte der Mensch, bis er von jenem Äußersten zu diesem Äußersten, vom ungeselligen Höhlenbewohner – zum geistreichen Denker, zum gebildeten Weltmann hinaufstieg?« So wird ersichtlich, welches Entwicklungsstadium erreicht worden ist, wieviel »sanfter« der Mensch geworden ist, ein wie »großer Schritt zur Veredlung« vollzogen worden ist. Dem Studium der Universalgeschichte ist es auch zu danken, wenn erkennbar wird, daß »auch in unser Zeitalter (...) noch manche barbarische Überreste aus den vorigen eingedrungen (sind), Geburten des Zufalls und der Gewalt, die das Zeitalter der Vernunft nicht verewigen sollte.« Diese Erkenntnis ändert aber nichts am Fortschrittsoptimismus, der, gestützt auf dieses Geschichtsverständnis, von Schiller 1789 formuliert wird.

Die Universalgeschichte geht von der Durchsetzung der Vernunft aus und schreibt Weltgeschichte als die Geschichte der Entdeckung und Realisierung von Vernunft. Das vernünftige Zeitalter liefert damit den Schlüssel zur Geschichte unvernünftiger Zustände, weil bereits in dieser Unvernunft die Keime der später durchgesetzten Vernunft und Einbindung roher Gewalten gesehen werden:

»Das Verhältnis eines historischen Datums zu der heutigen Weltverfassung ist es (...), worauf gesehen werden muß, um Materialien für die Weltgeschichte zu sammeln. Die Weltgeschichte geht also von einem Prinzip aus, das dem Anfang der Welt gerade entgegenstehet. Die wirkliche Folge der Begebenheiten steigt von dem Ursprung der Dinge zu ihrer neuesten Ordnung herab, der Universalhistoriker rückt von der neuesten Weltlage aufwärts dem Ursprung der Dinge entgegen.«

Auf diesen Vortrag Schillers wird deshalb hingewiesen, weil er mit der Frage nach dem Zweck historischer Studien ein Problem aufwirft, dem sich vor allem auch die Faschismusanalyse zu stellen hat. Ferner liefert Schillers Auskunft ein Stichwort, das der Antwort auf die Frage nach dem Zweck des Studiums des historischen Faschismus diametral entgegensteht und somit die qualitative Differenz von frühbürgerlicher Aufklärung und der Selbstaufgabe der emanzipativen Forderungen des Bürgertums im Faschismus markiert. Im Gegensatz zum Studium der Universalgeschichte, das von der Prämisse fortschreitender Humanisierung ausgeht und die

Vergangenheit ins Licht der menschlichen Gegenwart stellt (wodurch das Barbarische auch der Vergangenheit verschwimmt), taucht das Studium des Faschismus – also des Faschismus an der Macht und des schrittweisen Aufstiegs der faschistischen Massenbewegung zur größten »bürgerlichen« Sammlungsbewegung – die »pluralistische« Oberfläche der Gegenwart ins grelle Licht ihrer offen faschistischen Vergangenheit, um so sozioökonomische, sozial- und individualpsychologische Strukturen ausfindig zu machen, die ohne die vormalige »Machteinsetzung« des Faschismus nicht verständlich werden.

Schillers Studium der Universalgeschichte strahlt Zuversicht aus; der Naturzustand erscheint als aufhebbar, zumindest als vertraglich geregelt und gebändigt. Selbst die äußerste Skepsis vertraut den »Schöpfungen der Vernunft«: »Die Hausgenossen können einander anfeinden, aber hoffentlich nicht zerfleischen.«

Ganz andere Befunde prägen das Studium des Faschismus. Substantiell ist die Angst vor den erfahrenen und im faschistischen Terror insbesondere gegenüber der *gesamten* Arbeiterklasse, den ethnischen Minderheiten und Fremdvölkern realisierten Möglichkeiten einer Rebarbarisierung bürgerlicher Gesellschaften. Der Faschismus macht deutlich, wie dünn die Kruste der Zivilisation ist, wie sehr der barbarisch-spontane, aber auch der sorgfältig geplante Exzeß und die rigideste Unmenschlichkeit dominant und abrufbar geblieben sind. Ist für das Studium der Universalgeschichte der fortschreitende Prozeß der Humanisierung der Zentralbegriff, so liefern die »Dialektik der Aufklärung« und die Depravierung des Bürgertums die Zentralbegriffe der Faschismusanalyse.

Faschismus ist zu begreifen als Rückschritt hinter die sozialen und politischen Emanzipationsbestrebungen der bürgerlichen Gesellschaft bei gleichzeitiger Entfaltung der technischen Rationalität, Leistungsmotivation und des faktischen Zwangscharakters der Lage der abhängig Arbeitenden – verbrämt durch Ästhetisierung wie die mannigfachen »Entlehnungen aus der Kommune« und durch sozialimperialistische Momente.

»Notwendig« wird das *offene* (also nicht mehr juristisch

und ökonomisch kaschierte und ausgeformte) Gewaltsystem des Faschismus gegenüber der gesamten Arbeiterbewegung dann, wenn die »normalen« Legitimationsmuster bürgerlicher Gesellschaft funktionslos werden und wenn Tiefe und Dauer der ökonomischen Krise den Grenzwert der Dekapitalisierung unterschreiten, ein »normaler« Übergang zum konjunkturellen Aufschwung nicht gelingt, wenn also der Punkt politischer und ökonomischer Reproduktionsunfähigkeit erreicht ist. (Vergleichende Analysen bürgerlicher Gesellschaften weisen die einzelnen Sozialsysteme als unterschiedlich krisenfähig aus. So spielt das Ausbleiben der bürgerlichen Revolution insofern eine Rolle, als der Punkt des Verzichts auf bürgerliche Legitimation und Verkehrsform (z. B. Gewaltverzicht, Parlamentarismus, Legalität) früher und widerstandsloser eintritt.)

An diesem Punkt – einer bis zur beginnenden Dekapitalisierung gelangten Krise und gleichzeitig politischer Konflikte um die Frage »der« Alternative – gelangt die Bourgeoisie – oder ihre jeweils dominante Monopolfraktion – zu der verhaltenswirksamen Einsicht, »daß alle Waffen, die gegen den Feudalismus geschmiedet, ihre Spitze gegen (die Bourgeoisie) selbst kehrten, daß alle Bildungsmittel, die sie erzeugt, gegen ihre eigene Zivilisation rebellierten, daß alle Götter, die sie geschaffen, von ihr abgefallen waren. Sie begriff, daß alle sogenannten bürgerlichen Freiheiten und Fortschrittsorgane ihre Klassenherrschaft zugleich an der gesellschaftlichen Grundlage und an der politischen Spitze angriffen und bedrohten, also ›sozialistisch‹ geworden waren« (Marx 1852).

In Deutschland kündigt sich diese bürgerliche Selbstaufgabe, die als gesellschaftliche Totalität im offenen Faschismus an der Macht kulminiert, partiell schon früh an. Die Kontinuitätslinien der faschistischen Bewegung und der faschistischen Verachtung gegenüber bürgerlich-liberalen Verkehrsformen lassen sich auf die nationalistischen, antisozialdemokratischen (»antimarxistischen«) und imperialistischen Sammlungsbewegungen des Kaiserreichs zurückverfolgen: Faschismus als Herrschaftssystem erscheint als Frucht jener Refeudalisierung (und kolonialen Einübung des Faschismus, die dann, nach dem Wegfall der Kolonien, im Zentrum selbst durchschlägt), die insbesondere für das deutsche (Groß)Bürgertum im 19. Jahrhundert charakteristisch ist.

Als Herrschaftssystem setzt der Faschismus an der Macht den Hoffnungen der Aufklärung und damit den emanzipativen Momenten von Bürgerlichkeit ihre absolute Grenze; faschistische Herrschaft macht eine positive Antwort auf die Frage nach dem Sinn bürgerlicher Geschichte unmöglich. Die Perspektiven kehren sich um: an die Stelle des für Schillers Antrittsrede von 1789 typischen Optimismus treten Skepsis und Angst, tritt aber auch der Versuch, die menschliche *Vor*geschichte abzuschließen, wobei sich faschistische Herrschaft als ultimativer Prolongierungsversuch bürgerlicher (Produktions)Verhältnisse bei gleichzeitiger Reduzierung von Bürgerlichkeit darstellt.

Die Analyse faschistischer Herrschaftstechniken wie der Verbindung von Terror und Manipulation und die Analyse faschistischer Herrschaftsformen wie des »Doppelstaates« – vor allem also des Dualismus von Rechtsförmigkeit für das Besitzbürgertum und von undomestizierter Maßnahmegewalt gegenüber oppositionellen Gruppen und Individuen – tragen dieser geänderten Perspektive Rechnung, indem sie die Gegenwart in das Licht ihrer faschistischen Vergangenheit stellen. Während Schiller die Ansätze von Humanität in der Vergangenheit bereits zahlreich glaubt auffinden zu können, ist es die wesentliche Aufgabe einer Analyse des Faschismus, dessen Auswirkungen auf die Gegenwart und deren fortbestehende latente Disposition für eine neuerliche faschistische bzw. »faschistoide« Wendung zu erhellen.

Faschismusanalyse stellt die Gegenwart ins Licht der Geschichte, um sowohl Gemeinsamkeiten als auch je spezifische Formelemente von Vergangenheit und Gegenwart zu begreifen. So verstanden, liefert sie einen Beitrag zur Geschichte *nicht*-sozialistischer und reaktionärer Aufhebungsformen bürgerlicher Gesellschaft; und diese Geschichte, die in der Niederschlagung der Pariser Commune einen ersten Höhepunkt hat, erscheint mehr und mehr als die wesentliche Geschichte des Bürgertums.

Eine so thematisierte Faschismusanalyse begreift die Geschichte des Bürgertums nicht als die der Durchsetzung z. B.

von Rationalität und (herrschaftsfreier) Diskussion, sondern als eine Geschichte letztlich gescheiterter Versuche, den »Naturzustand«, in dem der Mensch des Menschen Wolf ist, zu bewältigen.

Aufklärung ist eine Aufgabe, kein Selbstlauf. Die Einlösung dieser Aufgabe ist auch eine Frage aufgeklärter Denkformen. Holzschnittartig sei am Beispiel von Stationen politischer Theorie darauf hingewiesen, wie unter Bedingungen politischer Gewalt Aufklärung aufgegeben, aber auch wieder rekonstruiert worden ist.

Das Ende aufklärerischer Zuversicht – Die Neuaufnahme als Sozialforschung

»Schützt Humanismus denn vor gar nichts? Die Frage ist geeignet, einen in Verzweiflung zu stürzen.«

(Alfred Andersch)

Indem die Aufklärung, »widersprüchliche Offenheit der Moderne« (Möller 1986, 307), ein teleologisches Prinzip in der Weltgeschichte (Schiller) bzw. einen verborgenen Naturplan (Kant) entdeckt und entwirft, führt diese »philosophische Geschichte« (Humboldt über Schiller) zur Abwendung von den Geschichten, von denen beispielsweise noch Machiavelli berichtet. Bis in die erste Hälfte des 18. Jahrhunderts ist die Rede von Geschichten, auch etabliert sich die »Philosophie der Geschichte«. Das wichtigste Ergebnis dieser Entwicklung ist die Ordnung des Erfahrungsraums durch Einbeziehung von Zeit und Prozessen, die die Zuordnungsstufen der Vergangenheit und der Zukunft bestimmen (Koselleck 1975, 677).

Kant verbindet mit der Geschichte die Hoffnung, daß »an der ganzen Gattung . . . eine stetig fortgehende obgleich langsame Entwicklung« hin zum freien Gebrauch der Vernunft stattfindet, »regellos« sind nur die einzelnen Subjekte. Neben der Entwicklung der »bloß empirisch abgefaßten Historie« (Kant; Enderwitz 1983) wird diese Zuversicht durch die Französische Revolution aufgehoben. Sie zieht »eine blutige Grenze zwischen Vergangenheit und Zukunft« (wie 1841 der »Brockhaus der Gegenwart« feststellt – Koselleck 1975, 703).

Schiller trägt seine Enttäuschung 1795 als Entwurf zur ästhetischen Erziehung des Menschen vor, denn angesichts der Revolutionsereignisse kommt er zu der Einsicht, daß »praktische Kultur« notwendig ist. Das Fehlen der »totalen Revolution des Menschen in seiner ganzen Empfindungsweise« macht Schiller für das Scheitern der »theoretischen Kultur«, für die nur politisch-abstrakte Revolution, verantwortlich. – 1807 wählt Hegel in der »Phänomenologie des Geistes« ein Bild vom Tod, um die Französische Revolution, um den Terror als Manifestation der allgemeinen und absoluten Freiheit zu charakterisieren. Das Werk dieser Freiheit ist der Tod, »der kälteste platteste Tod, ohne mehr Bedeutung als das Durchhauen eines Kohlhaupts oder eines Schluck Wassers«.

Unter dem Eindruck der Revolution gewinnen vorher »der« Aufklärung ebenfalls nicht fremde Phantasien der Bevormundung Unmündiger Raum. (Aspekte einer Erziehungsdiktatur finden sich bereits bei einzelnen Utopisten.) Kants »Metaphysik der Sitten« (1797) schließt alle Personen, die »von anderen Individuen befehligt oder beschützt werden müssen« (wie: Gesellen, Dienstboten, »Handlanger« – befreit von den Arbeitsmitteln –, »alles Frauenzimmer«), von der aktiven Staatsbürgerschaft aus. Auch soll das Volk über den »Ursprung« der Staatsgewalt nicht »vernünfteln«. Es bleibt beim reformistischen Abschied von den weitreichenden Konzepten der philosophischen Vernunftsgeschichte, die mehr und mehr durch Quellenstudium ersetzt wird.

Georges Sorel dagegen fordert 1910 im Manifest der Zeitschrift »Cité Française« zum Kampf auf gegen die »falsche Wissenschaft, die dazu gedient hat, die demokratischen Ideen zu rechtfertigen . . ., gegen das Werk der falschen Historiker, die aus der Geschichte eine demokratische Geschichte« machen.

1918 betrachtet Oswald Spengler den »Untergang des Abendlandes« gemäß eines den Intentionen der Aufklärung diametral entgegenstehenden Kreislaufmodells. Nicht mehr die an die Gattungsgeschichte geknüpfte Verwirklichung der Vernunft, sondern »biographische Urformen«, organologische Gleichnisse vom Werden und Vergehen, von »Geburt, Tod, Jugend, Alter, Lebensdauer« im »Kreise«, sind Ursprung der Bilder, in denen Geschichte gedacht wird.

Während des Ersten Weltkrieges sieht Spengler die »Messiasgestalt«, vor allem aber den »Sieg des Blutes« und der »Rasse« (über das »Geld«). Freiheit ist einzig noch die Freiheit, »das Notwendige zu tun«. Das »Recht auf Dasein« gewinnt: Macht wird wichtiger als Gerechtigkeit, Taten sind wichtiger als Wahrheit:

»So schließt das Schauspiel einer hohen Kultur, diese ganze wundervolle Welt von Gottheiten, Künsten, Gedanken, Schlachten, Städten wieder mit den Urtatsachen des ewigen Blutes, das mit den ewig kreisenden kosmischen Fluten ein und dasselbe ist.«

Nicht Freiheit und Vernunft, sondern Notwendigkeiten und der »schweigende Dienst des Daseins« werden als Sinn, d. h. als das Prinzip der geschichtlich-lebendigen Kreislaufprozesse, dargestellt. Dies ist *die* Aufhebung der philosophischen Geschichte der Aufklärung, die als Gedanke bereits vor der faschistischen Praxis ausgemalt wird.

Nach dem Studium von Vico, Machiavelli, Hobbes, Hegel und verschiedener Utopisten entwirft Max Horkheimer vor dem ersten großen Wahlerfolg der NSDAP am 14. 9. 1930, bereits zur Zeit der Weltwirtschaftskrise nochmals ein aufgeklärtes Geschichts- und Handlungskonzept. (Das Vorwort der Studien über die »Anfänge der bürgerlichen Geschichtsphilosophie« datiert vom Januar 1930.) Am Vorabend der Auflösung der Weimarer Republik knüpft Horkheimer an das Pathos der frühen Aufklärung an. Die Gesellschaft (nähere Ausdifferenzierungen unterbleiben) möge ihre Interessen selbstbewußt regeln, um die Macht des beispielsweise von Spengler akzeptierten Schicksals zu beenden, um also aus Unmündigkeit aufzusteigen: »Doch soweit ist ihm [Vico – E. H.] recht zu geben, daß die Möglichkeit des Rückfalls in die Barbarei niemals völlig ausgeschlossen ist . . . unter der trügenden Oberfläche der Gegenwart enthüllen sich innerhalb der Kulturstaaten Spannungen, die sehr wohl furchtbare Rückschläge zu bedingen vermöchten. Freilich nur in dem Maße waltet über den menschlichen Ereignissen das Fatum, als die Gesellschaft es nicht vermag, ihre Angelegenheiten in ihrem eigenen Interesse selbstbewußter zu regeln. Wo die Geschichtsphilosophie noch den Gedanken an einen dunklen, aber selbständig und eigenmächtig wirkenden Sinn der Geschichte enthält, den man in Schematen, logischen Konstruktionen und Systemen nachzuzeichnen versucht, ist ihr entgegenzuhalten, daß es gerade soviel Sinn und Vernunft auf der Welt gibt, als die Menschen in ihr verwirklichen.« (Horkheimer 1930, 114)

Im Januar 1930 wird – durch Marx hindurch – die Position der Aufklärung rekonstruiert. Schillers Gedanke ästhetischer Erziehung wird vom Stichwort her politisch gewendet und auf Interessenartikulation bezogen. So wie die Analyse bei der globalen Warnung vor der Wiederholung von Barbarei und dem ebensolchen Aufruf, selbstbewußt gesellschaftliche (offensichtlich rationale) Interessen durchzusetzen, verharrt, so hat »die« politische Praxis keine Zeit mehr, der praktischen Vernichtung der Vernunft entgegenzuwirken.

Horkheimer ist nicht in der Lage, die »Fesselung der Wissenschaft als Produktivkraft« aufzusprengen. Unter den Bedingungen der Weimarer Endzeit vermag er 1932 mit seinen »Bemerkungen über Wissenschaft und Krise« (im ersten Band der »Zeitschrift für Sozialforschung«) das »Produktionsmittel« Wissenschaft nicht so weit und so kritisch zu entfalten, daß eine praxeologisch-folgenreiche Analyse geliefert werden könne.

Die Einbeziehung der Psychologie als »Hilfswissenschaft der Geschichte« – besonders zur Charakterisierung von »kritischen Momenten« im historischen Prozeß – in seinem zweiten 1932er Aufsatz (»Geschichte und Psychologie«) erweist sich *konzeptionell* als hilfreich. Dieser wissenschaftliche Fortschritt von der Rekonstruktion aufklärerischer Geschichtsphilosophie und deren Politisierung zum Forschungskonzept hat jedoch 1932, im »Entscheidungsjahr«, keine Chance mehr, praktische Gestalt als Forschung und Politik aufzunehmen.

Die Phantasien zur Bevormundung der Unmündigen und zur Vernichtung der Schwachen kooperieren mit der weitgehend tolerierten, von einer (relativ großen) aktiven Minderheit durchgeführten Politik gegen alle »Gemeinschaftsfremden«. Anläßlich eines Vertrags »Zum Problem der Voraussage in den Sozialwissenschaften« spricht Max Horkheimer im Oktober 1933 aus dem Exil diese »Strukturveränderungen der Gesellschaft« als Bedingung für die Grenzen der Wissenschaft an und postuliert eine »vernünftige Gesellschaft« als Zielwert.

Unter den Bedingungen von Faschisierung und beginnender Konsolidierung des Nationalsozialismus kann Wissenschaft nicht entfaltet werden. Sie bleibt im Entwurfstadium der nochmals gedachten Aufklärung stecken. Selbst dieses Festhalten an der Möglichkeit einer freien und vernünftigen Gesellschaft wird zum Politikum, und der Politik fällt in dieser Lage die entscheidende Rolle zu:

»Denn die wahre menschliche Freiheit ist weder mit der Unbedingtheit noch mit der bloßen Willkür gleichzusetzen, sondern ist identisch mit der Beherrschung der Natur in und außer uns durch vernünftigen Entschluß. Es dahin zu bringen, daß dieser Zustand für die Gesellschaft kennzeichnend werde, ist die Aufgabe nicht bloß des Soziologen, sondern der vorwärtsstrebenden Kräfte der Menschheit überhaupt. Und so schlägt das Bemühen des Soziologen, zu exakter prédiction zu kommen, in das politische Streben nach Verwirklichung einer vernünftigen Gesellschaft um.« (ZfS, 2, [1933], 412)

Letztlich wird der 1930 erreichte Punkt nicht überschritten. Das ist nicht viel, so mag es scheinen (vor allem im Rückblick). Verglichen mit der »scientific community« von Weimar erscheint das Ergebnis jedoch erheblich besser. Aufklärung zu denken, hält allein schon von Ergebenheitsadressen und Rektoratsreden zu Ehren des »Führers« und der »nationalen Revolution« ab. Die Einpassung in die siegreiche Realität, deren Verdopplung durch affirmatives Denken finden nicht statt. Zwar bleibt dieser Protest private Distanzierung, aber dies ist die Bedingung weiterer Forschungsarbeit, die nicht nur Detailkritik und Detailverbesserung am Bestehenden ist. Das Konzept Aufklärung 1930 muß letztlich aus seiner Zeit heraus doch positiver bewertet werden.

Unter den gegenüber der Zeit 1930 bis 1933 idyllischen Zuständen des Jahres 1986 zitiert ein Philosophieprofessor (belegfrei), »selbst der Faschismus (habe sich) als eine Art kritischer Theorie verstanden, indem er einen bestehenden Gesellschaftszustand ablehnte«, um mit dieser Behauptung den »Namen ›Kritische Theorie‹« als »eine unzulässige Einschränkung« zu charakterisieren (Hans Lenk 1986, 200). Gegenüber allen möglichen kritischen Theorien zu diesem und jenem hat Max Horkheimer Ende der Weimarer Republik zunächst erst einmal, in Kenntnis von Hegel und Marx, den Entwurf der bürgerlichen Aufklärung aufgegriffen und gegen die Zeit festgeschrieben. Im Sinne Schillers ist dies keine »Brotwissenschaft« gewesen. Nicht der »blinde Zwang« der Not bestimmt dieses Konzept, sondern das Interesse, das »verworrene Chaos« von Grund auf zu ordnen. Es ist – was Groh 1986 an Habermas interessiert – das Bemühen (anders als Schillers Gewißheit), erneut »Spuren der Vernunft in der Geschichte« zu finden.

Selbst als dieser Ordnungsversuch als Systemdenken, als Element der Beherrschung von Mensch und Natur, als Umschlag in Mythologie erkannt worden ist, hält die »Dialektik der Aufklärung« an der »Einlösung vergangener Hoffnungen« fest. Angesichts des Umschlags von Fortschritt in Rückschritt – was am Beispiel faschistisch benutzter Technik und kulturindustrieller »Manipulation« erfahren worden ist – rekurrieren Horkheimer und Adorno 1944 darauf, »die Aufklärung muß sich auf sich selbst besinnen«. Ihre kritischen Bemerkungen zum Begriff der Aufklärung leiten sie mit der Feststellung ein: »Die ... an Aufklärung geübte Kritik soll einen positiven Begriff von ihr vorbereiten, der sie aus ihrer Verstrickung in blinder Herrschaft löst.«

An dieser Stelle wird dieser Sprung durch die Betrachtung des Prinzips Vernunft in der Geschichte abgebrochen. An ein *Vermächtnis* sollte erinnert werden. – Die Konsequenzen und Weiterungen sind ebenfalls Programmskizze (Brunkhorst

1987, 183 f.), zeigen aber: Eine folgenwirksame *Kritik* des »Historikerstreites« kann nur als eine *(selbst)kritische Aneignung bisher praktizierter Denkformen über die Geschichte »der« Gewalt aus Sicht »der« Geschichte »der« Vernunft* betrieben werden. »Faschismus-Theorie in antifaschistischer Perspektive« (Haug 1974) muß die Systemebene unterschreiten. Die Andeutungen z. B. von Peter Schneider, Hans Magnus Enzensberger und Joachim Fests Blick auf die Blindstellen der »1968er«, auf basisdemokratische (blinde?) Aufbauarbeit und auf die geschichtstheoretische Kontroverse von »Optimisten« und »Pessimisten« (s. S. 11 im Text) zeigen, daß diese Aufgabenstellung durch den »Historikerstreit« auf die Tagesordnung gerückt worden ist.

Faschismusanalyse muß in Kenntnis der Wirkung ihrer Denkform auf die Reichweite ihrer theoretischen Begriffsarbeit und in Kenntnis der Auswirkung dieser Denkform auf die Darstellungsweise ihrer Befunde und Mahnungen betrieben werden. Die Abwehrhaltung (z. B. die Bevorzugung der »Tätergeschichte« und die verstehenden Mitläuferepisoden) ist nicht erst Ergebnis der Verdrängungsarbeit von Theorierezipienten bzw. von Deutungsmustern. Der Unwille zu trauern kann vielmehr in Theoriepositionen und Begriffsapparaten bereits eingeschlossen sein. »Normalisierung« setzt zwanghaft hergestellte »Normalität« voraus. Je weniger dieser Zwang als durchschimmernde Schamröte und Emotionalität erkennbar ist, desto bereitwilliger und öffentlichkeitswirksamer lassen sich die verwissenschaftlichten (also objektiviert – »unangreifbaren«) Aussagen mit den Verdrängungswünschen von Politik und Publikum verbinden. Die gewünschte Aufgabe der Irritation beginnt mit der Art und Weise, wie Nationalsozialismusforschung und/oder Faschismusanalyse betrieben und präsentiert werden.

Für die Positionen der Kritik sind die Möglichkeiten der an Aufklärung orientierten Geschichtsphilosophie unverzichtbar, wenngleich gerade die zugehörige Forschungspraxis – als Grundlage derartiger Interpretationen – alle möglichen Konkretisierungen empirischer Sozialforschung einlösen sollte.

In den Aufzeichnungen und Entwürfen zur »Dialektik der Aufklärung« findet sich aber die zentrale Feststellung, daß den Faschisten nicht »gut zu(zu)reden« sei. Die herrschende Vernunft wird als »Reflexionsform der Tauschwirtschaft« verstanden, der der Faschist offen sein Bekenntnis zur Besonderheit entgegenstellt. Der Allgemeinheitsanspruch rationaler Analyse wird unterlaufen, indem »wohlorientierte Überlegenheit« dagegengestellt wird. Die »Dummheit des Gescheitseins« (wie sie z. B. Wehlers Auseinandersetzung mit Nolte prägt) verleiht intellektuelle Befriedigung, treibt ironische Blüten polemischer Sprache, versagt aber angesichts der besonderen Konkreta, der Vor-Urteile, die *entscheidend* im Kern der Reinterpretation stehen und die revisionistische Haltung, alles in Frage stellen zu dürfen und zu müssen, bestimmen.

Der Verweis auf den Zusammenhang von Denkformen und (reduktionistischer) Sichtweise des Gegenstandes, von Darstellungs- und Kommunikationsformen sowie der Deutung des Gegenstandes, von Sprache und Bewußtsein bzw. Aufklärung über das Forschungsobjekt unterstreicht die Notwendigkeit, die Urteile und Interessen vor und während der Interpretation zu reflektieren, sie im Licht des situativen Kontexts kollektiver Deutungen zu begreifen. Ansonsten gilt bei aller wissenschaftlichen Brillanz kritischer Forschungsarbeiten weiterhin, was Horkheimer und Adorno zur »Dialektik der Aufklärung« bemerken:

»Die Gescheiten haben es den Barbaren überall leicht gemacht, weil sie so dumm sind. Es sind die orientierten, weitblickenden Urteile, die auf Statistik und Erfahrung beruhenden Prognosen, die Feststellungen, die damit beginnen ›Schließlich muß ich mich hier auskennen‹, es sind die abschließenden und soliden statements, die unwahr sind.«

Der »Historikerstreit« ist aus dieser Sicht deshalb wichtig, weil er die Frage – i. e. eine Batterie! – aufwirft, wie angesichts z. B. »neuer« Generationen und geänderter sozialisatorischer Bedingungen (s. S. 92 ff.) Aufklärung zu betreiben ist: Wie werden wir folgenwirksam klüger? Wie muß die gewonnene Klugheit vermittelt werden? Wie reagiert »eine« demokratische Öffentlichkeit auf die gegenüber 1968 radikale Verkehrung der Arbeits- und Darstellungsformen, daß sich nämlich die Affirmation (z. B. Nolte) wissenschaftlich präsentiert, die »Kritik« aber (z. B. das »grabe, wo du stehst« der Geschichtswerkstätten) emotional, gefesselt an das Besondere auftritt?

Philosophische Geschichtsschreibung – heute

Der »Historikerstreit« kann für die politische Kultur der Bundesrepublik insofern wichtig werden, als er einer nur im Detail oder vor Ort vergrabenen Forschungsarbeit über den Nationalsozialismus ihre Begrenztheit aufzeigt. Die Frage nach dem »Ort« des Nationalsozialismus in der deutschen Geschichte ist die zentrale Frage der Faschismusforschung. Sie verbindet die wissenschaftliche Darstellung mit einem kollektiven Deutungsmuster über den Faschismus. Die praktische Relevanz der Nationalsozialismusdiskussion ist somit ein grundlegender Bestandteil dieser Frage.

Die Antwort auf die Frage nach dem »Ort« des Nationalsozialismus ergibt eine geschichtsphilosophisch und praxeologisch folgenreiche Aussage, warum Nationalsozialismus studiert wird, mit welcher Absicht die Beschäftigung mit diesem historischen Thema in der Gegenwart und für die Zukunft erfolgt. Frage und Antwort überschreiten »selbstverständlich« die Grenzen historisch-sozialwissenschaftlicher Einzeldisziplinen und auch die ihrer Methoden (von dem Verfahren der Hermeneutik bis zu demjenigen der deskriptiven oder auch schließenden Statistik).

Als Antwort auf die Frage nach dem (philosophischen) Ort des Faschismus wird auf die schlechte Aufhebung der aufklärerischen Utopie hingewiesen. Während Nolte Faschismus in der Angst und Feindschaft zum Kommunismus verortet, wird hier auf den negativen Bezug zur Aufklärung hingewiesen. Die Beseitigung der Menschenrechte (selbst der auf das Staatsvolk eingeschränkten Bürgerrechte), der Rechts- und Verfassungsstaatlichkeit, des »ewigen Friedens«, der Abschaffung der Herrschaft von Menschen über Menschen durch die Herrschaft des allgemeinen Gesetzes charakterisieren den Faschismus als radikale Illiberalität und Feindschaft gegenüber der Idee eines Weltbürgertums. (Sekundär erst ist es, daß diese Konzeption u. a. durch die Form der bürgerlichen Verarbeitung der Oktoberrevolution und durch die von der KPD in der Endphase der Weimarer Republik gewählte Form des gewaltsamen politischen Kampfes legitimiert worden ist.)

Die erwähnten Utopien werden, derselben aufklärerischen Vision zufolge, durch den Diskurs in der Öffentlichkeit und im Vertretungsorgan des Parlaments realisiert. Auch diese Verfahrensregelung des aufklärerischen Diskurses ist vom Nationalsozialismus in Frage gestellt worden.

Die Kritik der Aufklärung seitens des Nationalsozialismus ist insofern reaktionär, als sie die universalistischen Prämissen der Aufklärung zurücknimmt. Dies gilt auch für die ökonomischen Visionen, die im Gedanken der Abschaffung von schwerer menschenunwürdiger Arbeit durch Technik, Maschinerie und durch die Rationalität der großen Industrie bestehen. Die Kritik der »Dialektik der Aufklärung« und die der »instrumentellen Vernunft« verweisen darauf, daß die Frage nach dem »Ort« des Nationalsozialismus eine nach der Geschichte des bürgerlichen Denkens und der bürgerlichen Produktionsweise ist.

Die negativen Aufhebungstendenzen der Aufklärung durch den Nationalsozialismus sind letztlich dergestalt zu analysieren, ob sie als konstitutive oder periphere Charakteristika »der« oder »einer« bürgerlichen Gesellschaft zu begreifen sind.

Gegenüber den vorherrschenden Tendenzen der »rein«-wissenschaftlichen Nationalsozialismusforschung – wie z. B. der Frage nach der (revolutionären) Rolle Hitlers, nach Polykratie oder totaler Geschlossenheit des Herrschaftssystems, nach dem Aufstieg der NSDAP in ABC-Dorf/Stadt/Region oder nach der allzu methodenselbstgenügsamen Stimmenzählerei der NSDAP-Wähler (besonders unter »Arbeitern«) – besteht *objektiv* die Bedeutung der Initialzündung Ernst Noltes darin, daß er die geschichtsphilosophische, metadisziplinäre und damit immer auch politische Bedeutung des Themas in seiner Breite als Deutungsmuster (als »Transzendenz«, wie Nolte meint) wiederhergestellt hat. Diese Bedeutung ist deshalb schwierig zu fassen, weil Nolte seine Anstöße zur »philosophischen Geschichtsschreibung« in Form der beständigen

Vermischung von Analyse und politischer Diagnose, von pejorativer Kritik und analytischer Abstraktion, von Seins- und Sollen-Aussagen vorprägt. Diese Gemengelage bestimmt den Charakter des »Historikerstreites« und macht es auch den Kritikern schwer, dessen grundlegende Bedeutung freizulegen und politisch-produktiv zu diskutieren.

Allzu leicht (der Stil des Streits beweist es) gehen die Kritiker dem charakteristischen Frageformstil, der Unwissenschaftlichkeit methodisch nicht abgesicherter und unzureichend dokumentierter Aussagen der »Revisionisten« auf den Leim und fragen nicht weiter, ob es nicht zweite Ebenen des »Historikerstreits« gibt. Wenn eine solche Ebene angedeutet wird, dann beschränken sich die Hinweise auf die »Natophilosophie«, also auf einen in großen Linien gezeichneten politischen Vermittlungszusammenhang. Nach einer kritisch freizulegenden untergründigen wissenschaftlichen Ebene wird zu wenig gesucht. (Eine Ausnahme macht Wolfgang Fritz Haug, wenn er die »Deutungskämpfe um Anti/Faschismus in der Zeit der ›Spätgeborenen‹ « betrachtet.[1])

Den Tenor gibt (ausgerechnet) die Einleitung zur Auseinandersetzung der Geschichtswerkstätten mit dem »Historikerstreit« wieder, die Argumentation wird zur Kenntnis genommen (bestenfalls) und als »politisch-moralisch (. . .)« zurückgewiesen (Gerstenberger/Schmidt 1987, 9).

Wehler (1988) weist Noltes Hinweise auf den »Rattenkäfig« und die »chinesische Tscheka« zurück (S. 147 ff.), um nach dieser Kritik aufs Ganze Noltes zu schließen (S. 153 f.). Anderthalb Jahre nach dem Fanal zum »Historikerstreit« fällt diesem Polemiker nichts Grundlegenderes ein! Beiläufig süffisant findet sich der Seitenhieb: »›Philosophische Geschichtsschreibung‹ hin oder her« (S. 153, vgl. auch eine weitere knappe Notiz: S. 215 f. – Anm. 8). Müßig zu betonen, daß Wehler auch die Position der »Historisierung« nicht diskutiert.

Nolte (1986, 1987) versteht seine Perspektive als »Zusammenhangwissenschaft« im Gegensatz zur Spezialisierung. Ge-

---

1 Haug 1987, 279 ff., 293 ff.

genstand ist demzufolge letztlich »das Ganze der Geschichte«. Diesbezüglich fordert er von der Geschichtsbetrachtung die Berücksichtigung von Marxismus und Faschismus sowie des Kalten Krieges bzw. Bürgerkrieges (letzteres faßt er modal auf als den ideologisch-politischen Kampf um die Gestalt »einer einheitlichen Welt seit 1917«). Implizit wird als Gegenpart auf die »Frankfurter Schule« und auf Horkheimer hingewiesen (HZ 1986, 279 f.). Von Horkheimer »in seiner Spätzeit« wünscht sich Nolte, er hätte seine Aufmerksamkeit weniger auf Strukturen, als vielmehr auf »die konkreten Ängste des Mannes Adolf Hitler« richten sollen. Weil diese Thematisierung unterblieb, muß Nolte allein als Widerpart zum »regressiven Pathos der extremen Linken« auftreten.

Die Orientierung an der Aufklärung und am »Fortschritt« wird schroff zurückgewiesen. Sie erscheint Nolte »auf eigentümliche Weise reaktionär« und führt dazu, »die Geschichte der letzten 150 Jahre bloß zu beklagen« (S. 275). Nur derjenige, der diesen Fehler vertritt und entsprechend vergangenheitsorientiert ist (S. 276), kann den Faschismus als »reaktionär« und als radikalen Angriff gegen den Fortschritt charakterisieren (S. 273 f., 279). Schon 1979 betont er die Ambivalenz des Faschismus (American Historial Review 1979, 394), was seinerzeit aber noch eine »multiplicity of interpretations« möglich macht.

Die Kritik an der Aufklärung ist Voraussetzung dafür, daß Nolte Faschismus als Widerstand gegen »Transzendenz« bezeichnet (1963, 515 ff.; HZ 1986, 277 ff.). »Transzendenz« ist der abstrakt gefaßte gesellschaftliche Prozeß erweiterter Reproduktion; Faschismus ist (1963, 544) »der transzendentale Ausdruck der soziologischen Tatsache, daß er über Kräfte verfüge, die aus dem Emanzipationsprozeß geboren sind und sich gegen ihren eigenen Ursprung kehren«. (Anklänge an Marx' Liberalismuskritik im »18. Brumaire« und damit an die bonapartismustheoretische Faschismusdiskussion sind evident.)

Gleichzeitig existiert, so Nolte, mit dem Kommunismus die totale Befürwortung der »Transzendenz« (S. 283 f.), die wegen dieser Totalität zum »Ideologiestaat« tendiert (S. 286 f.). Die Zurückweisung der Möglichkeit der Aufklärung führt somit dazu, daß Faschismus und Kommunismus als entgegengesetzte Reaktion »auf die beängstigenden Realitäten der ›Moderne‹«, nicht aber »als schroffe Gegensätze« betrachtet werden (S. 285). Über den Kalten Krieg hinaus konstruiert Nolte im »Europäischen Bürgerkrieg 1917–1945« jetzt (1987) das erste Kapitel der »essentiellen Feindschaft zwischen Kommunismus und Nationalsozialisten«. Von dieser Position aus weist Nolte eine »nationalgeschichtliche Betrachtungsweise« als zu eng zurück; das scheinbar »Unbegreifliche, das Unfaßbare« des Faschismus wird aus dieser Gesamtschau faßbar, nur hilfsweise bedient sich Nolte des Historisierungsarguments von Broszat.

An dieser Argumentation ist hervorzuheben, daß die totalitarismusaffine (dies zeigt vor allem das jüngste Bürgerkriegsepos) Position sich zentral aus der Zurückweisung der Aufklärung nährt. Zugleich ist bemerkenswert, daß das zentrale Motiv, Aufklärung ist nicht mehr zeitadäquat, denkbar knapp vorgestellt, gar nicht begründet wird. Nolte stellt sich schlicht auf den Boden der »Moderne«, die Aufklärung ist alte Episode, und er konstruiert als epochale Tendenz den Antagonismus von Kommunismus und Faschismus als gleichzeitigen Flügelangriff gegen das »liberale System«. Damit wird die Realität der »Moderne« gegen jede Kritik abgeschirmt, nicht sie ist beängstigend, sondern deren Wahrnehmung und die daraus abgeleiteten philosophischen Orientierungen.

Diese Formel wird offen präsentiert, so daß ebenso offen die Implikate der Denunziation der Aufklärung zu Tage treten. Die Kritik muß deshalb als Nachweis der Gründe für eine aufgeklärte Perspektive vorgetragen werden. Hierin besteht der Aufforderungscharakter der Nolteschen Geschichtsinterpretation: »Damit muß die Existenz der ›Linken‹ zu einem Hauptthema werden ...« (HZ 1986, 286). – In der Tat![2]

Alle (jetzt von Wehler zusammengefaßten) Kritiken nehmen diese Aufforderung nicht ernst, lösen sie nicht ein; vielmehr wird die Existenz der Aufklärung deduziert. Die Kriti-

---

2 Vgl. – 1970 zuerst publiziert – Saage 1987, 160 ff.

ken stimmen darin überein, daß Nolte seitens empirischer Historiker nicht mehr ernst zu nehmen ist. Gleich, ob die Charakterisierung als »in der Geschichte dilettierender Philosoph« (Wehler, FR Nr. 35 v. 11. 2. 1988, 7) zutrifft; wenn der »Historikerstreit« tasächlich ein »Kampf um die kulturelle Hegemonie« ist, dann sind Denkformen – nicht nur (Schlüssel)Wörter – zentraler Gegenstand der Antikritik. Mit der Aufregung über die Erosion der »Scham- und Hemmschwelle« kann sich die »selbstkritische Kultur« nicht befriedigen (es sei denn, man begeistere sich angesichts herrschender Dunkelheit schon an der [eigenen] Schamröte – vgl. Habermas in: Historikerstreit 1987, 75 f.).

In dem oben erwähnten FR-Gespräch mit Rainer Erd (der auch nicht weiter fragt) spricht Wehler diese weitergehende Aufgabe der Nolte-Kritik an, geht ihr dann aber nicht nach. Wehler erkennt die Noltesche Konstruktion der Herleitung des Faschismus aus dem Kommunismus als »Rechtfertigung des Nationalsozialismus«, als zentrale Gegenposition zu allen Überlegungen über »Sonderwege« und »Kontinuitäten«. Zu Recht erkennt George L. Mosse (in der Rezension von Noltes »Antwort an meine Kritiker«) hierin die eigentlich und einzige Bedeutung Noltes.

Während die Kritiker die Oberfläche[3] der »erhellenden Schlüsselworte«, der angeblichen jüdischen Kriegserklärung an das Deutsche Reich und der ursprünglicheren Existenz des GULag vor Auschwitz, der »Klassenmorde« vor den »Rassenmorden« kritisiert haben, bleiben Noltes transzendentale Konstruktion (quasi als Marotte eines Heidegger-Adepten) und die strikte Stoßrichtung gegen die Aufklärung unberücksichtigt. Nolte hält dies aber für die »einfache und einleuchtende Bestimmung«, die sein ganzes Bauwerk stützt. (Alfred von Thadden begrüßt diesen Bau, freut sich über die antikommunistische Legitimation des Faschismus und hilft mit beim Bau dieses Wolkenkratzers (Nation Europa, Febr. 1988, 4–10) – eines Wolkenkratzers, den Horkheimer 1934 bereits in den Notizen zur »Dämmerung« charakterisiert hat: im

3 Historikerstreit 1987, 24, 43 f., 45, 224 ff.

Keller – ein Schlachthaus, oben – eine Kathedrale mit Aussicht auf den gestirnten Himmel.)

Noltes Grundformel lautet:

»Alle Weltrettungsleidenschaft, alle überschwenglichen Vorstellungen vom germanischen oder arischen und der Subversion der Zivilisation sind vor allem als Widerschein jener ursprünglicheren Weltlösungshoffnungen, jenes umfassenderen Strebens nach Entgrenzung, jenes radikaleren Veränderungswillens zu betrachten, die von den siegreichen Egalitätsideologen in Petrograd und Moskau verkörpert wurden. Die ganze Geschichte der Weltkriegsperiode wird zum bloßen Konstrukt von Historikern, die das Ernste für unernst, Grundmotive für Vorwände, Ängste für Einbildungen erklären, wenn das Schreckbild der Nationalsozialisten nicht einem genuinen Schrecken entwuchs und wenn es nicht gleichwohl die Tendenz hatte, zum Vorbild zu werden und damit wiederum zum Schreckbild für diejenigen, die zuerst den Schrecken hervorgerufen hatten.« (Nolte 1987b,546 f.)

Diese Konstruktion ist das Zentrum für den Feldzug gegen die »Dämonisierung des Dritten Reiches« und Ursprung der These vom »kausalen Nexus« zwischen Faschismus und Kommunismus sowie vom »logischen Prius« des Kommunismus und des GULag. Entscheidend ist es, daß Nolte alle Energien in die Kritik des Kommunismus überleitet – überlebt der doch den »Faschismus in SEINER Epoche« – und *gleichzeitig* (genuin konservativ, aber nicht *neo*-konservativ) die Aufklärung diskreditiert. – Lübbe (1987a) begreift sich dagegen als einer, der die Aufklärung gegen die Gesinnung selbsternannter Aufklärer verteidigt.

Wenn Walter Wallmann beim Streit um den Frankfurter Börneplatz (vgl. S. 57) den »falschen Weg, den dieses Land seit der Aufklärung gegangen ist«, mit den Gaskammern verbindet (»Nicht der christliche mittelalterliche Antisemitismus ist schuld an Auschwitz«), dann wird der konservative Anteil der Nolteschen Konstruktion spürbar.

Dagegen hilft die bisherige »Seichtigkeit« der Kritik nicht. Bezeichnend ist, wie Wehler (1988, 235) – versteckt im Anmerkungsgespinst – Ernst Tugendhat (1987), Streiter gegen Nolte *und* Habermas, betituliert: »ganz überkandidelt mit unverhülltem, platten Antiamerikanismus und unwillens, die simplen Unterschiede zwischen der politischen Kultur des Westens und der aktuellen, operativen Politik zu begreifen.«

»Well roared, lion!«

Die Rekonstruktion aufklärerischer Positionen hat aber zu fragen: Was ist heute die »politische Kultur des Westens« – wert? Muß sie mehr sein als ›dicker Amerikanismus‹? Ist der »simple Unterschied« zwischen Kultur und operativer Politik (was wird eigentlich (weg)operiert?) nicht eine simple Konstruktion, um der geforderten selbstkritischen Radikalität auszuweichen?

Mosse – Befürworter eines noch zu schaffenden »offenen Nationalismus« – weist darauf hin, »wichtig« ist die von Nolte aufgeworfene Frage nach der »Einordnung des Nationalsozialismus in die deutsche Geschichte« und nach den »Konsequenzen für die nationale Identität«. Diese irritierende Frage wollen Kritiker (wie »Revisionisten«) im Kern nicht mehr stellen: Wehler erachtet sie im FR-Gespräch wissenschaftlich als beantwortet (auch 1988, 202 ff.); Habermas ist sogar »stolz« auf die »große intellektuelle Leistung unserer (?) Nachkriegszeit«, auf den »Verfassungspatriotismus« als »Basis unserer (?) Bindung an den Westen« (Historikerstreit 1987, 75 f.). Ähnlich naiv verwendet ansonsten Christian Meier (1987) diesen Nationalplural: »Die Erfahrung einer gelungenen Demokratie« (S. 86) ist es, »daß wir mindestens einen gewissen Anschluß an unsere Geschichte wiedergewinnen« (S. 83).

Eine kritische Lektüre Noltes sollte »mindestens« vor derartiger Naivität bewahren.

Exkurs:
The Operation Called Verstehen
oder Blinde Historisierung schadet nur

Wenige Worte sollen zur Ambivalenz der »Historisierung« gesagt werden; alles Wichtige haben Saul Friedländer (Diner 1987, 8 ff., 12, 34 ff.) und Wolfgang Haug (1987, 279 ff.) schon gesagt.

Theodor Abel, dem ein Teil des Zwischentitels entlehnt ist, weist auf die große Reliabilitäts- und Validitätsproblematik der Hermeneutik hin, bemerkenswerte Anstrengungen seitens einer »interpretativen Sozialforschung« sind der methodischen Eingrenzung dieses Problems gewidmet (Fuchs/Wigens 1986), so wie kaum jemand quantifizierende und qualitative Sozialforschung als mehr oder weniger wissenschaftlich gegenüberstellt. Die von der Zeitgeschichte vertretene Forderung nach »Historisierung« wirft aber die Frage auf, ob derartige Anstrengungen folgenlos geblieben sind.

Martin Broszat geht davon aus, Spezialisierung sei unvermeidlich; »Universalgeschichte ist wissenschaftlich schon lange nicht mehr möglich« (1986, 53). Dies stimmt und ist doch gleichzeitig zu kurz gegriffen. Bezüglich der Interpretationsperspektive und einer zumeist heimlich herangezogenen philosophischen Geschichtsperspektive ist die Aussage falsch. So plädiert denn auch Broszat (1986, 120, 172) selbst dafür, den »Ort des Nationalsozialismus in der deutschen Geschichte« – ohne »Pauschaldistanzierung« – neu zu bestimmen. Ziel ist die »Re-Integration in den Gesamtverlauf der neueren deutschen Geschichte«.

Charakteristisch sind die Ambivalenz dieses »neuen Diskurses« (Friedländer) und der Historisierungsforschung, die Beteiligung eines breiten Spektrums honoriger, wissenschaftlich ausgewiesener Forscher und Publizisten (Broszat, Fest, Hildebrand, Hillgruber, Nipperdey, Nolte, Schulze, Stürmer) sowie repräsentativer, auf ihr meinungbildendes Renomee bedachter Printmedien.

Oberflächlich liest sich Broszats Entwurf des Jahres 1985 aus Sicht des »Historikerstreits« wie der Aufruf zur »Revision« von 1986/87. Dies hat Broszat nicht gewollt, seine Äußerungen sind aber methodisch und wissenschaftstheoretisch so ungeschützt und unabgesichert, daß sie für jedwede Rezeption offen sind.

Broszat relativiert: »Auch die Zeit des Dritten Reiches selbst ist nicht ausschließlich Geschichte der politischen Diktatur, sie ist auch deutsche Geschichte, die vorher anfing, die NS-Zeit durchlief und nachher weiterging« (S. 120); er möchte »Verstehen« und akzeptiert »mitfühlende Identifikation«

»(mit den Opfern, aber auch mit den in diesem ›Unheil‹-Kapitel der deutschen Geschichte fehlinvestierten Leistungen und Tugenden)« (S. 120); er plädiert für »hautnahe alltagsgeschichtliche Betrachtung, die das sozial Konditionierte wie das Menschlich-Allzumenschliche beiderseits der durchaus flüssigen Trennlinie von Nationalsozialistisch und Nichtnationalsozialistisch in Politk und Gesellschaft des Dritten Reiches besser sichtbar macht« (S. 139). Alles dient der Absicht – aber mit welchem Ziel? –, das Schwarz-Weiß-Denken aufzuheben, weil es eine »Blockade« sei. Was aber wird blokkiert, welches richtige NS-Verständnis soll erforscht und geweckt werden? Broszat unterläßt es, auf diese Fragen, die er selbst stellt, zu antworten. Es verwundert nicht, wenn dann Antworten von Diwald bis Hillgruber gegeben werden.

Das »Plädoyer für eine Historisierung des Nationalsozialismus« – und wie im Falle Noltes gibt es auch hier eine lange Vorgeschichte – geht auf Distanz zum »Negativ-Maßstab«, möchte »eine ›neue Sachlichkeit‹ des Gesamtbildes und der Geschichtsschreibung« (S. 166 f.) fördern, wählt dabei aber so belastete Vokabeln wie z. B. »Entschlackung« der »Tabuisierung«, »historische Befreiung« aus dem »Zwangskorsett«, »Normalisierung« gegenüber der »Pauschaldistanzierung von der NS-Vergangenheit« (S. 172).

Wer zu neuen Ufern aufbricht (warum?), bedarf gewisser Kenntnisse und einiger Methoden (darüber verfügt Broszat), vor allem aber muß er über Methoden zur Kontrolle seiner Methoden und über eine leitende Idee verfügen. Beides zusammen erst macht den Kolumbus aus. Broszat stellt jedoch kein Konzept für die Novellierung bereit. Was er mit dem Ziel der »Geschichte der nationalsozialistischen Zeit« nicht mehr nur der NS-Diktatur (S. 167) bezwecken will, bleibt offen und unklar, frei für jedweden Zugriff.

Jedenfalls präsentiert Broszat dieses Ziel mit wissenschaftlichen und politischen Vokabeln, ohne je die methodischen wie meinungsmäßigen Kontextbezüge zu reflektieren, in die dieses Programm »Historisierung« hineinstößt.[4]

---

4 Friedländer in: Diner 1987, 42 f., 47 ff., 50.

Friedländer beharrt auf der Notwendigkeit, einen »komplexen historischen Rahmen« zu zeichnen, dem die neuen Fakten und Sichtweisen integriert werden (S. 48 f.). Ohne diesen ordnenden Entwurf einer leitenden Idee ist die Historisierungsforderung tendenzieller Aufruf zur Reaktion auf die Postulat-Pädagogik und auf die antinazistischer Feiertagspolitik und greift unbewußt auf den breiten Fundus der zwischen Zielen und Mitteln säuberlich trennenden »folklore« zurück.[5]

Andererseits stützt Broszat auch den von Habermas verfolgten »moralischen Historismus« (Fleischer), während die kritischere Position nach »Mechanismen einer imperialen Zivilistion«, nach sukzessiver »Ermöglichung« von Faschismus und Antisemitismus fragt.[6]

Eine unkritische, in keiner Weise reflektierte Konsequenz vertritt auch Christian Meier (1987, 75 ff.), wenn er das »Verurteilen und Verstehen« abhandelt. Meier knüpft an Broszats Alltagsgeschichte an und fordert »Identifikation« (S. 42 f., 77). Auch Meier trägt unmögliche Begriffe vor, wenn z. B. vom »Fundus überkommener ... Selbstverständlichkeiten«, von »Verknäuelung« und »Kategorien des Herzens« die Rede ist (S. 48, 75, 85). Herzlich ist sein Verständnis – nicht für die Linke (S. 84 f.; FS Fest 1986, 177) –, sondern für »unsere (...) Eltern und Großeltern« (S. 77, 82). Den Nationalsozialismus, »etwas völlig Neues« (S. 81), konnten sie gar nicht begreifen und in der Parallelität der »›Normalität‹ des Verhaltens der Mehrheit« und der »ungeheuerlichsten Verbrechen der Weltgeschichte« gehen die vom Einzelnen, vom Normalbürger, gar nicht zu überschauenden und zu bedenkenden »Nebenfolgen« unter (S. 76). Um dieser »Aspekte einer Historisierung« (S. 77) willen muß *heute* auf dem Ausnahmecharakter des Nationalsozialismus und auf der »Singularität

5 Haug macht klar, daß Broszats Forderung und Begrifflichkeit (ungewollt) gegen die Rezeption durch die »Revisionisten« nicht gefeit sind: »Jedenfalls wandern Broszats Orientierungsbegriffe ... nach rechts« (Haug 1987, 279); vgl. Friedländer in: Diner 1987, 43 f., 45 ff., 50; Türcke 1987, 764 ff.

6 Fleischer in: Spiegel 34/1987, 8 f.; Historikerstreit 1987, 123 ff.

des Holocausts« (S. 24 ff.) beharrt werden (strikt). Dann werden nicht nur die Ahnen größtenteils entlastet und normal wie alle Völker (S. 78), sondern auch die 1968 angezweifelte »bürgerliche deutsche Gesinnung, Lebensführung und Gesellschaftsordnung« (S. 37) kommt wieder zu Ehren (S. 37). Die Verunsicherung schwindet. Im rechten Maß sind »wir« geschichtskritisch gegenüber »unserer« Geschichte (für Wehler trägt Meier denn auch 1986 schon eine »besonnene Kritik« vor).

Die Forderung nach »Historisierung« und »Verstehen« muß sich auf ein ausgewiesenes Konzept beziehen. Die völlige Normalisierung des Faschismus zu einem x-beliebigen Thema produziert (egal ob gewollt oder ungewollt) angesichts der politischen Bedeutung des Themas und der vorherrschenden Rezeptions-/Kontextbedingungen eine unverantwortliche »anything goes«-Mentalität.[7]

Ein kritischer Begriff der *Normalitätsteile* des Faschismus schließt eine durch einen entlastenden Vergleich bzw. totalitarismustheoretischen Verweis begründete Marginalisierung des Holocausts aus. Gleichzeitig aber greift diese »Normalisierung«, die den Nationalsozialismus als deutschen Faschismus in den Kontext von bürgerlicher Gesellschaft, von autoritärem Staat und autoritärer Persönlichkeit hineinstellt, innerwissenschaftlich berechtigt erscheinende Aspekte der Historisierungsforderung und damit auch der alltagsanalytischen Geschichtsbetrachtung auf. Der Nationalsozialismus erstarrt nicht in der Monumentalität des Holocausts:

Juden werden als eine Feindgruppe neben Arbeitern (Kommunisten, Sozialisten), nicht-opportunistischen Christen und Intellektuellen, konservativen Angehörigen der Eliten, »Zigeunern«, Bibelforschern, Homosexuellen u. a. m. betrachtet (und »gewichtet«).

»Terror« wird als ein Ausdrucksmittel des NS-Machtsystems neben Integration, Terror-/Gewaltakzeptanz und politische Entfremdung gestellt.

Die »Totalität« des Nationalsozialismus rückt ins Zentrum der Betrachtung. Sie zu begreifen wird Aufgabe der For-

---

7 Friedländer in: Diner 1987, 44 ff., 47 ff.

schung, sie zu bewerten wird Aufgabe der wissenschaftlichen Aufklärung; sie zu bekämpfen ist Aufgabe von Kultur und Politik, sie wertbestimmt »einzudämmen«, ist Aufgabe von Verfassungspolitik, Strafrecht und Pädagogik (auf je verschiedenen Ebenen).

»Warum«, »Wozu« und »Wie« studieren »Wir« Faschismus?

»Die Formen, unter denen sich die Machtergreifung des Nationalsozialismus vollzog, erteilten dem internationalen Sozialismus eine unauslöschliche Lehre: daß die politische Reaktion sich nicht mit Phrasen, sondern nur mit wirklichem Wissen, nicht mit Appellen, sondern nur durch Weckung echter revolutionärer Begeisterung, nicht mit bürokratisierten Parteiapparaten, sondern nur mit innerlich demokratischen, jeder Initiative Raum gebenden Arbeiterorganisationen und überzeugten Kampftruppen schlagen lassen wird.«

(Wilhelm Reich 1933)

Wenn Faschismus-Analyse mit dieser Fragestellung, die nach Begründung, Absicht, Ziel und Methoden fragt, betrieben wird, sind zur Beantwortung *unumgänglich* einige wissenschaftstheoretische und wissenschaftspolitische Vorbemerkungen notwendig.

Wissenschaft ist *eine* Art, einzelne Gegenstände, raum-/zeitliche Zusammenhänge zwischen eben diesen Gegenständen und somit letztlich Entwicklungsprozesse, gedanklich zu bearbeiten, mit dem Ziel, diese Gegenstände, Zusammenhänge und Prozesse zu verstehen und sich begrifflich anzueignen. Absicht von Wissenschaft ist die Ausweitung der Verfügungsgewalt über Dinge und von Menschen produzierte Geschichte(n).

In diesem Sinn verstandene Wissenschaft kann nicht einfach betrieben werden. Sie basiert auf Voraussetzungen und muß, um ihrem Anspruch der Ausweitung der Verführungsgewalt und der bewußten und praxeologischen Vermehrung von Kenntnissen gerecht zu werden, ihre Stellung zu diesen ihren Voraussetzungen klären. Wissenschaft muß sagen, was sie will, und kann sich an dieser Frage nicht dadurch vorbeistehlen, daß sie auf den Wissenschaftsbetrieb verweist.

Bezogen auf unseren Gegenstand »Faschismus« heißt dies: Faschismus-Analyse – in welcher Art auch immer – kann nicht betrieben werden, nur weil es bereits diesbezügliche Diskussionen gibt. Nur weil es schon 999 Bücher gibt, ist es nicht gerechtfertigt, das 1000ste Buch zu schreiben. Auch die Institutionalisierung des Gegenstandes in Form der Widmung von Professuren, der Aufnahme in Lehrpläne, in Programme wissenschaftlicher Publikationsreihen etc. sagt inhaltlich noch gar nichts aus.

Auf dieser Basis kann zwar eine Sache betrieben, nicht aber vorangetrieben werden; denn es handelt sich um die unbegriffene Motorik eigendynamisch-»sachgesetzlich« (d. h. außerwissenschaftlich) bürokratisch-institutionalisierter Systeme, die schlicht ablaufen.

Solcherart unwissenschaftlich betriebene Wissenschaft akzeptiert alle bestehenden Rahmenbedingungen. Alle möglichen Absonderlichkeiten bereits geführter Diskussionen werden noch einmal gewürdigt; selbst kritische Positionen tragen ihnen wenigstens noch insofern Rechnung, daß sie diese zitieren (und so indirekt verewigen). In diesem Sinn ist der wissenschaftliche Fortschritt sehr langsam, und wissenschaftliche Innovationen sind selten. In einem Brief an Conrad Schmidt hat Friedrich Engels zu Recht die »Geschichte der Wissenschaften« als »die Geschichte der allmählichen Beseitigung [des] Blödsinns ... durch neuen, aber immer weniger absurden Blödsinn« (MEW Bd. 37, S. 492) bezeichnet.

Bei diesem Prozeß ist die Verselbständigung der Wissenschaft zu einer Institution mit besonderen Zugangskriterien und Ritualen eines der größten Hemmnisse der Entwicklung wissenschaftlicher Erkenntnisse. Zu vieles von dem, was Wissenschaft heißt, wird nur noch aus sich selbst heraus legitimiert.

Wissenschaft aber kann in keiner Weise affirmativ sein. Sie

kann sich theoretisch nicht auf den Stand stellen, wozu sie praktisch gezwungen ist, sondern sie muß den Gegenstand überschreiten, muß über seine immanenten Grenzen, z. B. sein Selbstverständnis und seine Strukturen, hinausschreiten, um ihn so erst begreifen zu können. (Und: Eine wissenschaftliche Analyse des Faschismus als Faschist [und vice versa] ist nicht möglich, bestenfalls – bei methodischer Qualifikation dieses faschistischen Wissenschaftlers – gelingen einige Detailbeschreibungen.)

Die Analyse kann nicht sofort »zur Sache« kommen, will sie nicht darin aufgehen, will sie vielmehr bewußt damit umgehen und Aussagen darüber ebenfalls bewußt vermitteln.

An dieser Stelle können die Fragen des Titels : »Warum, wozu und wie studieren wir Faschismus?« konkreter behandelt werden. Der Titel wirft fünf Fragen auf:

Mit »Warum« wird die Frage nach der Begründung von Forschung, mit »Wozu« die nach dem Ziel und der Absicht, mit »Wie« die nach den Methoden, den Verfahrens- und Vorgehensweisen, gestellt. Die Verwendung des »Wir« fragt danach, wer das Subjekt des Forschungsprozesses ist. Und Faschismus schließlich wirft das Problem auf, was denn das sei: »Faschismus« als Gegenstand von Analysen.

Wissenschaft muß begründet werden. »Sie hat sich eingeführt«, um den Ausgang der Menschheit aus dumpfer unbegriffener Natur- und Geisterabhängigkeit, aus Schicksal- und Triebhaftigkeit als systematische Arbeit zu betreiben. Wissenschaft hat außerwissenschaftliche Begründungszusammenhänge, denen sie rechenschaftspflichtig bleibt. Die Bezugspunkte sind markiert durch die in der Aufklärung reflektierten Prozesse: vom Wilden und Sklaven zum Individuum und zur Person, von Abhängigkeit und Knechtung zur Freiheit, von der Geworfenheit, von der Auslieferung an soziale und natürliche Gewalten zu deren Beherrschung.

Wissenschaft muß es sich auch heute gefallen lassen, sich auf dieses Antrittsgesetz beziehen zu lassen. Sie kann dies nicht als außerwissenschaftlich mit der Attitüde des Nur-Fachmanns zurückweisen. Vor allem gilt dies für gesellschaftlich unterstützte Wissenschaft an den Universitäten. Universitäre Wissenschaft ist von direkten Anbindungen an Auftraggeber frei. Darin, in dieser Zweckfreiheit, als Freiheit von direkten Zwängen, liegt ihre Chance des Begreifens, der über Selbstverständnisse und Strukturen hinausblickenden Perspektive, darin liegt zugleich ihre Verpflichtung gegenüber der Gesellschaft, die ihr diese privilegierte Position gewährleistet. (Wissenschaft lebt vom Mehrprodukt der Gesellschaft und wird aus der Masse des unverteilten Mehrwerts finanziert.)

Alle Wissenschaften sind Gesellschaftswissenschaft, weil sie Wissenschaften »der« Gesellschaft sind. Alle »Menschenwissenschaften« (N. Elias) – im Unterschied zu Naturwissenschaften – sind darüber hinaus Wissenschaften der Gesellschaft über die Gesellschaft und die Gesellschaftsmitglieder selbst.

»Die« Gesellschaft hat als aufgeklärte einen Anspruch darauf, etwas über sich zu erfahren, um in besserer Kenntnis, Irrtümer zu vermeiden, sich zu kontrollieren, Bedürfnisse und Planungen rationaler kalkulieren, lokalisieren, initiieren oder hemmen zu können; sei es, daß die Gesellschaft von diesem Punkt nachfragt, sei es, daß Wissenschaft die Gesellschaft auf diesen Punkt ihrer Aufklärung und Rationalität zwingt und z. B. in dieser Absicht ihre Forschungsbefunde veröffentlicht.

Daraus ergibt sich die Notwendigkeit der Zeitgleichheit von Wissenschaft und Gesellschaft. Auch Ungleichzeitigkeiten in Form von Geschichts-/Vergangenheitsbetrachtungen oder in Form zukunftsorientierter Trendberechnungen haben sich dem Kriterium der Zeitgleichheit, d. h. aber auch des »Realismus«, zu stellen, wenn sie von gegenwärtiger Gesellschaft als relevante Verdeutlichung ihres Fortschritts oder ihrer antediluvianischen Vorgeschichten mit immer noch prägendem Charakter begriffen werden sollen. Die Verdeutlichung der Zeitgleichheit heißt für die Wissenschaft klarzulegen, daß sie auf der Höhe gesellschaftlicher Möglichkeiten, Verarbeitungsmuster von Vergangenheit und Prognosen für Zukunft oder Gegenwartsverlängerung steht.

Wissenschaftslegitimation beeinhaltet, öffentlich zu sagen, warum man welchen Gegenstand mit welcher Intention und welchem anvisierten Nutzen für wen bearbeitet. Diese Wissenschaftsrechtfertigung korreliert mit Wissenschaftsfreiheit, die Güterabwägung kann nie als absolute Lösung zugunsten nur der einen Komponente des Wissenschaftsprozesses ausfallen. Diese Güterabwägung läßt sich dann realisieren, wenn die Legitimationsebene nicht von der Ebene des Gegenstandsbezugs getrennt wird.

Wenn die Begründungs-Frage so gestellt wird, dann heißt dies für die Zielsetzungs-Frage, sie kann nicht mehr mit dem bloßen Hinweis auf den Wissenschaftsbetrieb als einer verselbständigten Disziplin mit eigenen Ansprüchen und Aufforderungen beantwortet werden. Die Antwort des puren Erkenntniszuwachses scheidet aus. Wenn ein Thema »irrelevant« ist (worüber eben nicht nur-wissenschaftlich entschieden wird), dann kann sich die betreffende Disziplin nicht dadurch herausreden daß sie Kenntnisse vermehre. (Jedes neue Buch verhindert die Möglichkeit, eine Diskussion als wissenschaftlich und gesellschaftlich irrelevant zu behandeln.)

Nach diesen Überlegungen kann die Methodenfrage zurückgestellt werden. Die Frage nach dem »Wie« von Forschung fällt in den Bereich der Wissenschaftskompetenz, Qualifikation und Erfahrung. Sie kann forschungspraktisch jedoch erst dann gestellt und behandelt werden, wenn das Interesse am Gegenstand bezüglich der Wissenschaftler, der Adressaten und Interessenten geklärt ist.

An diesem Punkt kann das Subjekt von Wissenschaft, können die Akteure von Forschung – also das »Wir« aus der Rahmenfrage – bestimmt werden:

Subjekt sind nicht nur die Wissenschaftler. Insofern sie in einem arbeitsteiligen Verhältnis zur Gesellschaft stehen und sie somit ein sehr wesentlicher Teil der gesellschaftlichen gedanklichen Arbeit überhaupt sind, ist das Subjekt der Wissenschaft der Entscheidungs- und Diskussionsprozeß zwischen Wissenschaft und Gesellschaft; wobei die Wissenschaft durch Einzelindividuen, Verbände, Wissenschafts»schulen« und Institutionen (insbesondere die Universität) vertreten wird; die Gesellschaft repräsentiert sich durch einzelne Interessenten, Organisationen (Parteien, Gewerkschaften, Bürgerinitiativen), Multiplikatoren (Massenmedien) und Institutionen (Staat).

Wissenschaftler begehen oft den Fehler, daß sie ihre Rolle verabsolutieren, weil sie den Vorteil haben, sichtbare Akteure von Forschung zu sein, weil dies die Erfahrung ihres Arbeitsplatzes ganz ausmacht, während alle anderen arbeitsteiligen Mit-Subjekte nur zu Teilen ihrer Existenz mit Wissenschaft verbunden bzw. an solcher interessiert sind und über einen breiteren Alltag verfügen. Auf Grund der gesellschaftlichen Arbeitsteilung muß daran festgehalten werden, daß Wissenschaftler *und* Gesellschaft Subjekt von Wissenschaft sind. Ebenso wie die Gesellschaft Legitimation verlangen kann, muß sie ihrer Verpflichtung zur kritischen Partizipation nachkommen. Als aufgeklärte oder in Aufklärung befindliche Gesellschaft kann (und darf) sie es nicht zulassen, daß das Terrain Wissenschaft ihr verschlossen bleibt (Wissenschaft muß daher öffentlich sein) bzw. entzogen wird.

Ausdruck der Interessiertheit an Wissenschaft ist nicht nur das legitime Verlangen, darüber aufgeklärt zu werden, was mit den Finanzmitteln und Ressourcen faktisch geschieht, sondern auch die Partizipation am Diskussionsprozeß über Wissenschaft und d. h. insbesondere auch über Forschungsprioritäten.

In einer »Klassengesellschaft« gibt es von den Traditionen, Interessengegensätzen und Strukturen her immer mehr als nur eine Geschichte, Gegenwart und Zukunft. Es gibt die Vergangenheiten von »Arbeit« und »Kapital«, die ebenso unterschiedlich sind wie deren Hoffnungen auf die Zukunft oder deren Vertrauen in die Gegenwart. Diese Divergenzen müssen von »der« Wissenschaft aufgegriffen werden.

Wissenschaft hat nicht die Aufgabe, die Gesellschaft zu etwas zu stilisieren, was sie nicht ist. Deshalb *muß* die Wissenschaft in der »Klassengesellschaft« parteilich sein, muß für die gesellschaftlich relevanten Klassen und »Lager« Partei ergreifen. Nicht darin liegt das Unwissenschaftliche, sondern in der Verabsolutierung parteilicher Positionen zur Totalität und in der Nicht-Kennzeichnung der Positionen und Begriffe und ihrer Vermitteltheit bzw. sozialen, ökonomischen und politischen Interessiertheit und Herkunft. (Den Forderungen nach Öffentlichkeit und Wissenschaftsfreiheit entspricht innerwissenschaftlich diejenige nach Transparenz.)

Zunächst soll eine Vorabklärung des Begriffs erfolgen, um klarer zu machen, was bestimmt werden soll, wenn weiterhin von »Faschismus« die Rede ist. Es geht um die Vermittlung einer ersten realanalytischen Beschreibung von Themendimensionen und ihres Verhältnisses zueinander.

Der Begriff Faschismus umfaßt nicht nur die im Frühjahr 1919 von Mussolini gegründeten »fasci di combattimento« in Italien, sondern auch weitere militant und terroristisch antidemokratische, antiliberale, antisozialistische politische »Bewegungen« und »Parteien«. Es wird also davon ausgegangen, daß es sich für die »faschistische Epoche« der Zwischenkriegszeit um einen politischen Gattungsbegriff handelt, dem – methodisch – eine komparative Analyse besonderer Faschismen und die anschließende Generalisierung faschistischer Allgemeinheiten entsprechen würde. Wenn diesem Desiderat im folgenden nicht entsprochen wird, weil sich die Ausführungen nur auf Deutschland beschränken (so daß nichts über den allgemeinen faschistischen Charakter der Ausagen etc. gesagt werden kann), so muß angegeben werden, daß hier aus erkenntnismäßigen und politischen Gründen dennoch am Gattungsbegriff Faschismus festgehalten wird. Der Begriff signalisiert einen gesellschaftstheoretischen und herrschaftssoziologischen Standort, in dessen Kontext kritisch nach sozialen Trägern faschistischer Macht gefragt wird.

Faschismus bezieht sich auf politische Organisationen, die sich vom Konservatismus durch populistisch-plebejische Formen und Entlehnungen aus der Arbeiterbewegung, durch ihre ausdrückliche Massenhaftigkeit abgrenzen. Auf Grund der politischen und ökonomischen Krise »des Kapitalismus« und »der »parlamentarischen Demokratie« sind sie, sozial hauptsächlich von »den Mittelschichten« gebildet, Organisationen einer »großen antikapitalistischen Sehnsucht« (G. Strasser) und des Kampfes gegen »das System«. Sie wenden sich vor allem gegen die Abeiterbewegung, die – dies gilt der Sozialdemokratie und den Gewerkschaften – als wesentlicher Träger »des Systems« oder – dies betrifft die kommunistische Partei – als terroristische Fraktion des nichtnationalen, alle Werte zerstörenden Weltkommunismus vorgestellt werden.

Faschistische Organisationen distanzieren sich auch von bürgerlich-demokratischen Parteien und parlamentarischer Diskussion, weil diese aus ihrer Sicht der Radikalität der Entscheidungssituation und der Alternative Faschismus oder Bolschewismus nicht standhalten und entsprechen. Die doppelte Frontstellung lautet: »Kampf gegen bürgerliche Feigheit und marxistischen Terror«.

Derartige Bewegungen kommen nur im arbeitsteiligen Bündnis mit Fraktionen der »herrschenden Klasse« an die Macht, so daß statt von einer »Machtergreifung« besser von einer »Machteinsetzung« geredet werden sollte.

Faschismus bezeichnet daher über die Bewegungen hinausgehend ein politisches System. Dieses wird charakterisiert durch extrem undemokratische Willens- und Entscheidungsbildungsprozesse, bei gleichzeitiger Beteiligung »der Massen« am Prozeß der Demonstration von Politik und durch eine Kombination von Terror gegen Opponenten und Integration durch paternalistisch-wohlfahrtsstaatliche Inszenierungen (»Deutsche Arbeitsfront«, »Kraft durch Freude«, die halbstaatliche Freizeit-Organisation »Opera Nazionale Dopolavoro« in Italien).

Faschismus als Herrschaftssystem bedeutet vor allem die Zerschlagung der *gesamten* Arbeiterbewegung, der »reformistischen«, »revolutionären« und »gewerkschaftlichen« Organisationsformen, und die gewaltsame Verhinderung *aller* Gegenmachttendenzen, die eine autonome Interessenpolitik betreiben wollen oder nicht-angepaßte Individualität hervorbringen. Ökonomisch impliziert der Begriff eine forcierte Aufrüstung, durch die die Arbeitslosigkeit beseitigt und die nicht-nachgefragten Kapazitäten »der Industrie« wieder ausgenutzt werden, durch die also die Weltwirtschaftkrise – international betrachtet – in kurzer Zeit überwunden wird. Faschistische Systeme zeichnen sich somit schließlich durch extrem ungleichgewichtige Verteilung des Produkts gesellschaftlicher Arbeit aus.

Eine Theorie des Faschismus muß Form und Inhalt der faschistischen »Versöhnung« zahlreicher politisch-ökonomischer und sozialer Widersprüchlichkeiten nachzeichnen und auf ihren Begriff bringen.

Am historischen Beispiel des Faschismus der Zwischenkriegszeit kann gezeigt werden, daß ein totalitätsbezogener Faschismusbegriff insbesondere zwei Dimensionen ein und desselben Gegenstandes um- und erfassen muß:

Faschismus ist eine »Bewegung« (von »unten«) und eine Institution und ein Regime (von »oben«); Faschismus ist sowohl ein »selbstgenügsames« Forschungsobjekt wie auch ein Produkt von Bündniskonstellationen, das nur in einem Spektrum von Interessen, Optionen und Deutungen interpretierbar wird.

Verabsolutierungen in Form von Reduktionen des Faschismus

- auf »die Macht des Finanzkapitals selbst«(Dimitroff), also auf eine Komponente der den Faschismus an die Macht bringenden Interessenkonstellation,
- auf die soziale Basis der faschistischen Bewegung, Partei und Wählerschaft in »den« Mittelschichten,
- auf ein Charakteristikum faschistischer Organisation, auf den »Führer«, auf Hitler, in dessen Person »eine machtvolle Zeittendenz kulminiert(e...)« und mit dessen Tod, »wie von einem Augenblick zum anderen«, der Nationalsozialismus verschwindet (J. Fest);

alle derartigen Reduktionen verdichten reale Vielfalt auf *einen* zum Wesen stilisierten Gesichtspunkt; die Rigidität beim Umgang mit dem Forschungsobjekt korreliert positiv mit der Dogmatik, mit der der jeweilige Wesenskern verabsolutiert wird. Letztlich verweist derartiger Dogmatismus auf wissenschaftspolitische Einflußfaktoren, auf die politischen Verwertungs- und Einflußbedingungen der Reflexion.

Eine Theorie des Faschismus hat darüber aufzuklären, welche sozialen und politischen Erwartungen, Traditionen und Erfahrungen ihren wissenschaftsförmig vorgetragenen Aussagen unterliegen, wie Wissenschaft politisch, sozial-interpretativ und handlungsmäßig verwertet wird, welche Deutungsmuster mit welcher Wissenschaftsschule und welcher politisch motivierten Öffentlichkeitsbildung korrelieren.

Insofern die wechselseitigen Vermittlungsprozesse von Wissenschaft, Politik und sozialen Deutungsmustern für jeden Aspekt dieser Momente von Orientierung in und zur Gesellschaft konstitutiv sind, setzen die erwähnten zwei zentralen Dimensionen der Betrachtung des Faschismus »von oben« und »von unten« externe politische Bezugspunkt voraus. In dieser Beziehung spiegeln die beiden Dimensionen in abstrakter Form wissenschaftstheoretische Annahmen über den Status von Handlungen und Subjekten in sozialen Systemen, besonders auch im Faschismus.

Je nach erkenntnisleitender Perspektive wird ein »identischer« Gegenstand entweder als durch Subjekte hindurchgegangene Objektivität oder als durch Objektivität strukturierte Subjektivität begriffen; insbesondere gilt dies für hoch aggregierte und abstrakte ökonomische, soziale, politische und sozialpsychologische Phänomene (wie z. B. Lebenshaltungsniveau, Mobilität/Statusindifferenz, Wahlentscheidungen und Familien oder Charaktertypen).

Bezüglich des Faschismus bedeutet dieses allgemeine Theorem zur Beziehung der Objekt- und Subjektebenen ein und derselben Themenstellung (oder zur objektiven Fundierung von Subjektivität bzw. der subjektiven Prägung sozialer Objektivität), daß folgende Ambivalenz analysiert werden muß:

Faschismus ist gleichzeitig ein Herrschaftssystem, an das sich die Minderheiteninteressen von Einzelkapitalisten wie Monopolgruppen richten, auf das aber auch die Mehrheitsinteressen der von der kapitalistischen Krise betroffenen Mittelschichten spekulieren; schließlich ist Faschismus ein politisch-soziales Deutungsmuster, an das sich sehr heterogene Hoffnungen (z. B. von der »zweiten Revolution« bis zur »Zähmung«) auf eine klassen- und schichtenspezifisch differenzierte Besserung des Status quo knüpfen. Auch nach dem 30. Januar 1933 ist Faschismus an der Macht eine komplexe Beziehung widersprüchlicher Einzelmomente (z. B. von Konzentrationslagern und massenintegrativen Apparaten wie etwa dem ergonomisch ausgerichteten Amt »Schönheit der Arbeit« oder der Freizeitorganisation »Kraft durch Freude«).

Beide Seiten einer Totalität müssen in ihrer *Beziehung* und *Vermittlung* analysiert werden und begrifflich gefaßt werden.

Für den deutschen Faschismus ist der totale Antisemitismus ein zusätzliches Problem, das durch die bisherigen Überlegungen noch nicht erfaßt worden ist. Antisemitismus ist eine quer zu allen bisherigen Arbeitsebenen liegende zusätzliche Problemdimension.

Allgemein (d. h. abstrakt-bewältigend) manifestiert sich im totalen Antisemitismus die den Faschismus charakterisierende (und in dessen Systemform auch offen aufbrechende) Bruchlinie bzw. Ungleichheit von »säkularen Modernisierungsprozessen« (wie z. B. der Frauenemanzipiation, der Ausbildung des tertiären Sektors, der Entwicklung staatlicher Daseinsvorsorge) und ebensolchen Atavismen im Kontext der rückwärtsgerichteten Gemeinschaftsorientierung. Der »wissenschaftliche Antisemitismus« (Hitler) »erfindet« das verabsolutierte Feindbild »internationales Judentum«, wobei er sich alter Traditionen bedient und in einer gewichtigen Schnittmenge mit traditionellen und populistischen Antisemitismusbildern seit der Jahrhundertwende übereinstimmt. Diese Feindgruppe verhindert das Aufbrechen der gegenläufigen Dynamik von Modernisierung und Refeudalisierung, indem sowohl moderne als auch vormoderne Wünsche und Kritiken mit die Vernichtung »des Juden« verbunden werden.

Diese *allgemeine* Bemerkung kann aber die besondere nationalsozialistische Durchsetzungsform und damit die »totale Diskontinuität des Holocaust« (H. A. Strauss) nicht befriedigend erklären bzw. in weitere Forschungen einschließen. Die Verbindung der komparativen Antisemitismus- und der ebensolchen Faschismusanalyse ist ein Forschungsdesiderat. Die Verbindung objektivierter, funktionalistisch betrachteter Feindbildanalysen mit subjektiven Täteranalysen und einer Sozialpsychologie der Massentoleranz gegenüber der radikalantisemitischen Minderheitenpraxis des Faschismus sind weitere Blindstellen einer Faschismusforschung. Diesbezüglich scheiden auch die traditionellen wie neu-linken Forschungsvorbilder als unzureichend aus; Noltes Differenzierung der Faschismen nach ihrer Radikalität ebenso wie Arthur Schweitzers Unterscheidung von »full« und »partial fascism« verbleiben traditionell, berücksichtigen das Absolute des Antisemitismus nicht.

Geht man, wie Dan Diner, vom »zentralen Ereignis

›Auschwitz‹« oder von der »Zentralität des Ereignisses ›Auschwitz‹« aus, dann ist die Vermittlung einer » Fern-« und einer »Nahsicht« notwendig und gleichzeitig noch immer ein Desiderat bzw. doch ein Arbeitsfeld mit vielen weißen Flecken (Diner 1987, 69 ff.). Jedenfalls sind die Anteile des Antisemitismus am (deutschen) Faschismus sowie diejenigen des Terrors und der Unterdrückung subjektiv und objektiv so bestimmend, daß – bei aller Differenzierung (»Historisierung«) – *alle* Ereignisse von diesen Extrempunkten her zu bewerten und zu begreifen sind (Diner 1987, 41 ff., 71 ff.).
Fragen einer Faschismusanalyse:
Übergeordnet ist die Frage danach, welche Möglichkeiten und welchen Zustand gesellschaftlicher Entwicklung der Faschismus verdeutlicht. Die Massenhaftigkeit der offenen Antidemokratie und partiellen Inhumanität ebenso wie die vergleichsweise friktionslose Bereitschaft einflußreicher Gruppen der kulturellen, bürokratischen und industriellen Eliten mit einer solchen offen-terroristischen Bewegung zu paktieren und Geschäfte zu machen, muß Analysen zur Frage nach dem Grad gesellschaftlich eingeübter Aufklärung stimulieren. Worin liegen die Wendung zur »Barbarei« und diese, zahlenmäßig noch mehr ins Gewicht fallende, Bereitschaft, eine »Rebarbarisierung« hinzunehmen (was ja nicht nur Tolerieren, sondern latentes Partizipieren heißt), begründet? Sind diese Quellen nach 1945, nach der Befreiung von Faschismus, beseitigt worden oder ist der Schoß immer noch fruchtbar, wie Brecht gemeint hat? Wenn ja: was ist versäumt worden, was muß nachgeholt werden, was muß sofort in die Wege geleitet werden?

Im engeren Sinn muß die Frage der Themenauswahl – vor allem auch der Binnenauswahl und der Frage nach Hypothesen und Detailhypothesen – gestellt werden: Warum wird, von solcher Position aus, welcher Aspekt des Faschismus untersucht? Was ist die Bedeutung dieses Themas für den Gegenstand überhaupt (Totalitäts- und Generalisierungsaspekt), was bedeutet dieser Themenaspekt für die Gegenwart? Gibt es Kontinuitätslinien?

Insbesondere ist nach den sozialen Trägern von Faschismus zu fragen. Wer waren die Leidtragenden, wer die Verdiener in diesem System politischer Herrschaft? Waren diejenigen, die vor der »Machteinsetzung« den Löwenanteil an direkten Opfern und an Einsatz erbracht haben, auch die Nutznießer der Funktion dieser Bewegung als System?

Die Frage nach Trägern, Nutznießern und Leidtragenden leitet über zur Untersuchung des Kampfes gegen die faschistische Bewegung vor der »Machteinsetzung« und nach ihrer Etablierung als Regime: Wer hat wann, wie, mit welchen Mitteln, im Bündnis oder in Gegnerschaft mit wem gegen den Faschismus gekämpft? Haben diese Kräfte, wenn sie schon in Deutschland (warum?) so schwach waren, den Faschismus stürzen zu können, nach 1945 im Verein mit der »Anti-Hitler-Koalition« gewonnen? Wer hat was vom Faschismus und aus der Erfahrung der »faschistischen Epoche« gelernt? Wer hat wann, warum, was (wieder) vergessen?

Widerstand und Fragen nach den Lernprozessen leiten über zur Behandlung des Komplexes der Interessiertheit am Komplex einer derartigen »Aufarbeitung der Vergangenheit«. Wer ist, mit welchen Argumenten und in welchem Kontext an diesem Gegenstand wie interessiert? Wer ist es warum nicht? Für die wissenschaftliche Beschäftigung mit diesem Gegenstand ist, aus demokratisch-theoretischem Interesse und in demokratisierender Absicht, ggf. ferner sehr entscheidend, zu bestimmen, wer – d. h. welche gesellschaftliche Organisation und Institution – sich, aus welchen Gründen für den Forschungsgegenstand Faschismus interessieren sollte. Wenn er sich selbst nicht engagiert, ist es eine Aufgabe von Wissenschaft, Druck auszuüben, Argumente an ihn heranzutragen.

Alle Fragen zielen darauf ab, über »Faschismus« mehr zu erfahren, als ob Hitler tatsächlich am 4. Februar 1935 um 10.00 Uhr oder um 11.00 Uhr Hjalmar Schacht mit »Guten Morgen« oder »Grüß Gott« begrüßt hat.

Gefragt wird nach den Prinzipien eines Herrschaftssystems, nach seinen Strukturmerkmalen und Charakteristika, die sich methodisch als Generalisierungen, als »konkrete Abstrakta«, feststellen lassen und für eine Vielzahl empirischer Fälle als Ordnungsgesichtspunkt nachweisbar sind. Ein so verstandenes Interesse besteht weniger darin, alle Einzelheiten zu beschreiben, sondern vielmehr darin, in Kenntnis möglichst vieler Einzelheiten und Beschreibungen, »nach den Grundsätzen zu suchen, an denen sich die Menschen einer Zeit und einer abgrenzenden Bevölkerung (Gesellschaft – Kultur) bewußt oder unbewußt orientieren« (Claessens).

Die Frage nach Orientierungsmustern und Prinzipien der Herrschaftsordnung ist eine soziologisch-historische Fragestellung, die ein spezifisches Soziologie-Geschichtswissenschaft-Dilemma aufwirft:

»Machen [Soziologen] den Historikern den Vorwurf, diese betrieben nur ›kleinkarierte‹ Forschung und erfaßten nicht das ›Wesentliche‹, so können diese auf ihre Genauigkeit und damit auf ihre wissenschaftliche Redlichkeit verweisen und den Soziologen ›Spekulationen‹, d. h. nicht genügend wirklichkeitsüberprüfte (empirische) Aussagen vorwerfen. Leider (?) ist die Position der Historiker hier recht stark: Die ... erwähnten, von der Soziologie aufzudeckenden ›tiefer wirkenden Kräfte‹ sind meist weder zu sehen noch in ihrer Zeit so schön dokumentiert wie der Anfang einer Schlacht und womöglich die Beschaffenheit des Schlachtfeldes.« (Dieter und Karin Claessens, Kapitalismus als Kultur, Düsseldorf/Köln 1973, 12)

Dieses übergeordnete methodische Problem des Geschichte-Soziologie-Dilemmas von »Wesen« bzw. »Struktur« und »Ereignis« kann nicht abstrakt gelöst werden, sondern stellt sich jeder Einzelarbeit in jeweils neuer Form. Es reicht aber nicht aus – was beispielsweise Ernst Nolte gemeint hat (»Zeitgeschichtsforschung und Zeitgeschichte«, VfZG, 18 [1970], 1–11) –, auf »ein paar glückliche (...) Griffe (...)« zu verweisen und darauf zu »hoffe(n)«, es gebe eine »Sorgfalt, die keine relevante Korrektur durch Einzelforschung zu befürchten braucht.« Dies ist eine vor-wissenschaftliche Verhaltensform, die methodischen Ansprüchen an Wissenschaft nicht genügt.

Anmerkungen zur Konkretisierung eines Kampfbegriffs

Faschismus ist kein »Universalfaschismus«, von dem Wilhelm Reich 1971 schreibt, er sei »die emotionelle Grundhaltung des autoritär-unterdrückten Menschen der maschinellen Zivilisation und ihrer mechanistisch-mystischen Lebensauffassung«. Eine derartige Begriffsbestimmung ist zu weitmaschig und unpräzis, um damit historisch und politisch gleichermaßen verwendbare Bestimungen vornehmen zu können. Gerade der inflationäre Gebrauch des Faschismus-Begriffs deutet darauf hin, daß es mit Kenntnissen über diesen Begriff nicht gut bestellt sein kann. Wenn der Begriff aber als politische Waffe nicht verschlissen werden soll, dann darf er nicht zur beliebig handelbaren Scheidemünze herabsinken, sondern muß ein mit Bedacht verwendeter Begriff und ein mit Absicht gesetztes Fanal sein.

»Lernen aus der Geschichte« heißt in diesem Zusammenhang: den Fehler der KPD bzw. Komintern erkennen, die – für die Endphase der Weimarer Republik – seit April 1927 den »Übergang, von der reaktionären Republik zur faschistischen Staatsform« anspricht und ab 1930 Begriffe wie »halbfaschistische Regierung«, »Regierung der faschistischen Diktatur in ihrem Anfangsstadium«, »Regierung der Durchführung« bzw. »Regierung zur Aufrichtung der faschistischen Diktatur« verwendet und die die Parole ausgibt: »Die bürgerliche Republik bekämpfen heißt den Faschismus bekämpfen« (»Rote Fahne« vom 8. 8. 1929).

Der Fehler besteht darin, daß die Trennschärfe des Faschismus-Begriffs aufgegeben wird. Sichtbares Resultat dieses Fehlers ist die Unfähigkeit, sich auf den tatsächlichen Faschismus einzustellen: Neben Ernst Thälmann, dem »Führer des deutschen Proletariats«, werden 1933 rund 100 000 Kommunisten (rund ein Viertel der Gesamtmitgliedschaft vom Jahresanfang 1933) und mehr als die Hälfte der ZK-Mitglieder, leitenden Bezirksfunktionäre und der führenden Funktionäre angeschlossener Organisationen verhaftet.

Wenn der Faschismus-Begriff nicht zum »Universalfaschismus« entspezifiziert werden soll, dann muß er – über die

Vorabklärung hinausgehend – weiter begrifflich konzentriert werden.

Dabei folgen die sechs Begriffs- und Arbeitsbereiche den obigen Überlegungen, sind also bemüht, subjektive und objektive Arbeitsperspektiven zu vermitteln. Nicht integriert ist die Problematik der Analyse des faschistischen Antisemitismus (diesbezüglich ist auch dieser Katalog traditionell).

1. Konstitutiv ist das Bündnis (die politische »Arbeitsteilung«) einer massenintegrativen »Newcomer«-Elite mit Teilen der traditionellen Macht- und Funktionseliten. Dieses Bündnis wird vom Gesichtspunkt der *kurzfristigen* Reproduktion des sozioökonomischen Systems bestimmt; wesentlich ist die schnelle Überwindung eines ansatzweise in der tiefgreifenden Krise bereits geschlagenen Kapitalismus (Stichwort: Dekapitalisierung/Vernichtung von fixem Kapital) intendiert. Wesentlich ist ferner, daß bürgerlich-politische Positionen und Krisenlösungsmodelle in der Zeit der Weltwirschaftskrise immer weniger in der Lage sind, Anhänger zu aktivieren und zu sammeln, daß also die NSDAP zur größten »bürgerlichen Partei« heranwächst. Zudem verspricht die NSDAP als einzige politische Bewegung eine Entschiedenheit, die der kurzfristigen Problemlösung entspricht.

2. Für den politischen Bereich ist die Parallelität von Partei- und Staatsapparaten charakteristisch. Dies führt dazu, daß der Faschismus an der Macht dem Kriterium bürgerlicher Staatlichkeit, der Berechenbarkeit und der Allgemeinverbindlichkeit von Gesetzen und politischen Maßnahmen, tendenziell nicht mehr entspricht. Sogar das staatliche Gewaltmonopol wird durch diese Verdoppelung durchbrochen und – im Bereich von Aktionen gegen politische Gegner – außer Kraft gesetzt.

3. Im ökonomischen Bereich ist die Produktion von absolutem Mehrwert – im Gegensatz zur Steigerung des relativen Mehrwerts durch Intensivierung der Arbeit und Anwachsen der Arbeitsproduktivität (Rationalisierung, technische Innovationen) – durch Verlängerung der Arbeitszeit und Verschärfung der Arbeitsbedingungen bei nicht gleichzeitiger Lohnerhöhung und versuchsweise repressiver Erhöhung der Arbeitsproduktivität (etwa durch Anwesenheit von Gestapo-

Beamten in Betrieben) charakteristisch. Durch die Charakterisierung von Faschismus im ökonomischen Bereich mit Hilfe des Begriffes der Produktion von absolutem Mehrwert soll lediglich eine Gewichtung der Methoden der Mehrwerterzeugung angezeigt werden. Diese Charakterisierung soll andeuten, daß entsprechende Verschiebungen bezüglich des Status der Lohnarbeit im Faschismus stattgefunden haben. Mit der Verwendung dieses Begriffsmomentes ist nicht daran gedacht, darauf hinzuweisen, daß Tendenzen der relativen Mehrwertproduktion im Faschismus an der Macht ganz ausgeschaltet worden sind, bzw. daß der Faschismus an der Macht keine Produktionsmodernisierungen und technologischen Innovationen zugelassen hat. Obwohl zu diesem Bereich im einzelnen Untersuchungen noch ausstehen (gegenwärtig liegen sie lediglich für Italien ansatzweise vor), ist es denkbar, daß derartige Modernisierungen durchaus stattgefunden haben (etwa im Bereich der deutschen Chemieindustrie), daß sich die einzelnen Faschismen – etwa Italien gegenüber Deutschland – diesbezüglich stark unterscheiden.

Die ökonomische Krise wird im Faschismus durch eine Rüstungskonjunktur überwunden. Insofern die politischen und gewerkschaftlichen Organisationen der Arbeiterklasse zerschlagen worden sind, können die Tariflöhne auch in der »Boom«-Phase auf dem tiefen Krisenstand eingefroren bleiben. Bei der Frage, ob das faschistische Herrschaftssystem noch als kapitalistisch bezeichnet werden kann, muß darauf hingewiesen werden, daß die unbestreibaren Eingriffe der faschistischen Exekutive in Produktion und Reproduktion in der Regel nicht von Punkten außerhalb des Kapitalverwertungsprozesses ansetzen. Vielmehr werden einzelne industrielle Positionen und einzelne ökonomische Parameter durch die faschistische Exekutivgewalt verabsolutiert. Dies gilt auch für das Einfrieren der Tariflöhne, die auf dem Stand festgehalten werden, den der Kapitalverwertungsprozeß in der Weltwirtschaftskrise markiert.

4. Im Bereich der Politikformen des Faschismus sind zwei Tendenzen als wesentliche herauszuheben:

Bürgerliche Freiheitsrechte, der bürgerliche Gesetzesbegriff (der Begriff des »allgemeinen Gesetzes«) und bürgerliche Partizipationsvorstellungen, so wie sie das Modell der repräsentativen parlamentarischen Demokratie prägen, werden (negativ) aufgehoben. Gegen jede Art von Opposition bzw. offen und öffentlich verweigerter Partizipation am Faschismus – insbesondere (aber nicht nur) gegen die Organisationen der Arbeiterbewegung – wird mit direkter »außerökonomischer Gewalt« politisch vorgegangen. Die terroristische Unterdrükkung oppositioneller Äußerungen wird zum Prinzip erhoben. Tendenziell wird dieses Prinzip sogar auf die Ausschaltung der Herausbildung von Personen und Individuen ausgeweitet.

Demokratie wird im Faschismus und von der faschistischen Bewegung auf ihre Ausdrucksmomente reduziert. Dies geschieht um den Preis der Aufgabe des Momentes der Beteiligung an Willensbildungs- und Entscheidungsprozessen. Demokratie wird nicht mehr als Selbstbestimmung, sondern primär als Akklamation verstanden.

Integration und Terror, Massenloyalität und Unterdrükkung sind beides zusammengenommen Charakteristika des Versuches, seitens des Faschismus einen geschichtlichen Fortschritt zu sistieren. Geschichte hat im Zustand des Faschismus ihr Ziel erreicht und kann nunmehr nur noch weiter ausgebildet werden (zu denken ist vor allem an die entsprechenden Vorstellungen Himmlers und der SS). Faschismus verdeutlicht das Auseinanderfallen von Momenten des gesellschaftlichen Fortschritts; Fortschritt wird allein als technische und technokratische Kategorie verstanden, während das Begriffsmoment des Fortschritts der Menschheit, der fortschreitenden Humanisierung aufgegeben wird.

5. Zentral ist im Faschismus die Existenz einer Massenbewegung und eines darin integrierten Terrororgans (bis 1934 ist dies die SA, danach sind es die Verbände der SS). Im Stadium des Faschismus an der Macht werden die innerparteilichen Friktionen, die sich auf den Konfliktebenen »Partei« – »Regime« – »Bewegung« und »Oligarchie« – »Mitglieder« artikulieren, gewaltsam zugunsten der Bündniskonstellation, der politischen »Arbeitsteilung«, von Oligarchie und traditionellen Eliten gelöst (Ausschaltung der »zweiten Revolution«, der Partialautonomie des Faschismus als »Bewegung« gegen-

über der »Partei«, dem »Regime« und der »Führungsspitze«).

6. Sozialpsychologisch stellt die faschistische Massenbewegung die Organisation »antikapitalistischer Sehnsüchte« dar. Vor allem handelt es sich um die Organisation eines politischen Sinndeutungsversuches »der« Jugend.

Im Engagement für die »Bewegung« des Faschismus und in der von den Mitgliedern praktizierten rigiden Ausschaltung oppositioneller Bestrebungen drücken sich heimliche, verkehrte und nicht begriffene sowie nicht bewußt verarbeitete Protestformen gegen die krisenhafte Entwicklung einer besonderen kapitalistisch-bürgerlichen Gesellschaft im Zustand der Weltwirtschaftskrise aus; Faschismus spiegelt in diesem Sinn die politische und ökonomische Legitimationskrise bürgerlich-kapitalistischer Staatlichkeit und Ökonomie wider. Daß diese »Stimmungen« nationalsozialistisch-faschistisch gewendet werden konnten bzw. gewendet worden sind, kann nur vor dem Hintergrund des Orientierungsangebotes anderer politischer Organisationen (vor allem aus dem Spektrum der bürgerlich-liberalen Parteien und der Arbeiterbewegung) sowie auch vor dem Hintergrund geschichtlich und sozialisatorischer Traditionen verstanden werden. Der unklaren faschistischen Protesthaltung entspricht die partielle Un- und Antibürgerlichkeit des Faschismus, der als Rückschritt hinter die sozialen, politischen, kulturellen und philosophischen Emanzipationsbestrebungen »der« bürgerlichen Gesellschaft bei gleichzeitiger Entfaltung der technischen Rationallität und Leistungsmotivationen anzeigt, daß in der Weimarer Republik die Emanzipationsbestrebungen nicht mehr Klassengut, sondern lediglich noch Besitz und Arbeit »liberaler Intellektueller« (vor allem auch jüdischer Intellektueller) gewesen sind, daß sie sich also schon von den Massen der Bürger »entfremdet« und distanziert gehabt haben.

Äußere Zeichen einer sozioökonomisch nicht strukturell durchgeführten »braunen Revolution« (D. Schoenbaum) – wie etwa die Gemeinsamkeit von Adeligen und Arbeitslosen in SA-Brigaden oder die Speisung minderbemittelter Parteigenossen am Tisch besser situierter »Volksgenossen«, die Straßensammlungen von Nazigrößen etwa für das Winterhilfswerk oder die Möglichkeit, einen Staatsmann (»Adolf«) mit seinem Vornamen anreden zu können –, solche Zeichen reichen aus, um den Eindruck zu vermitteln, der Faschismus existiere als »Bewegung« alltäglich und sei in der Lage, die Hoffnungen auf eine »gute« (bessere) »Gesellschaft« einzulösen. Der Erfolg dieser äußeren Zeichen signalisiert insbesondere die Integrationsdefizite der Weimarer Republik und der demokratischen politischen Kultur dieser Zeit.

Schlußbemerkung: Der tolerierte Faschismus und die nicht attraktive Demokratie – Das Arbeitsfeld der politischen Faschismusanalyse

»Was immer bei uns an gefühlsmäßigen Ausbrüchen des Nationalismus denkbar ist, was der normale deutsche Spießbürger am Stammtisch ... ergrimmt in seinen Bart brummt, hier [in der NSDAP, E. H.] ist es in politisches System gebracht, hier erscheinen die dumpfen Gefühle nationalistischer Wallungen, kristallklar geläutert zu politischer These, formuliert, bewiesen und erhärtet.«

(Carl Mierendorff 1931)

»Die Revolutionäre werden sich revolutionieren müssen.«

(Joachim Schumacher 1937)

Faschismus stellt eine extreme Variante inhaltlicher Demokratiefeindlichkeit dar, so daß jede Zurücknahme demokratischer Rechte Skepsis hervorrufen muß, auch wenn die fließende Schwelle hin zum Faschismus noch nicht überschritten ist. (Auch die Grenze von »partial« zum »full fascism« ist durchlässig.) Gerade weil der historische Faschismus in Deutschland eine Massenbewegung gewesen ist und bis 1945 nicht durch internen Widerstand gefährdet worden ist (anders als in Italien), gerade weil die »Menschheit ... nie ganz in der Gegenwart lebt« (S. Freud), sondern weil zur Gegenwart immer auch die Gegenwart von Vergangenem im Fortwirken von Strukturen und Bildern »objektiver« und »subjektiver« Art gehört, deshalb muß auf die Perspektive des Faschismus gesehen werden, um von diesem Extrempunkt her die mögliche Gefahr politischer Entwicklungstrends einzuschätzen.

Für den Faschismus gilt, daß er »die späteren Kulturauflagerungen« abgestreift und den »Urmenschen« wieder zum Vorschein gebracht hat (so Freud über den Ersten Weltkrieg), bzw., genauer, er hat deutlich gemacht, daß diese menschliche Vorgeschichte, so wie sie etwa in Hobbes' Bilder vom Naturzustand eingegangen ist, nicht vollständig und, vor allem, unwiderruflich überwunden ist. Als latentes Potential, als konkrete Möglichkeit muß sie unter bestimmten krisenhaften Bedingungen, die den Faschismus hervor- und an die Macht gebracht haben, mitgedacht werden. Dies um so mehr, als selbst liberale Konzepte in dieser Situation depravieren. So betont Freud 1932 gegenüber dem sich durchsetzenden Faschismus: »Die Menschenbestie braucht vor allem Bändigung«; was das Konzept einer Eliteherrschaft, eines »autoritären Staates« und einer »Vermeidungsdiktatur«, zum Schutz vor Faschismus, beinhalten kann. Diesem Konzept zufolge werden wesentliche Bestandteile des schutzwürdigen Gutes Demokratie zum Zwecke seiner Verteidigung selbst schon zurückgenommen.

Wird Faschismus als Signal der Gefährdung von Demokratie behandelt, so ist, nach den Erfahrungen mit dem historischen Faschismus, die Analyse von Entwicklungen aus der Perspektive ihrer Faschismusträchtigkeit legitim und sachlich geboten. Diese Sichtweise korrespondiert mit jener der »herrschenden Klasse«, der »Power Elite« in Industrie, Verwaltung und Politik, die gesellschaftliche Entwicklung aus der Position der Vermeidung von »Sozialismus« und, allgemeiner, systemgefährdender politischer und ökonomischer Krisen betrachtet. In diesem Sinn beginnen mit dem historischen Faschismus auch soziale Lernprozesse. Lernen setzt an dem Punkt an, daß die Kosten dieser Form der Herrschaft auch für herrschende Eliten hoch sind, so daß der Schwellenwert einer offiziellen Wahl faschistischer Mittel und einer Institutionalisierung des Faschismus heute »höher« liegen dürfte als im Italien des Jahres 1922 (»Marsch auf Rom«) oder 1932/33 im Deutschland der Weltwirtschaftskrise.

Demokratischer Widerstand gegen den Faschismus hat möglichst früh vor der »Machteinsetzung« zu beginnen, wenn er erfolgreich sein soll; Widerstand *nach* der »Machteinsetzung« schafft »Helden« und legitimiert politische Organisationen, ist jedoch nicht erfolgreich (wie in Deutschland) oder doch sehr »kostenintensiv« (wie in Italien). Diese Erfahrung des historischen Faschismus muß auch demokratische Lernprozesse auslösen. In diesem Sinn zählt weniger der Hinweis auf Strukturmomente »objektiver«, als vielmehr derjenige auf solche »subjektiver« Art. Weniger die sozialen und ökonomischen Verhältnisse im Kontext von »Kapitalismus«

und »Krise« machen die Anfälligkeit für Faschismus aus, als vielmehr die Muster ihrer Verarbeitung und handlungsorientierten Verwertung. Die Toleranz der »schweigenden Mehrheit« spielt für die »Machteinsetzung« eine wichtige Rolle. Weil die NSDAP bereits 1933 niemanden über ihre Motive und Durchsetzungpraktiken im Unklaren gelassen hat, muß man feststellen, daß diese »schweigende Mehrheit« gewußt hat, wozu sie schwieg; insofern stellt ihr Schweigen inhaltlich ein Partizipieren an der »Machteinsetzung« der NSDAP dar.

Der Erfolg des Faschismus und die allseitige Entfremdung im Kapitalismus

»Autoritärer Staat«, »Staatskapitalismus« und »autoritärer Persönlichkeitstypus« sind die Begriffe und Aufmerksamkeitsrichtungen, mit denen die »kritische Theorie« der faschistischen Totalität von Vermittlungszusammenhängen analytisch einen Ausdruck verleihen möchte. Greift man diesen Ansatz der »Frankfurter Schule« wieder auf, so ist es von großer Bedeutung, Kapitalismus nicht nur ökonomisch aufzufassen.

»Kapitalismus« ist derjenige wirtschaftliche, politische und kulturelle Handlungsrahmen, unter dessen Bedingungen auch diejenigen Individuen wie Gruppen aufwachsen und sich organisieren, die dieses Strukturprinzip des Austauschs von Kapital und Arbeit und der »Zurichtung« von Individuen und Klassen aufsprengen und endlich aufheben bzw. überwinden wollen. Vor allem produziert Kapitalismus Ideologie, also »verkehrtes Bewußtsein«, mit dem sich Individuen wie Gruppen –je nach Klassenlage – ihren Spruch auf die Tausch- und Arbeitsverhältnisse wie Verkehrsformeln machen, um deren Zwangscharakter mit ihrer Lebenswirklichkeit zu »versöhnen«. Eines dieser Produkte ist auch »der Faschismus«.

Faschismus als Massenbewegung setzt einen krisengeschüttelten Kapitalismus, eine sinnlich-massenhaft erfahrbare Krise, nicht-langfristig kalkulierende, auf Maximalprofite, nicht aber auf »sicheren Profit« setzende Machteliten und eine angesichts der Krise und des Extremismus faschisiert-kapitalistischer Krisenüberwindungskonzepte unterlegene Arbeiterbewegung voraus. Ohne ein »Versagen« der sozialistischen Kritik kann die von der NSDAP propagierte »Volksgemeinschaft« (als verkehrte Klassenkritik) nicht massenattraktiv werden. Die für Faschismus charakteristische Kritik der Zirkulationssphäre und sein Votum für die »Volksgemeinschaft« als neue soziale Verkehrsformen ohne vorhergehende Strukturänderungen – und dies beides macht Faschismus als Massenbewegung aus – setzt nicht nur das »Abwirtschaften« der bürgerlichen Mitte und Rechten und deren Verzicht auf Aufklärung und inhaltliche Rechtsstaatlichkeit, sondern auch die Glanzlosigkeit des auf sich selbst fixierten und anatagonistisch aufgespaltenen Arbeits»lagers« voraus.

Wilhelm Reich und Ernst Bloch haben dies geahnt; und zu Recht betituliert der pazifistische Linksintellektuelle Kurt Hiller eine 1932 erschienene Broschüre »Über Ursachen des nationalsozialistischen Erfolges«: »Selbstkritik links!« Hiller stellt fest:

»In einer Zeit, die, ihren objektiven Merkmalen nach, im Sinne des Sozialismus revolutionierender auf die Massen wirken müßte als jede andere vor ihr, optieren Millionen Proletarier gegen ihre Klasse, für die Reaktion... Wachsende Ausbeutung, Not, Verelendung scheinen doch wohl nicht mit Notwendigkeit Klassenkämpfer, Sozialisten, Kommunisten zu erzeugen. Neben dem Materiellen müssen doch wohl noch andere Momente willensbestimmende Kraft besitzen; und offenbar ist im angeblichen ›Oberbau‹ manches Unterbau! ... Die Krise also, anstatt eine im Sinne der proletarischen Befreiung, im Sinne des Sozialismus revolutionäre Situation geschaffen zu haben, hat die Gefahr heraufbeschworen, daß in Deutschland die Stunde eines Regimes anbricht, an dessen Barbarei gemessen, das faschistische Italien das Paradies auf Erden wäre.« (Hiller 1932, 3 f.)

Empirisch kann als Beleg auf die »Bolschewisierung« der KPD, auf die »negative Integration« und den »tolerierenden Legalismus« der SPD ebenso hingewiesen werden, wie insbesondere auf die 1929 bis 1931 durchgeführte sozialpsychologische Untersuchung von Arbeitern und Angestellten durch

Erich Fromm. Fromm (1980, 250) gelangt zu dem Ergebnis, nur eine kleine Gruppe von Sozialdemokraten und Kommunisten weise »eine absolut konsistent linke Position« auf und stimme folglich »sowohl im Denken als auch im Fühlen« mit der sozialistischen Linie überein. Die Arbeiterparteien haben also die Persönlichkeitsstruktur ihrer im Kapitalismus sozialisierten Mitglieder nicht radikal verändert und »sozialisiert«. Fromm (S. 252) zufolge gehören vor allem der KPD zahlreiche Mitglieder der von ihm als »rebellisch-autoritärer Typus« bezeichneten Charakteristik an. Dieser Persönlichkeitstypus lehnt sich nach dem ersten Weltkrieg gegen die abgewirtschafteten traditionellen Autoritäten in Politik und Wirtschaft auf. Fromm vermutete – gestützt auf seine Untersuchungsergebnisse – von solchen rebellisch-autoritären Charaktertypen:

»Die Linke war für sie vor allem deshalb attraktiv, weil sie den Kampf gegen eine bestehende Autorität repräsentierte, welche die allgemeine Not nicht linderte und sich unter den Angriffen von Gegnern als äußerst schwach erwies. Anderen Zielen, wie Glück, Freiheit und Gleichheit, standen sie jedoch gleichgültig gegenüber. Solange die linken Parteien die einzigen waren, die an ihre rebellischen Impulse appellierten, konnten sie mit einer begeisterten Unterstützung rechnen, denn es war leicht, die rebellisch-autoritären Typen davon zu überzeugen, daß eine Zerstörung des Kapitalismus und die Errichtung einer sozialistischen Gesellschaft notwendig sei. Eben hier setzte später auch die nationalsozialistische Propaganda an. Auch der Nationalsozialismus öffnete Ventile für rebellische Gefühle, mit dem Unterschied allerdings, daß die von ihm bekämpften Machtsymbole und Autoritäten die Weimarer Republik, das Finanzkapital und das Judentum waren. Gleichzeitig etablierte die neue Ideologie auch neue Autoritäten: die Partei, die rassische Gemeinschaft und den Führer, deren Stärke durch ihre Brutalität unterstrichen wurde. Auf diese Weise befriedigte die neue Ideologie zwei Bedürfnisse zugleich, die rebellischen Tendenzen und die latente Sehnsucht nach einer umfassenden Unterordnung.« (Fromm 1980, 249)

Nach dem politischen Sieg der NSDAP in ihrer politischen Arbeitsteilung mit maßgeblichen Teilen der traditionellen

Machteliten weisen Joachim Schumacher (1937) und Max Horkheimer (1940) nahezu wortgleich auf die Wirkung der nicht-radikalen Kritik hin. Selbst die »Feinde des autoritären Staats« können Freiheit nicht mehr denken (Horkheimer) und reflektieren die Bedingungen ihrer politischen Aktions- und Denkformen zu wenig. In den Notizen über den »autoritären Staat« bemerkt Horkheimer:

»Anpassung ist der Preis, den Individuen und Vereine zahlen müssen, um im Kapitalismus aufzublühen ... Ob Revolutionäre die Macht wie den Raub oder den Räuber ergreifen, zeigt sich erst im Verlauf. Anstatt am Ende in der Demokratie der Räte aufzugehen, kann die Gruppe sich als Obrigkeit festsetzen. Arbeit, Disziplin und Ordnung können die Republik retten und mit der Revolution aufräumen ... Die revolutionäre Bewegung spiegelt den Zustand, den sie angreift, negativ wider.« (Horkheimer 1981, 58 f.)

Diese Entfremdung der Revolutionäre von revolutionärer Radikalität, das Weiterexistieren des Status quo in den Zukunftsentwürfen der durch diese Gegenwart geprägten Parteien verbindet Joachim Schumacher in seiner Betrachtung der bürgerlichen Apokalypse und der »Angst vor dem Chaos« direkter mit dem Erfolg der NSDAP:

»Die Sozialisten (aller Parteien) kämpfen nach einer vorgegebenen Parteilinie, Generallinie genannt. Aber ein grundkapitalistisches Laster, und ein kampfwidriges dazu, ging unversehens in die eigene Kampfart ein. Etwas von dem, was sie kritisierten, tauchte in der eigenen Art zu kritisieren nochmals auf. Sagen wir es grade heraus: ein erschreckendes Stück Kaserne, Bürokratie und Bonzentum wurde vom Feind übernommen, und zwar so viel, daß Hitler nach der Niederlage der freiheitlichen Parteien genau dieses Stück zu sich zurückpfeifen konnte. Hitler konnte den Teil des deutschen Volkes gleichschalten, der auch vorher nur Befehle befolgte ...« (Schumacher 1978, 190)

Die Entstehung des Faschismus in Deutschland setzt neben maximalistisch optierenden Machteliten ohne humanistisch-demokratische Tradition ein Versagen der »eigentlichen« radikalen Sozialkritik seitens der Arbeiterbewegung voraus. Ohne dieses Zusammentreffen von »deutscher Sonderentwicklung«, was die Einübung refeudalisierter Verhaltensweisen seitens der Eliten betrifft, eines fehlenden »integralen Sozialismus« (O. Bauer) und mangelnder demokratischer bzw. sozialistischer Hegemonie wird der Aufstieg der NSDAP »von sieben Mann zum Volk«, also von 100 000 Mitgliedern 1928 zur knappen Million (Januar 1933) nicht verständlich. Erst die NS-Massenbewegung (mit rund 500 000 Mitgliedern 1932) avanciert zum politischen Machtfaktor, auf den als wählerstärkste »bürgerliche« Partei sich die politischen Reproduktionskonzepte von Teilen von Machteliten entscheidend einzustellen beginnen.

Faschismus muß primär politisch analysiert werden und fordert die »Selbstkritik links!« heraus, von der in der Endphase der Weimarer Republik einige Linksintellektuelle und die kleinen Splittergruppen am Rand der großen Arbeiterorganisationen folgenlos geredet haben. Um politisch ausstrahlen zu können, um z. B. also auf schwankende Wähler und orientierungslos-sinnsuchende Jugendliche einwirken zu können, bedürfen antifaschistische Positionen der Konsistenz von Alltag und Programm. Auf die negative Konsequenz der Dissonanzen einer abstrakt sozialistischen, lebensweltlich also nicht verankerten – d. h. nicht »vorgelebten« – Einstellung ohne Verhaltenspendant verweisen nicht nur Bloch, Fromm, Hiller und Reich, sondern auch kommunistische Agit-Prop-Gruppen.

Eine Strophe aus dem Lied »Proletarische Selbstkritik« der Gruppe »Sturmtrupp Alarm« soll auf diese Problematik und damit zugleich auf ein heute noch bedeutsames Arbeitsfeld hinweisen (Klassenbuch 3, 1972, 72 f.):

»Vier Treppen links im Hinterhause
als Oberhaupt und Haustyrann
herrscht der Familienvater Krause
und sieht sich seine Bude an:
um Haufen Nipps – der Schönheit wejen –
zwee Engel überm Ehebett

mit joldjestricktem Morjensejen
und eene Venus im Klosett.

Und neben Militärandenken
mit schönem, schwarzweißrotem Band
und Hochzeits- und Vereinsjeschenken
hängt einsam Lenin an der Wand.

Bloß wenn er an der Theke steht,
ist Krause Sozialist:
Da schwitzt er Klassenkämpfertum
und schimpft uff Bürgermist.
Sonst frißt er sich 'ne Plauze 'ran,
ist fromm und gottergeben ...
Doch's kommt nicht
auf die Schnauze an,
ihr müßt auch danach leben!«

Gerade an diesen Differenzen von Wort und Tat, Verhalten und Einstellung setzt die NSDAP an.

Neuere Untersuchungsergebnisse über NSDAP und SA (bes. Kater, Jamin) sowie über die Wahlerfolge der NSDAP (bes. Hänisch, Falter) bestätigen den im NS-Selbstverständnis als »Volksgemeinschaft« bezeichneten Sammlungscharakter der NS-Bewegung und -Partei. Über die für Deutschland traditionell bestimmenden Bruchlinien der Regionen, Konfessionen und Klassen versammelt die NSDAP bis 1933 zu viele Katholiken, Großstädter und Arbeiter, um zutreffend nur als eine evangelische Mittelschichtbewegung wenig urbanisierter Agrargebiete charakterisiert zu werden. Mit 850 000 bis zu 1 Million Mitglieder ist die NSDAP Anfang 1933 etwa gleich groß wie die SPD (950 000), bei weitem überragt sie die rund 300 000 KPD-Mitglieder oder die 200 000 Mitglieder des Zentrums (um von den »Honoratiorenparteien« des Bürgertums DVP, DNVP oder DDP/Staatspartei zu schweigen).

Gerade die Erfahrung des Faschismus verpflichtet Intellektuelle dazu, sich vom heftigen Schwenken roter Fahnen abzuwenden, um zu analysieren, wieso der Faschismus als offen propagierte und praktizierte Barbarei massenhaft aktive und tolerierende Anhänger gewinnen konnte. Es stellen sich die Fragen: Warum hat die bislang tiefste und umfassendste ökonomisch-soziale Krise, die Weltwirtschafts- und Weltagrarkrise, nicht zur sozialistischen Aufhebung der ursächlichen kapitalistischen Wirtschaftsordnung mitsamt der zugehörigen politischen Eliten geführt? Warum hat diese Krise in Deutschland eine politisch-ökonomische Arbeitsteilung von faschistischer Oligarchie und Teilen der taditionellen Eliten aus Industrie, Militär, Verwaltung, Justiz und Kultur/Bildung an die Macht gebracht?

Bei Beantwortung dieser Fragen ist von Anfang an mit Nachdruck auf die vermittelnde Bedeutung *politischer* Faktoren hingewiesen worden; denn dies ergibt sich aus einer vergleichenden Sichtweise, die die politischen Reaktionen im Deutschen Reich z. B. mit denen in den USA, Großbritannien und Frankreich vergleicht (Hennig 1983). (Die Bedeutung politischer Faktoren gilt aber auch für die auf den Faschisierungsprozeß reagierenden Arbeiterparteien; ein Vergleich der deutschen Arbeiterbewegung z. B. mit derjenigen in Österreich, Frankreich und Skandinavien veranschaulicht dies.)

Die Entstehung des Faschismus in Deutschland muß primär *politisch* analysiert und begriffen werden. Demzufolge bedarf vordringlich die breite *Toleranz* gegenüber der NSDAP als Teil eines politisch-arbeitsteiligen Systems der Ausübung politischer Macht und sozialer Herrschaft auf Grundlage antidemokratischer und terroristischer Meinungen und Verhaltensweisen weiterer Erklärung.

Die bürgerliche Distanz und die letztendliche Wertschätzung der Machteliten gegenüber dem Nationalsozialismus verdeutlichen eine 1932 geschriebene Charakterisierung durch einen Frankfurter Hochschullehrer, den Germanisten Max Kommerell:

»Den ersten Band Hitler: ›Mein Kampf‹ las ich. Borniert, bäurisch-ungeschlacht, aber in den Instinkten vielfach gesund und richtig. Die Leistungen nötigen zum Respekt und in unserem breiigen Zeitalter ist so eine Faust immerhin eine Wohltat«. (N. G. Stuchlik, Goethe im Braunhemd, Frankfurt 1984, 60)

Eine »Wohltat« ist die faschistische Faust vor allem deshalb, weil sie den agrarisch-militärisch-»bürgerlichen« Eliten und den Anhängern entsprechender Werte die Drecksarbeit des Klassenkampfes abnimmt und die Maxime: »Zerstampft den Kommunismus! Zerschmettert die Sozialdemokratie!« (Plakat der NSDAP zur Reichstagswahl am 5. März 1933) praktisch einlöst.

Die NSDAP verkündet öffentlich ihren Illiberalismus, antidemokratisches Denken und Gewaltsamkeit, verhöhnt das rechtsstaatliche Legalitätsprinzip und telegrafiert durch Hitler z. B. an die zum Tode verurteilten Mörder von Potempa (August 1932): »Angesichts dieses ungeheuerlichen Bluturteils fühle ich mich mit Euch in unbegrenzter Treue verbunden. Euere Freiheit ist von diesem Augenblick an eine Frage unserer Ehre. Der Kampf gegen eine Regierung, unter der dieses (i. e. das Todesurteil) möglich war, unsere Pflicht!« (Zur Erinnerung: Im oberschlesischen Potempa überfallen vier SA-Angehörige einen kommunistischen Bergarbeiter und trampeln ihn – in Anwesenheit seiner Mutter und seines Bruders – zu Tode.) Aber der NSDAP wird dennoch weitgehend Legalität zugebilligt.

Bei seinem Legalitätseid vor dem Reichsgericht verkündet Hitler im September 1930, daß dann »möglicherweise legal einige Köpfe rollen« werden, nachdem er »legal zur Macht« gekommen sei. Dieser für die Bündnispartner in den traditionellen Eliten so bedeutende Legalitätseid (»vor Gott dem Allmächtigen«) beendet öffentlichkeitswirksam die putschistische Frühphase der NSDAP (1923). Bemerkenswert für den Gleichklang von NSDAP und Teilen der Eliten ist folgender Dialogausschnitt zwischen Hitler und dem Gerichtsvorsitzenden, der auf ein beiderseitig akzeptiertes inhaltsleer-formalisiertes Legalitätsverständnis hinweist:
»Hitler: Die Verfasung schreibt nur den Boden des Kampfes vor, nicht aber das Ziel. Wir treten in die gesetzlichen Körperschaften ein und werden auf diese Weise unsere Partei zum ausschlaggebenden Faktor machen. Wir werden dann allerdings, wenn wir die verfassungsmäßigen Rechte besitzen, den Staat in die Form gießen, die wir als die richtige ansehen. Vorsitzender: Also nur auf verfassungsmäßigem Wege? Hitler: Jawohl.«

Vorliegende Denkschriften des Reichs- und preußischen Innenministeriums, die die Haltlosigkeit dieser Legalitätsbeteuerung klar beschreiben (Kempner), werden als Beweismittel gegen die Legalitätsbeteuerungen der NSDAP nicht anerkannt, ebenso wie 1932 Reichskanzler Brüning und 1933 Reichspräsident Hindenburg auf weitere derartige Denkschriften seitens der preußischen Polizei, des »Centralvereins deutscher Staatsbürger jüdischen Glaubens«, der SPD und der Gewerkschaften nicht reagiert haben.

Aber: wahrheitsgetreu kann niemand behaupten, er habe nichts gewußt. Details des NS-Terrors bleiben sicherlich in Folterkellern und KZs verborgen, warum aber im Berliner Columbia Haus eine Häftlingskapelle aufspielte – um nämlich die Schreie der Gefolterten zu übertönen, so daß sie von Passanten der vorbeiführenden Straße nicht gehört werden –, dies ist allgemein bekannt. In Wuppertal und Kassel werden sogar staatliche Polizeiorgane tätig, um im Frühjahr 1933 die schlimmsten Spitzen des ungezügelten SA-Terrors abzubiegen, um also den illegalen *öffentlichen* Terror in geordnete Repression, in eine staatsförmige Gewaltpraxis umzuformen. Dagegen, also gegen die Teilhabe der NSDAP am staatlichen Gewaltmonopol, richtet sich kaum mehr Unmut, ebenso wie es sich offensichtlich nicht negativ auf das Wahlverhalten auswirkt, wenn Göring im März 1933 inhaltlich Klartext redet:

»Ich danke meinem Schöpfer, daß ich nicht weiß, was objektiv ist. Ich bin subjektiv. Ich stehe einzig und allein zu meinem Volke, alles andere lehne ich ab. Wenn sie sagen, die Bevölkerung ist in furchtbarer Erregung, weil jüdische Warenhäuser vorübergehend geschlossen waren, so frage ich: Ist es nicht natürlich, wenn wir Deutschen endlich erklären: Kauft nicht bei Juden, sondern beim deutschen Volk. Ich werde die Polizei rücksichtslos einsetzen, wo man das deutsche Volk zu schädigen weiß.«

Und in Frankfurt deklamiert Göring am 3. März 1933 (betraut mit den Geschäften des preußischen Innenministers und somit zuständig für die Polizei):

»Volksgenossen, meine Maßnahmen werden nicht angekränkelt sein durch irgendwelche juristischen Bedenken ... Hier habe ich keine Gerechtigkeit zu üben, hier habe ich nur zu vernichten und auszurotten, weiter nichts! Dieser Kampf, Volksgenossen, wird ein Kampf gegen das Chaos sein, und solch einen Kampf führe ich nicht mit polizeilichen Machtmitteln. Das mag ein bürgerlicher Staat getan haben. Gewiß, ich werde die staatlichen und polizeilichen Machtmittel bis zum äußersten auch dazu benutzen, meine Herren Kommunisten, damit sie hier nicht falsche Schlüsse ziehen, aber den Todeskampf, in dem ich euch die Faust in den Nacken setze, führe ich mit denen da unten, das sind die Braunhemden.«

In der Realität wird der von Göring beschriebene Radikalismus der Frühphase der NS-Machtergreifung (bis Sommer 1933) beschnitten zum Nebeneinander von *Normenstaat* – z. B. vom weiter geltenden BGB – und *politischen Maßnahmestaat*, der *alle* Oppositionellen ausgrenzt, und der die repressive Gewalt aus rechtsstaatlicher Legalität herausnimmt und lediglich NS-intern kodifizierten Verfolgungs- und Unterdrückungsordnungen unterstellt (Fraenkel). Diese Doppelstaatlichkeit partiell gültiger bürgerlicher Vertragsrechte und der gegen Oppositionelle gerichteten Maßnahmegewalt ist ein zentrales staatspolitisches Funktionsprinzip, innerhalb dessen die politische Arbeitsteilung von traditionellen Machteliten und NS-Oligarchie praktiziert werden kann.

Die staatsterroristische *Qualität* dieses politischen Machtkompromisses ist allgemein bekannt (nicht nur in Widerstandskreisen!).

Der Massenanhang der NSDAP toleriert auch vor 1933 wissentlich die antidemokratischen und aggressiven Prinzipien der NSDAP. Nationalsozialistische Gewalt gegen den freiheitlichen Gebrauch von Menschen- und Bürgerrechten sowie gegen politische Opposition wird bewußt öffentlich propagiert und dient als Nachweis nationalsozialistischer Entschiedenheit bei Überwindung der Krise »des Systems«, und in dieser Eigenschaft tragen gerade der »Kampf um die Straße« und die vorgestellte »Volksgemeinschaft« einer »Propaganda der Tat« erheblich zur *diffusen* Unterstützung der NSDAP bei.

Die schwachen republikanischen Restbestände des Bürgertums (Staatspartei und Teile des politischen Katholizismus) und die legalistisch tolerierende und abwartende Sozialdemokratie können dieses Meinungsklima profaschistischer Toleranz und aggressiver politischer Partizipation ebensowenig aufbrechen oder gar umkehren wie die auf ein »Rätedeutschland« nach sowjetisch-russischem Vorbild eingeschworene, vom Führer des »deutschen Proletariats« Ernst Thälmann geleitete »bolschewisierte« KPD.

Nach Ansicht von Vertretern der NS-Oligarchie ergeben sich die an den Wahlergebnissen von 1930 bis 1933 ablesbare diffuse Massenzustimmung zur NS-Bewegung und diese kalkulierte, von *kurzfristigen* Interessen der Profitmaximierung und der Beendigung drohender Dekapitalisierungsprozesse diktierte politische Kooperation mit den besonders krisengefährdeten Teilen der traditionellen Eliten aus der Einschätzung der politisch-sozialen Reproduktionsbedingungen einer bürgerlichen Werte- und Eigentumsordnung.

Goebbels z. B. weist 1931 in Offenbach darauf hin, daß die NSDAP angesichts der Notlage den Radikalismus des Volkes organisiere (Offenbacher Zeitung vom 16. 11. 1931). Ohne die NSDAP, so Goebbels, würde der Bolschewismus bereits herrschen, weswegen Bürgertum und Regierung der NSDAP dankbar sein müßten. Die vielfach mit antikapitalistischem Zungenschlag vorgetragene und gleichermaßen auch gegen sozialdemokratisch-gewerkschaftliche »Bonzen« gerichtete Kritik am »Spießertum« weiter Teile der Gesellschaft hat in dem von Goebbels bechriebenen Wahrnehmungsmuster ebenso ihren Ursprung wie der Kampf um den von der KPD verführten »deutschen Arbeiter« (gerade wenn er kämpft), der als fehlgeleiteter Idealist von der kommunistischen Organisation und den Funktionären entfremdet werden soll.

Im Januar 1932 wiederholte Hitler vor dem Düsseldorfer Industrieklub das hier über Goebbbels eingeführte Motiv:

»Wenn wir nicht wären, gäbe es heute in Deutschland kein Bürgertum mehr.« (Die als Broschüre von einem NS-Verlag publizierte Rede verzeichnet an dieser Stelle den Zwischenruf: »Sehr richtig!«)

Hitler vertieft dieses Argument und greift dabei auch bürgerliche Unmutsäußerungen über die Gewaltpraxis der jugendlichen SA-Aktivisten auf:

»Ich weiß sehr wohl, meine Herren, wenn Nationalsozialisten durch die Straßen marschieren, und es gibt plötzlich abends Tumult und Radau, dann zieht der Bürger den Vorhang zurück, sieht hinaus und sagt: ›Schon wieder bin ich in meiner Nachtruhe gestört und kann nicht schlafen. Warum müssen die Nazis denn auch immer provozieren und nachts herumlaufen?‹ Meine Herren, wenn alle so denken würden, dann wäre die Nachtruhe allerdings nicht gestört, aber dann würde auch der Bürger heute nicht mehr auf die Straße gehen können. Wenn alle so denken würden, wenn diese jungen Leute kein Ideal hätten, das sie bewegt und vorwärts treibt, dann allerdings würden sie diese nächtlichen Kämpfe gern entbehren. Aber vergessen Sie nicht, daß es Opfer sind, wenn heute viele Hunderttausende von SA- und SS-Männern der nationalsozialistischen Bewegung jeden Tag auf den Lastwagen steigen, Versammlungen schützen, Märsche machen müssen, Nacht um Nacht opfern, um beim Morgengrauen zurückzukommen – entweder wieder zur Werkstatt und in die Fabrik, oder aber als Arbeitslose die paar Stempelgroschen entgegenzunehmen; wenn sie von dem wenigen, das sie besitzen, sich außerdem noch ihre Uniform kaufen, ihr Hemd, ihre Abzeichen, ja wenn sie ihre Fahrten selbst bezahlen – glauben Sie mir, darin liegt schon die Kraft eines Ideals, eines großen Ideals.«

Die zitierten Ausführungen Hitlers 1932 vor dem Industrieklub verdeutlichen ein wichtiges Strukturprinzip der *politischen* Arbeitsteilung von Machteliten und NS-Oligarchie:

Die Reproduktion der kapitalistischen Ökonomie (d. h. die kurzfristige Überwindung der Krise durch Rüstungskonjunktur und Militarisierung) korreliert mit dem opferbereiten Idealismus des NS-Massenanhangs, der jene Verkehrung des Interessenbewußtseins akzeptiert, derzufolge es den »kleinen Leuten« dann »gut« gehe, wenn »die Nation« international akzeptiert werde und »die Industrie« floriere. – Ein Motiv, an dessen *abstrakten* Gehalt auch das Projekt »nationale Identität« anknüpft.

Intention oder Funktion: Das Grenzproblem faschistischer Antisemitismus

Bislang ist faschistische Gewalt (sei es die »power« des Maßnahmestaates« oder die »violence« der NS-Bewegungselemente vor 1933 bzw. danach der nebenstaatlichen Parteiapparate) allein aus der Perspektive der kapitalistischen Konstellation »Klasse gegen Klasse« und der pro-kapitalistischen Ratio einer Krisenüberwindung betrachtet worden. Diese Perspektive trifft den faschistischen Antisemitismus jedoch nur am Rande, wenn sich nämlich die Existenz als Jude mit weiteren vom Faschismus angefeindeten Merkmalen überschneidet; in letzter Konsequenz charakterisiert diese Ratio der Gewalt den radikalen nationalsozialistischen Antisemitismus nicht.

Die Gewaltpraxis des faschistischen Antisemitismus ist klassenüberschreitend: Es werden jüdische Mitglieder und Funktionäre der Arbeiterparteien und jüdische Geschäftsführer von Industrieverbänden »ausgeschaltet«; das »Gesetz zur Wiederherstellung des Berufsbeamtentums« (7. 4. 1933) veranlaßt u. a., Beamte »nicht arischer Abstammung« in den Ruhestand zu versetzen bzw. zu entlassen, um – so die Zielvorgabe dieses Gesetzes – ein »nationales Berufsbeamtentum« wiederherzustellen; am 1. 4. 1933 werden die jüdischen Geschäfte, Arzt- und Anwaltspraxen boykottiert (diesen ersten Boykott organisiert das »Zentralkomitee der NSDAP zur Abwehr der jüdischen Greuel- und Boykotthetze«, dem Julius Streicher vorsteht; der Boykott – so Hitler – richtet sich »gegen das Judentum in Deutschland« und erfolgt, weil das »Deutschland der nationalen Revolution« nicht mehr das »Deutschland einer feigen Bürgerlichkeit« ist). Bereits 1933 werden Juden *als Juden* – d. h. wegen ihrer Rasse – in Schutzhaft genommen und in Konzentrationslager verschleppt (zumindest für das KZ Osthofen ist dies nachweisbar).

Die antisemitische Gewalt ist ein *besonderer* Teil der »dekadenten Grausamkeit«, wodurch Emigranten (R. Hilferding) bereits im Mai 1933 das NS-Regime charakterisieren. Die klassenübergreifende Gewalt ist Indiz dafür, daß der Antisemitismus in der Klassenfunktion des Faschismus nicht aufgeht (auch als »Arisierung« ist er nicht erklärbar). Gleichzeitig ist der umfassende Charakter der antisemitischen Gewalt Ausdruck dafür, daß dem Antisemitismus eine aufs Ganze des deutschen Faschismus zielende »Funktion« zufällt, die der ideologischen Stabilisierung der »Volksgemeinschaft« dient. Funktional ist der Antisemitismus – im Gegensatz zu den antiproletarischen und antioppositionellen Gewaltmaßnahmen – nicht zu erklären. Ökonomische und internationalpolitische Gründe zeigen, daß er disfunktional wirkt, dennoch aber wird er bewußt ausgeführt. In diesem Sinn ist Auschwitz als »Extremfall« (noch) ein »Niemandsland des Verstehens« (Diner 1987, 73). Dieser Zuordnungspunkt zeigt auf, daß Faschismus als System mit den Kategorien eines Modells rationaler Herrschaft, der Interessen und der Minimierung von Reibungsverlusten bei der Duchsetzung von Zielen der Machtapparate und maßgeblichen Eliten umfassend nicht zu begreifen ist. Auschwitz ist keine »bloß graduelle Zunahme des Grauens«:

»Was die Deutschen begangen haben, entzieht sich dem Verständnis, zumal dem psychologischen, wie denn in der Tat die Greuel mehr als planvoll-blinde und entfremdete Schreckmaßnahmen verübt zu sein scheinen denn als spontane Befriedigung. Nach den Berichten der Zeugen ward lustlos gefoltert, lustlos gemordet und darum vielleicht gerade so über alles Maß hinaus. Dennoch sieht das Bewußtsein, das dem Unsagbaren standhalten möchte, immer wieder auf den Versuch zu begreifen sich zurückgeworfen, wenn es nicht subjektiv dem Wahnsinn verfallen will, der objektiv herrscht«, so formuliert Theodor W. Adorno (Minima Moralia, Frankfurt 1951, 131, 315) bereits 1945 das Dilemma, dem sich der Intellektuelle gegenübersieht, der Faschismus analysieren will. Aus dieser dilemmatischen Perspektive ergibt sich die Paradoxie, daß Einzelinformationen und Bewertung immer mehr auseinanderfallen. Saul Friedländer zitiert diesbezüglich den Faschismus-Historiker Gilbert Allardyce: »Unser Wissen darüber, was in Auschwitz geschah, ist enorm gewachsen, aber nicht unser Verstehen« (Diner 1987, 49; Mommsen 1983).

Die *Kluft zwischen Einzelpunktforschung und Gesamtbe-*

wertung ist heute die maßgebliche Problematik des faschismusanalytischen Kenntnisstandes *und* der Deutung seines Ortes in der deutschen Geschichte. Der »Historikerstreit« ist gekennzeichnet durch einen Überschuß an Interpretations*willen* zu Lasten der gesammelten Kenntnisse über die Ambivalenz und über die (noch) nicht verständlichen, gleichwohl aber als zentral erkannten Probleme (wie Form und Ausmaß der politischen Gewalt sowie den totalen Antisemitismus) des Nationalsozialismus. Intellektuelle Verpflichtung ist es, die Spannung zwischen »empirischer« und »philosophischer« Geschichtsschreibung auszuhalten (also nicht vorschnell aufzuheben) und transparent darzustellen, so daß ein öffentlicher Disput über die leitenden Bewertungsgesichtspunkte geführt werden kann.

Schwammige Formeln wie (als Beispiel seien Zitate angeführt aus den Protokollen einer sog. »historischen Begegnung« von BRD (SPD)- und DDR (SED)-Historikern zur Frage der »Erben deutscher Geschichte«) Mitteleuropa »als Instrument. . .der Entspannungspolitik« (P. Glotz), die »ganze Geschichte« (W. Schmidt) und die ohne Angabe von Kontroll- und Vollzugsorganen belanglose Forderung, »daß die Deutschen, wie auch immer sie sich nach dem Kriege unter den Bedingungen äußerer und innerer Orientierung entwikkelt haben, aus der Verantwortung für die Hinterlassenschaft des Hitlerschen Imperialismus nicht entlassen werden« (R. v. Thadden), halten der dilemmatischen Ausgangsposition und intellektuellen Anforderung nicht stand.

Auch die Beschwörung einer »letztlich atavistische(n) Struktur des NS-Herrschaftssystems« (Mommsen 1983, 420; sehr ähnlich Hillgruber 1986, 98 f.) ist ein Fluchtversuch. Hans Mommsen (1983) weist auf die Grenzen der Kategorien des Modells rationale Herrschaft hin (zu Recht), betont die »perfekte Improvisation« des plan- und programmlosen Selbstlaufs der Judenvernichtung (S. 399, 400 f., 416 ff.). Er erklärt aber nicht, warum diese begrenzten Hinweise »letztlich« einen abschließend-umfassend präsentierten Begriff, eben den Atavismus, rechtfertigen.

Hiergegen richtet sich die Kritik von Susanne Heim und Götz Aly (1987), für die sich die »Ökonomie der Endlösung«

der rationalen Einsicht und Interessendurchsetzung nicht entzieht. Völkermord wird dargestellt als »eine Form, die soziale Frage zu lösen« (S. 15 f.), Massentötung als »eine Form von indirekter Kapitalamortisation« (S. 83). Allerdings ist auch diese Diskussion eines Rationalisierungskonzepts durch Vernichtung – also die Projektion eines marxistischen Krisenbegriffs der politischen Ökonomie auf die Logik der politischen Geschichte der nationalsozialistischen Vernichtungspolitik – nicht umfassend begründet. Zwar wird die Atavismus-Formel korrigiert und bedarf mit Blick auf die (auch von Andres Hillgruber [1986, 97 f.] hervorgehobenen) Planungsstäbe und technischen Apparate zumindest der ergänzenden begrifflichen Charakterisierung, aber Heim und Aly trennen die Vernichtungsrealität von den Vernichtungsplänen (S. 14) und zeichnen die Logik der Planungsstäbe nach. Die Durchführungsrealität wird an Beispielen aus Polen und Südosteuropa illustriert (S. 30 ff., 36 ff., 45 ff.). Gilt dies auch für West- und Nordeuropa sowie für das Deutsche Reich?

Ein wissenschaftspolitischer Ausblick

Dieser Hinweis auf die Kontroverse zwischen Intentionalismus und Handlungspragmatik entlang einer leitenden Idee, nämlich des Hitlerschen Judenhasses und des »wissenschaftlichen Antisemitismus« (den Hitler fordert und Himmler/Heydrich realisieren) mag illustrieren (Kulka 1985, 625 ff., 640), wie eine forschungsgesättigte Kontroverse zur Interpretation von Einzeltatsachen und Forschungstraditionen aussehen kann. (Die Forschungsarbeit von Susanne Heim und Götz Aly zeigt aber, daß es auch 1987/88 immer noch Tatsachen gibt, die weiterer Untersuchung bedürfen.)

Nach Allardyce kann als Maxime ein Forschungsauftrag vorgetragen werden: Das Wissen muß vermehrt werden; das Verstehen (im Spielraum der Begriffe Atavismus und rationaler Vernichtungsprozeß) ist durch *sachbezogene* Kontroversen zu entwickeln.

Die Positionen des Hinweises auf GULag bzw. des Vergleichs mit allgemein-tyrannischen Versuchungen/Versuchen menschlicher Hybris oder Wolfsnatur stellen demgegenüber unfruchtbare Ablenkungen von Forschungs- und Interpretationsaufgaben dar.

Wird in diesem doppelten Forschungsauftrag die wissenschaftliche Verpflichtung gesehen, so wird die politisch-kulturelle Aufgabe darin gesehen, solche maximalistischen Formen wie »Nie wieder Krieg! Nie wieder Faschismus!« kritisch als Abschottung gegenüber der tatsächlich geforderten Handlungspragmatik zu reflektieren.

Gegenüber dieser bis 1987/88 historisch nicht eingelösten Utopie aus dem Widerstand – »Ein neues Deutschland muß erstehen ... Der Nationalsozialismus und seine Lügen müssen mit Stumpf und Stiel ausgerottet werden, damit wir die Achtung vor uns selbst zurückgewinnen und der deutsche Name wieder ehrlich wird in der Welt« (C. Mierendorff 1943) – erscheint es politisch-analytisch hilfreicher, Rechtsextremismus/Faschismus als »›normale‹ Pathologie industrieller Gesellschaften« (Scheuch/Klingemann) zu begreifen und politisch-sozial einzudämmen.

Damit ist nicht gesagt, die Position der Aufklärung und des Prinzips Hoffnung aufzugeben. Schon gar nicht bedeutet die Anerkennung des extrem-rechten Protests als »normale Pathologie«, diesen zu akzeptieren. Vielmehr geht es um eine Optik der Mikroaufnahmen gegenüber der grandiosen Totale visionär-utopischer Faschismusbetrachtungen. Es geht auch um die entsprechende Taktik der kleinen Schritte und der zahlreichen Verhaltensweisen und Handlungsmöglichkeiten bei der alltäglichen Präsentation von Demokratie und beim Konflikt mit Rechtsextremisten.

Entscheidend ist nicht die maximalistische Vision einer Welt ohne Krieg und Verbrechen, sondern der analytische Blick auf normative wie institutionelle, auf kulturelle wie sozialisatorische Schwachstellen, an deren Rändern Krisenerfahrungen in die Bereitschaft zur Partizipation einer Minderheit in rechtsextreme Organisationen einmünden sowie als Planung autoritärer Krisenpolitik sich kristallisieren.

In diesem Konzept sind universalistische Verfassungsprinzipien wesentlich; sie sind ein bedeutsames demokratisches Kulturdenkmal, dessen Konservierung als »Kampf um Verfassungspositionen« gedacht wird. Die geforderte Handlungspragmatik ist aber auf gar keinen Fall dagegen geschützt, sich anzupassen und gegenüber der autoritären Reichweite neokonservativer Politik zu kurz zu greifen. Der Aufruf zum »Verfassungspatriotismus« und zur Teilhabe an einem entspannungsförderlichen Mitteleuropakonzept werden als Mahnung vor einer halbherzigen politischen Kritik des »Historikerstreits«, der neokonservativen Geschichtspolitik und insbesondere der Positionen und Begriffe von Michael Stürmer und Hans-Peter Schwarz aufgefaßt.

Mehr wäre besser!

(Abschluß des Manuskripts am 15. 2. 1988)

Anhang

Randnoten

Der »Faschismus-Komplex«

Die Geschichte der politischen Verwendung und der politisch-kulturellen Wirkung der Begriffe »Faschismus« und »Antifaschismus« muß noch geschrieben werden. Die folgenden knappen Hinweise sollen die enge Verquickung von wissenschaftlichen *und* politischen Argumenten bei Verwendung oder Ablehnung dieser »Kampfbegriffe« verdeutlichen und auf einen solcherart begriffsgeschichtlichen Vorlauf des »Historikerstreits« hinweisen.

In dem Maße, wie die »Epoche des Faschismus« 1945 abgebrochen wird, die Kontinuitätsfrage nach der Staats- oder Demokratiegründung ab 1945 aufgehoben und die »Sonderweg«-Diskussion zurückgewiesen wird, wird auch der Begriff »Antifaschismus« als notwendige Folge kritischer Faschismusanalyse zurückgewiesen. (Vgl. die Kolloquien des Instituts für Zeitgeschichte: »Totalitarismus und Faschismus«, 1980, »Deutscher Sonderweg: Mythos oder Realität?«, 1982) Der Begriff »Antifaschismus« wird zum Stigma sowjet-marxistischer Orthodoxie; von dieser Gegenposition aus wird hervorgehoben, »daß, wer die Notwendigkeit des Antifaschismus für die Gegenwart leugnet, als Demokrat unglaubwürdig wird« (K. Gossweiler, Aufsätze zum Faschismus, Berlin 1986, 658).

Gestützt auf Nolte (1963) und besonders auf die Neuentdeckung von »Klassikern« kommunistischer und sozialdemokratischer Randgruppen der Weimarer Republik betreibt in der zweiten Hälfte der 60er Jahre die »neue Linke« eine »Faschismus-Theorie in antifaschistischer Perspektive« (Haug 1974), deren Ergebnisse vor allem zur Kritik der Notstandsgesetze herangezogen werden. Der Zusammenhang von »Faschismus und Kapitalismus« wird behandelt und für die Bundesrepublik konstatiert (vgl. die gleichnamige Sammlung mit Beiträgen u. a. von Thalheimer, Rosenberg und O. Bauer, die Wolfgang Abendroth 1967 herausgegeben hat). Aus dieser

Sicht werden auch die »staatsfaschistischen Tendenzen« (M. Clemenz) der Gegenwart kritisiert.

Gegen die universalistische Entkonkretisierung dieser Verbindung von Faschismus und »moderner Gesellschaft« (A. Kuhn) richtet sich zunächst die immanente Kritik von Helga Grebing (Aktuelle Theorien über Faschismus und Konservatismus, Stuttgart u. a. 1964). Grebing wendet sich gegen das Defizit an Sozialgeschichte in den aktuellen Faschismustheorien, hält aber am Begriff und an dessen kritischer Gegenwartsbedeutung fest. (Vgl. auch den Überblick durch W. Wippermann, Faschismustheorien, Darmstadt 1972) In der zweiten Hälfte der 70er Jahre, nach »Zerfall« von APO und »neuer Linker«, wird diese Kritik am allgemeinen Faschismusbegriff verschärft. Faschismus bezeichnet nurmehr den italienischen Faschismus (vgl. das Institut für Zeitgeschichte-Kolloquium: »Der italienische Faschismus«, 1983). Das Thema ›Faschismusanalyse‹ wird wieder von der Zeitgeschichte in Besitz genommen. Karl Dietrich Brachers »zeitgeschichtliche Kontroversen« (1976) sind maßgeblich für diese Kritik des Faschismusbegriffs. Nicht nur daß er dessen Empiriedefizit moniert, so weist Bracher (S. 17) auch »die Renaissance des Faschismusbegriffs im Sinne eines sozialistischen Kampfbegriffes« zurück. (Bracher selbst (1987a) hält allerdings am Totalitarismus*begriff* fest und beteiligt sich nicht am »Historikerstreit« und an der Suche nach »nationaler Identität«. Vgl. FAZ Nr. 182, 9. 8. 1986) Brachers Kritik bestimmt die herrschende Sichtweise (vgl. H. A. Winkler, Revolution, Staat, Faschismus, Göttingen 1978, 65 ff., bes. 117).

Diese Zurückdrängung des Faschismusbegriffs führt zum Auseinanderfallen von bundesrepublikanischer Zeitgeschichtsforschung und der internationalen sozialwissenschaftlichen und sozialgeschichtlichen Faschismusanalyse in komparativer Absicht (vgl. Linz 1979; Merkl 1980). Teilweise verfolgt diese vergleichende Forschung bereits die historisierende Frage nach »The Place of Fascism in European History« (Titel eines von G. Allardyce herausgegebenen Sammelbandes, 1971).

Auch von dieser analytischen Perspektive aus wird schließlich die unzureichende Konsistenz des Faschismusbegriffs kritisiert (Allardyce 1979) – eine Kritik, die in einen Vorschlag zur Historisierung des Themas einmündet. Faschismus sei kein Systembegriff (dazu auch De Felice 1977), keine Ideologie und bezeichne keinen Persönlichkeitstyp: »fascism must become recognized as merely a word, within this limited period as well ...« (Allardyce 1979, 388). Dieser politisch-abstinente vergleichende historische Zugriff bestimmt vor allem die Analyse von Wahlen und Mitgiedern faschistischer Parteien und Bewegungen. Hierbei gelangen vor allem in der angelsächsisch-amerikanischen Forschung sozialwissenschaftliche Methoden zur Anwendung. In hermeneutischer Verengung partiziert die bundesrepublikanische Geschichtsschreibung an dieser Forschungsausrichtung. (Vgl. W. Schieder, Hrsg., Faschismus als soziale Bewegung, Hamburg 1976; zusammenfassend vgl. H.-U. Thamer, W. Wippermann, Faschistische und neofaschistische Bewegungen, Darmstadt 1977; W. Wippermann, Europäischer Faschismus im Vergleich (1922–1982), Frankfurt 1983).

Erst in jüngster Zeit werden die sozialwissenschaftlichen Forschungsergebnisse und die sozialwissenschaftlich-quantifizierenden Methoden (durch Jürgen Falter) auch in der Bundesrepublik rezipiert und weiter entwickelt (vgl. den Beitrag im Archiv für Sozialgeschichte, 26. Bd., 1986).

Parallel zur zeitgeschichtlichen Kritik am Faschismusbegriff setzt sich in der Bundesrepublik die Alltagsgeschichte der NS-Zeit durch, die vor allem lokal- und regionalgeschichtliche Themenstellungen bevorzugt und eine theoretische Gesamtperspektive aufgibt. Das von Martin Broszat geleitete Forschungsprojekt »Bayern in der NS-Zeit« (1977 bis 1983, publiziert in 6 Bänden) sei stellvertretend genannt; ferner werden totalitarismustheoretische Positionen neu belebt (Bracher, Backes/Jesse). Schließlich (und am ehesten noch theoretisch-interpretativ bedeutsam) entwickelt sich ein Streit zwischen personalisierenden und strikt politikgeschichtlichen »Intentionalisten« und strukturanalytischen »Funktionalisten« besonders über die Gegensätze nationalsozialistischer Machtstrukturen (Polykratie) und die Bedeutung Hitlers. (Vgl. die Beiträge von K. Hildebrand und H. Mommsen in: M. Bosch, Hrsg., Persönlichkeit und Struktur in der Geschichte, Düsseldorf 1976; G. Hirschfeld, L. Kettenacker, Hrsg., Der »Führerstaat«: Mythos und Realität, Stuttgart 1981)

Seit Mitte der 70er Jahre wird in der Bundesrepublik die Faschismuskritik dadurch ausgeweitet, daß die hitleristisch-personengebundene Sichtweise auch die Sozialgeschichte in Frage stellt. Die personalisierende Politikgeschichte ist bestrebt, die Struktur- und Gesellschaftsgeschichte zurückzuweisen, denn beim »Dritten Reich« handelt es sich – so Klaus Hildebrand – um die »totalitäre Diktatur Hitlers« bzw. um die »Singularität der Politik Hitlers« (K. Hildebrand, Das Dritte Reich, München/Wien 1979. – Als Überblick vgl. G. Schreiber, Hitler Interpretationen 1923–1983, Darmstadt 1984; G. Jäckel, Hitlers Herrschaft, Stuttgart 1986; W. Wippermann, Hrsg., Kontroversen um Hitler, Frankfurt 1986; R. Zitelmann, Hitler. Selbstverständnis eines Revolutionärs, Hamburg 1987)

Neben diesem Streit verselbständigt sich die eklektische und theorieabstinente (hermeneutische) zeitgeschichtliche Detailforschung. Für die Zeitgeschichte »in der Spannung zwischen Verstehen und Bewerten« fordert Broszat (1986, 120) seit 1983 die »gewissenhafte Historisierung«. An seine Betrachtungen zur Alltagsgeschichte und über die Grenzen der Wertneutralität aus den Jahren 1981 und 1983 schließt Broszat 1985 sein »Plädoyer für eine Historisierung des Nationalsozialismus« an (Broszat 1986, 159 ff.).

Seit Mitte der 70cr Jahre bietet sich damit folgendes Bild:

- Die Begriffe »Faschismus« und »Antifaschismus« sind zurückgewiesen. Auch in sozialwissenschaftlich-komparativer Hinsicht wird der (international gebräuchliche) Faschismusbegriff in der BRD weitgehend verworfen.
- Die praktische Forschung entwickelt sich vor allem in den Bereichen der Alltags-, Lokal- und Regionalanalyse.
- Interpretativer »Schulenstreit« betrifft die Frage der Gewichtung persönlicher und strukturbedingter Einflußfaktoren auf die nationalsozialistische Realität.
- Die wissenschaftspolitischen Implikate, wie auch die scharfe Form des Streits zwischen »Intentionalisten« und »Funktionalisten« bereiten den »Historikerstreit« vor;

geht es doch um die Frage der Be- oder Entlastung kapitalistischer Strukturen, vor allem aber der konservativ-autoritären Bündnispartner der NSDAP.

- Es gibt kaum mehr eine nicht-orthodoxe »linke« Faschismusanalyse; kritische Forschungsenergien wenden sich in diesem Arbeitsfeld in den Geschichtswerkstätten der Spurensicherung und Geschichtspolitik vor Ort zu.
- Auch erste Ansätze neu aufkommender »rechter« Bewegungen und Aktivitäten stimulieren die Faschismusanalyse (nach dem kurzen NPD-Sommer Mitte der 60er Jahre) bislang nur wenig.

Diese Forschungslandschaft erfährt seit Ende der 70er Jahre seitens konservativer Politiker und entsprechender Forschungsinstitute politische Anstöße, um die konservativen Eliten und bürgerlichen Tugenden aus der Teilhabe an der nationalsozialistischen »Machteinsetzung« zu befreien. Strauß und Stoiber vergleichen 1979 NSDAP und SPD – Hitler und Goebbels seien »im Grunde ihres Herzens Marxisten« (Strauß) (ein Ball, den Nolte ab 1974 spielt) –, und die wissenschaftliche Absicherung dieser Position verurteilt das Schlagwort »Antifaschismus« als »Schrittmacher des Kommunismus und der sowjetischen Expansionspolitik«, entsprechend wird die »semantische Unterwanderung der westlichen Welt« beklagt (G. Stadtmüller, Sozialismus, Nationalsozialismus, Faschismus, hrsg. Hanns-Seidel-Stiftung, 1980).

Stadtmüller verdeutlicht ein wichtiges Motiv, das diese Faschismuskritik direkt mit dem »Historikerstreit« verbindet. Er weist darauf hin (S. 36), daß der Nationalsozialismus nicht nur »vom deutschen Nationalismus« zu verstehen ist (vgl. Bossle 1979). Es geht um die politische Entschuldung von Konservatismus und Nationalismus, entsprechender Eliten, Normen und Institutionen. Autoritäre Positionen werden legitimiert, der Nationalsozialismus wird als eine »Aushöhlung der Exekutive eines schwächlichen Staates« und als eine Heilsbewegung von unten charakterisiert (Strauß in Bossle 1979). Diese Sichtweise ist schon gegen die APO mobilisiert worden, Mitte der 70er Jahre wird sie gegen Bürgerinitiativen, alternative »neue« soziale Bewegungen und Ende der 70er Jahre gegen die »Grünen« vorgetragen. Schlußfolgerungen aus der Geschichte des historischen Faschismus spielen eine bedeutende Rolle, um die Renaissance elitetheoretischer Stabilisierungen der repräsentativen parlamentarischen Demokratie zu legitimieren.

In diesem Sinn hat die Kritik der Faschismuskritik seit Ende der 70er Jahre die politisch-wissenschaftliche Ausgangssituation des »Historikerstreits« vorbereitet. 1979 formuliert Rohrmoser anläßlich eines Symposiums zur »sozialwissenschaftlichen Kritik am Begriff und an der Erscheinungsweise des Faschismus« die grundsätzliche Überlegung:

»Diese These liegt in der Überzeugung begründet, daß nicht – wie wir lange glaubten – die Frage des Marxismus und der geistigen Auseinandersetzung mit dem Marxismus die große Frage unserer Zeit sein wird. Vielmehr: die entscheidende Schicksalsfrage für die Freiheit in diesem Lande wird sein, daß die Auseinandersetzung im Faschismus als Schimpfvokabel aus dem Verkehr gezogen wird« (Bossle 1979, 33). (Anmerkung: Rohrmoser redet von einer Auseinandersetzung »im« Faschismus!)

Von dieser Position aus wird der Faschismusbegriff mit dem Linksterrorismus in Verbindung gebracht; gesellschaftskritische Faschismusanalysen werden als Wegbereiter dieses Terrors denunziert. (Vgl. I. Fetscher, G. Rohrmoser, Ideologien und Strategien = Analysen zum Terrorismus 1, Opladen 1981, 185 ff. [Fetscher], 283, 294 f. [Rohrmoser]) Diese Position wird 1983 von Lübbe zu einer Rekonstruktion der Zeitgeschichte und der Nationalsozialismusforschung ausgeweitet, so daß die kritische Faschismusanalyse (vor allem der Studentenbewegung) als sachlich und politisch illegitim zurückgewiesen wird.

An dieser Ausgangslage setzen sowohl konservative wie rechtsradikale und -extreme geschichtspolitische Überlegungen an; der Unterschied betrifft die Akzente.

Die rechteren Konzepte besetzen gegenüber dem Neokonservatismus Positionen der immanenten Kritik. Entscheidende Ausprägungen dieser Positionen sind die Kritik an kompromißlerischen Verflachungen der »Wende« und an der zu geringen Armierung starker Staatlichkeit (dies die Position der »neuen Rechten« um »Criticon«, der sich alt-konservative wie Strauß und Dregger annähern) sowie das bewegungsorientierte nationale und regionale Votum für Autonomie (dies die Position »national-revolutionärer« Autoren). Vor allem betonen die extremer-»rechten« Spielarten eine Mitschuld des politischen Systems am »nationalen Trauma« Deutschlands und an der zur Staatsdoktrin erhobenen Umerziehung. Demgegenüber wird das konservative Eingeständnis, »in deutschem Namen« hätte »eine Unrechtsherrschaft« Verbrechen begangen (Strauß 1985, 530), weniger hervorgehoben.

Übereinstimmend wenden sich »Rechte« wie »Konservative« gegen den »Faschismus-Komplex«. Die rechtsextremen »Unabhängigen Nachrichten« (UN) zählen als Hauptpunkte der »wirklichen Vergangenheitsbewältigung« und einer Korrektur der »umfangreichen Geschichtsfälschungen« die Themenfelder »Kriegsschuldfrage«, »Vertreibung«, »NS-Prozesse-Generalamnestie«, »Wiedergutmachung« und – zusammenfassend jenen »Faschismus-Komplex« auf:

»Der Faschismus-Komplex ist . . . ein bequemes Mittel, jeden demokratischen Patrioten, der nationale Belange vertritt, als neonazistisch, faschistisch, rechtsradikal oder reaktionär zu verleumden und durch publizistischen Terror gesellschaftlich zu ächten.« (UN 12/1982, 9)

1979 hat Rohrmoser dies bereits gesehen und kritisiert (Bossle 1979, 33). Schon 1978 richtet Ernst Nolte seine Kritik der »Frageverbote« und sein Votum für die »Pluralität der Hitlerzeit« (Nolte 1979, 56 ff., 88 ff.) gegen die »Instrumentalisierung« und »Dämonisierung« der deutschen Zeitgeschichte. Die Kritik der »Frageverbote« bestimmt direkt den Ausgangspunkt des »Historikerstreits«, der als Kritik der »Vergangenheit, die nicht vergehen will« (aber soll), beginnt (Historikerstreit 1987, 17 ff., 33 f., 39 ff.).

(Als allgemeinen Überblick über die Faschismusdiskussion vgl. Schmidt 1985; Hennig, Faschismus, in: V. Nitzschke, F. Sandmann, Hrsg., Handbuch für den politischen Unterricht, Stuttgart 1987, 266 ff.)

Kein »rücksichtsvoll-kollegialer Umgangsstil«

Keine Seite und kein Diskutant ist von Frontmetaphern und ausgrenzenden Vokabeln frei.

Beispiele: In der »Rhetorik von Kriegsheftchen« (Habermas) und in »patriotischer Klitterei« (Malanowski) entdeckt die eine Seite einen »konstitutionellen Nazi« (Augstein), während dies für die Gegenseite »journalistische Legasthenie« (Fest), »eine Form akademischer Legasthenie« (Fest), »Perfidie« oder »›Schlammschlacht‹« (Hillgruber), »Feindbildphantasie« (Nipperdey) – oder zumindest »künstliche Feindbilder« (Schulze) –, eine »politisch motivierte Rufmordkampagne« (Hillgruber) – oder zumindest »versuchter Rufmord« (Möller) und die Erstellung einer »Proskriptionsliste« (Stürmer) – darstellen; jedenfalls kritisiert die Mehrheit der beteiligten Historiker am Vorgehen der »etablierten Dunkelmänner« (Hornung) den »Manichäismus« (Hildebrand) und die breite »Desinformationskampagne« (Stürmer). – Zum Tonfall vgl. den objektiven Kern der Bemerkung von Hillgruber in: Historikerstreit 1987, 394 f.; gleichzeitig ist Hillgrubers Aufsatz »Jürgen Habermas, Karl-Heinz Janßen und die Aufklärung Anno 1986« selbst Ausdruck unversöhnlicher Ausgrenzung (S. 331 ff.).

Die extremste Position markiert die offene Feinderklärung durch Tugendhat, der Habermas (vgl. 223 ff., 243 ff., 360) vorwirft, mit Nolte noch zu diskutieren:

»Ich finde es ... falsch, die indiskutablen Einfälle Noltes mit immerhin diskutablen neokonservativen Positionen auf eine Ebene zu stellen.« (Tugendhat 1987, 21)

Tugendhat meint Noltes Rechtfertigung von Auschwitz und dessen Kriegserklärungsthese:

»Wenn jemand die elementarsten Schamgrenzen nicht kennt, kann man nur noch über ihn sprechen, nicht mit ihm.«

Einen Beweis tritt Tugendhat nicht an, er beschränkt sich auf diese augenscheinlich evidente Anklage (dazu die Reaktion von Nolte 1987, 35 f.).

In einem Leserbrief (FR Nr 214 v. 16. 9. 1987, 5) kritisiert Immanuel Geiss »heiligen Zorn« und »falsche und grobschlächtige Argumente« Habermas', die Hillgruber, Hildebrand und Stürmer als den falschen Gegner« angegriffen haben. Nolte wird von Geiss nicht erwähnt! Geiss meint: »Die drei m. E. zu Unrecht oder übertrieben hart angegriffenen Historiker Hillgruber, Hildebrand und Stürmer gehören ... zum rechten Flügel des demokratischen Spektrums und sollten dort als Verbündete gegen die wirklichen NS-Apologeten der ›Neuen Rechten‹ willkommen sein.« Geiss läßt das Wie offen und auch, welche Rolle und Funktion Nolte zukommt!

Aus aktuellem Anlaß drängt sich die Meinung auf, daß das Verhalten der »Historikerzunft« (Nipperdey) viel Ähnlichkeiten mit der CDU Schleswig-Holsteins (nach Dr. Dr. Barschel) hat: ein Schuldiger muß gefunden werden, danach heißt es, ablenken um jeden Preis, um zum Vergessen vorzustoßen.

Der schnell eingebürgerte Ausdruck »Historikerstreit« ist, streng genommen, falsch: Erst nachdem Anfang Juni 1986 in der FAZ Ernst Nolte über die »Vergangenheit, die nicht vergehen will«, trauert, hat der Soziologe und Philosoph Habermas als sozialdemokratisch engagierter Staatsbürger im Juli 1986 in der ZEIT Nolte, Hillgruber, Hildebrand und Stürmer angegriffen, um auf apologetische Tendenzen der Zeitgeschichtsschreibung hinzuweisen. Daraufhin haben sich diese Historiker verteidigt. An der Debatte haben sich dann u. a. auch weitere Historiker beteiligt (vgl. Wehler 1988).

»Angesichts des rücksichtsvoll-kollegialen Umgangsstils, der in der akademischen Zunft der Historiker nicht nur aus Opportunität eingehalten wird« (sondern auch?), so Broszat (Historikerstreit 1987, 189), werden Habermas' »Hypersensibilität« und »Überreaktion« (Broszat) von vielen Historikern (nicht nur neokonservativen) scharf kritisiert. Habermas löst die Debatte aus (Broszat, Geiss, Nipperdey), er tritt sie los (Sontheimer): dies ist kein Lob (das spricht erst Fülberth aus: Kühnl 1987, 92 ff.). Zur Auslöserrolle vgl. ferner Sygusch 1987, 77; Historikerstreit 1987, 252 ff.

Nachdem der Streit in seiner ersten Phase Ende 1986/ Anfang 1987 endet (ohne Schluß), beginnt die Aufarbeitungs- und Darstellungsphase durch Ringvorlesungen (z. B. in Essen, Duisburg, Frankfurt, Kassel, München), durch Tagungen (z. B. »Geschichtsbewußtsein und historisch-politisches Lernen« in Loccum, »Revisionismus und Zeitgeschichte«, Tagung der »Gesellschaft für Freie Publizistik« in Kassel, »Konservative Zukunftsentwürfe« in Hofgeismar, »Geschichte – Schuld – Zukunft« in Loccum, »Zwischen den Zeiten«, Tagung der Landeszentrale für politische Bildung des Landes Nordrhein-Westfalen in Bonn) und durch Publikationen bzw. Themenhefte von Zeitschriften (z. B. Vorgänge 6/1986; Niemandsland 1/1987; Erler 1987; Gerstenberger/Schmidt 1987; Nolte 1987; Kosiek 1987; Wem gehört die deutsche Geschichte? 1987; Haug 1987; Wehler 1988; Diner 1987; Meier 1987).

Konrad Repgen (»Der ›Historikersreit‹«) reduziert den Disput weitestgehend auf Stilfragen (Historisches Jahrbuch, 107 [1987], 417–430).

Brücken von rechts?

Die Integrationsleistung der Unionsparteien und die verfassungspolitische Grenzziehung gegenüber rechtsextremen Parteien läßt sich am Beispiel von SRP, DRP, NHE und DP veranschaulichen. (Vgl. Stöss 1978 und 1983, 209 ff., 239 ff., 265 ff., 278 ff., 298, 301 ff.)

Die »Sozialistische Reichspartei« (SRP) (1949–1952) zählt 1951 10 300 Mitglieder. Diese Sammlungsbewegung der alten Rechten und vormaligen Nationalsozialisten hat 1951 Erfolg bei Wahlen zum niedersächsischen Landtag (LT) und stellt 2 Abgeordnete im ersten Bundestag (BT). 1952 wird die Partei vom BVerfG wegen Verfassungswidrigkeit verboten. Vergeblich – weil ohne Resonanz – versucht der »Deutsche Block« die Nachfolge der SRP anzutreten. Auch die »Deutsche Reichspartei« (DRP) verzeichnet nur geringe Erfolge beim Versuch der rechtsextremen Sammlung. Ohne jede Regierungsbeteiligung ist die DRP im ersten BT und (1954–1963) in 4 Länderparlamenten vertreten. 1964 geht die DRP in der NPD auf und stellt dort entscheidende Funktionäre (Thadden). Eine »Deutsche Gemeinschaft« bestätigt ebenfalls das

Scheitern einer Sammlung nach der SRP und scheitert zudem gegenüber dem gemäßigteren BHE.

Der »Gesamtdeutsche Block/Block der Heimatvertriebenen und Entrechteten« weist zwischen 1950 und 1960 auf die Integration der Flüchtlinge und Vertriebenen hin. 1961 zeigt der mangelnde Wahlerfolg, daß die erfolgreiche Organisation solcher Sonderinteressen nicht möglich ist. Für den Konsens der Konstitutionsphase ist es ferner charakteristisch, daß der BHE auf Bundes- und Länderebene Koalitionspartner von FDP und Union, auf Länderebene aber auch Partner der SPD ist. Mit Kraft und Oberländer stellt der BHE zwei Bundesminister, die beide 1955 aus- und 1956 der CDU beitreten.

Die Entwicklungstrends des BHE prägen auch die »Deutsche Partei« (DP), die von 1949 bis 1957 über Wahlabsprachen mit der CDU BT-Abgeordnete und von 1949 bis 1960 auch Bundesminister (Hellwege, Merkatz, Seebohm) stellt. Seit 1957 löst sich die DP in die CDU hinein auf.

Zur NPD vgl. P. Dudek, H. G. Jaschke, Entstehung und Entwicklung des Rechtsextremismus in der Bundesrepublik, Opladen 1984; zur neuesten Entwicklung (einer beginnenden Erosion der Unionsparteien?) vgl. C. Leggewie, Die Zwerge am rechten Rand – Zu den Chancen kleiner neuer Rechtsparteien in der Bundesrepublik Deutschland, in: Politische Vierteljahresschrift, 28. Jg., 1987, H. 4, 361–383.

Verzeichnis der zitierten Literatur

Verwendete Abkürzungen:

APuZG	Aus Politik und Zeitgeschichte. Beilage zur Wochenzeitung »Das Parlament«, hrsg. v. d. Bundeszentrale für politische Bildung, Bonn
FAZ	Frankfurter Allgemeine Zeitung für Deutschland, hrsg. v. Bruno Dechamps, Fritz Ullrich Fack, Joachim Fest, Jürgen Jeske, Johann Georg Reißmüller
FR	Frankfurter Rundschau. Unabhängige Tageszeitung, Chefred. u. Vors. d. Redltg. Werner Holzer
HZ	Historische Zeitschrift. In Verbindung mit Jochen Bleicken, Knut Borchardt, Fratîšek Graus, Erich Meuthen, Gerhard A. Ritter, Eberhard Weis hrsg. v. Lothar Gall
NPL	Neue Politische Literatur. Berichte über das internationale Schrifttum
PVS	Politische Vierteljahresschrift. Zeitschrift der Deutschen Vereinigung für Politische Wissenschaft

Adorno, Theodor W. 1959: Was bedeutet: Aufarbeitung der Vergangenheit, abgedr. in ders., Eingriffe, Frankfurt 1963, 125–146

Albrecht, Wilma 1979: Die Entnazifizierung, in: NPL 24. Jg, 73–84

Allardyce, Gilbert 1979: What Fascism is not: Thoughts on the Deflation of a Concept, in: The American Historical Review, Vol. 84, No. 2, 367–388

Arendt, Hannah 1986: Eichmann in Jerusalem, München/Zürich Neuausgabe (1964[1])

Das Argument: Nr. 30/1964 sowie Nr. 32, 33, 41, 47 und 58 = Faschismus-Theorien I–V, 1965 (Hefte 1 u. 2), 1966, 1978, 1970

Barth, Karl 1945: Zur Genesung des deutschen Wesens, Stuttgart

Beck, Ulrich 1986: Risikogesellschaft, Frankfurt

Berghahn, Volker 1987: Geschichtswissenschaft und Große Politik, in: APuZG, B 11/87 v. 14. 3., 25–37

Bergmann, Jürgen/*Megerle*, Klaus/*Steinbach*, Peter (Hrsg.) 1979: Geschichte als politische Wissenschaft, Stuttgart
Billerbeck, Rudolf 1971: Die Abgeordneten der ersten Landtage (1946–1951) und der Nationalsozialismus, Düsseldorf
Boehlich, Walter, Hrsg. (1965): Der Berliner Antisemitismusstreit, Frankfurt
Borchardt, Knut 1982: Wachstum, Krisen, Handlungsspielräume in der Wirtschaftspolitik, Göttingen
Bossle, Lothar (Hrsg.) 1979: Sozialwissenschaftliche Kritik am Begriff und an der Erscheinungsweise des Faschismus, Würzburg (= Würzburger Studien zur Soziologie 2)
Bracher, Karl Dietrich 1955: Die Auflösung der Weimarer Republik, Villingen
Bracher, Karl Dietrich 1981: Die doppelte Zeitgeschichte – zwei gegenwärtige Vergangenheiten, in: ders., Geschichte und Gewalt, Berlin, 233–252
Bracher, Karl Dietrich 1986: Doppelte Zeitgeschichte im Spannungsfeld politischer Generationen – Einheit trotz Vielfalt historisch-politischer Erfahrungen?, in: Hey, Bernd/Steinbach, Peter (Hrsg.), Zeitgeschichte und politisches Bewußtsein, Köln, 53–71
Bracher, Karl Dietrich 1987: Zeitgeschichtliche Erfahrungen als aktuelles Problem, in: APuZG, B 11/87, 14. 3., 3–14
Bracher, Karl Dietrich 1987a: Identitätsfrage und Entspannungsdenken in der neueren Deutschlanddiskussion, in: Politik und Kultur, 14. Jg, H. 2, 19–35
Bracher, Karl Dietrich/*Sauer*, Wolfgang/*Schulz*, Gerhard 1962: Die nationalsozialistische Machtergreifung, Köln u. Opladen
Broszat, Martin 1986: Nach Hitler: Der schwierige Umgang mit unserer Geschichte (Graml, Hermann/Henke, Klaus-Dieter, Hrsg.), München
Brunkhorst, Hauke 1987: Die Welt als Beute. Rationalisierung und Vernunft in der Geschichte, in: Reijen, Willem van/Schmid Noerr, Gunzelin (Hrsg.), Vierzig Jahre Flaschenpost: »Dialektik der Aufklärung« 1945–1987, Frankfurt, 154–191
Bude, Heinz 1987: Deutsche Karrieren, Frankfurt
Claussen, Detlev 1986: Falsche Vergleiche, in: links, Nr. 199, Okt., 10/11
Cobet, Christoph (Hrsg.) 1986: Einführung in Fragen an die Geschichtswissenschaft in Deutschland nach Hitler 1945–1950, Frankfurt
De Felice, Renzo 1977: Der Faschismus, Stuttgart
Die deutsche Neurose. Über die beschädigte Identität der Deutschen 1980: Frankfurt/Berlin/Wien

Diner, Dan 1986: Der Kern der Wende, in: links, Nr. 200, Nov., 47
Diner, Dan (Hrsg.) 1987: Ist der Nationalsozialismus Geschichte?, Frankfurt
Diwald, Hellmut 1986: Deutschland – was ist es? in: UN (Unabhängige Nachrichten), H. 12, 1–12
Dubiel, Helmut 1986: Was ist Neokonservatismus?, Frankfurt
Eckhard, Dieter/*Bauch*, Herbert 1987: Der aufrechte Gang nach Auschwitz, in: links, Nr. 205, Apr., 16/17
Eichberg, Henning 1978: Nationale Identität, München/Wien
Enderwitz, Ulrich 1983: Kritik der Geschichtswissenschaft, Berlin/Wien
Enzensberger, Hans Magnus 1987: Die Gesellschaft ist keine Hammelherde, in: Der Spiegel, Nr. 4, 67–83
Erdmann, Karl Dietrich 1961: Das Dritte Reich im Zusammenhang der deutschen Geschichte, in: Geschichte in Wissenschaft und Unterricht, 12. Jg, 405–418
Erdmann, Karl Dietrich/*Schulze*, Hagen (Hrsg.) 1980: Weimar. Selbstpreisgabe einer Demokratie, Düsseldorf
Erler/Müller/Rose/Schnabel/Überschär/Wette 1987: Geschichtswende? Entsorgungsversuche zur deutschen Geschichte, Freiburg i. Br. (zit.: Erler 1987)
Faulenbach, Bernd 1986: »Sinnstiftung« durch Geschichte?, in: links, Nr. 200, Nov., 48/49
Faulenbach, Bernd 1987: NS-Interpretationen und Zeitklima, in: APuZG, B 22/87, 30. 5., 19–30
Fest, Joachim C. 1964, Die Normalität des Bösen, in: CrP-Informationsdienst/Club Republikanischer Publizisten, Köln, H. 2, 12/13
Fest, Joachim C. 1973: Hitler, Frankfurt/Berlin/Wien
Von Geschichte umgeben. Joachim Fest zum Sechzigsten: 1986, Berlin (zit.: FS Fest 1986)
Fraenkel, Ernst 1974: Der Doppelstaat, Frankfurt/Köln (1941[1])
Franzke, Jürgen u. a. 1984: Der Zusammenbruch der Weimarer Republik als biographisches Ereignis, in: Kohli, Martin u. a. (Hrsg.) Biographie und soziale Wirklichkeit, Stuttgart, 261–283
Frei, Alfred Georg 1988: Geschichte aus den »Graswurzeln«?, in: APuZG, B 2/88 v. 8. 1., 35–46
Friedländer, Saul 1986: Kitsch und Tod. Der Widerschein des Nazismus, München
Friedländer, Saul 1987: Überlegungen zur Historisierung des Nationalsozialismus, in: Diner 1987, 34–50
Friedländer, Saul 1987a: Identität und Geschichte, in: Linke Liste. Zeitung der Lili an der Uni Frankfurt, Frühjahr, 6/7

Fromm, Erich 1980: Arbeiter und Angestellte am Vorabend des Dritten Reiches, Stuttgart
Fuchs, Stephan/*Wingens*, Matthias 1986: Sinnverstehen als Lebensform, in: Geschichte und Gesellschaft, 12. Jg, H. 4, 477–501
Fürstenau, Justus 1969: Entnazifizierung, Neuwied u. Berlin
Gay, Peter 1986: Freud, Juden und andere Deutsche, Hamburg
Gerstenberger, Heide/*Schmidt*, Dorothea (Hrsg.) 1987: Normalität oder Normalisierung? Münster
Gilbert, Felix 1976: Rez. von Nolte 1974, in: American Historical Review, Nr. 3, 618–620
Gill, Ulrich/*Steffani*, Winfried (Hrsg.) 1986: Eine Rede und ihre Wirkung, Berlin
Giordano, Ralph 1987: Die zweite Schuld oder Von der Last Deutscher zu sein, Hamburg
Glatzer, Wolfgang/*Zapf*, Wolfgang 1984: Die Lebensqualität der Bundesbürger, in: APuZG, B 44/84 v. 3. 11., 3–25
Graml, Hermann 1984: Alte und neue Apologeten Hitlers, in: Benz, Wolfgang (Hrsg.), Rechtsextremismus in der Bundesrepublik, Frankfurt/68–96
Grebing, Helga u. a. 1986: Der »deutsche Sonderweg« in Europa 1806–1945, Stuttgart/Berlin/Köln/Mainz
Grebing, Helga 1987: Deutsche Vergangenheit und politische Moral, in: Niemandsland, 1. Jg, H. 1, 5–15
Greß, Franz 1987: Was heißt hier Selbstbewußtsein? Zu Fragen der deutschen Geschichte und Identität, in: PVS-Literatur, 28. Jg, H. 1, 33–44
Groh, Dieter 1986: »Spuren der Vernunft in der Geschichte«, in: Geschichte und Gesellschaft, 12. Jg, H. 4, 443–476
Die Grünen (Hrsg.) 1986: Wider die Entsorgung der deutschen Geschichte, Bonn
Habermas, Jürgen 1985: Die Neue Unübersichtlichkeit, Frankfurt
Habermas, Jürgen 1986: Nachwort zu: Horkheimer, Max/Adorno, Theodor W., Dialektik der Aufklärung, Frankfurt, 277–294
Habermas, Jürgen 1987: Eine Art Schadensabwicklung, Frankfurt
Haug, Wolfgang Fritz 1974: Faschismus-Theorie in antifaschistischer Perspektive, in: Das Argument, 87, 16. Jg, H. 7–9, 537–542
Haug, Wolfgang Fritz 1987: Vom hilflosen Antifaschismus zur Gnade der späten Geburt, Hamburg/Berlin
Heim, Susanne/*Aly*, Götz 1987: Die Ökonomie der »Endlösung«. Menschenvernichtung und wirtschaftliche Neuordnung, in: Sozialpolitik und Judenvernichtung. Gibt es eine Ökonomie der

Endlösung? = Beiträge zur nationalsozialistischen Gesundheits- und Sozialpolitik 5, Berlin, 11–90

Henke, Josef 1984: Verführung durch Normalität – Verfolgung durch Terror, in: APuZG, B 7/84 v. 18. 2., 21–31

Henke, Klaus-Dietmar 1981: Politische Säuberung unter französischer Besatzung, Stuttgart

Hennig, Eike 1981: Nationalsozialismus, in: Greiffenhagen, Martin u. a. (Hrsg.), Handwörterbuch zur politischen Kultur der Bundesrepublik Deutschland, Opladen, 257–260

Hennig, Eike 1982: Bürgerliche Gesellschaft und Faschismus in Deutschland, Frankfurt (1977[1])

Hennig, Eike 1983: Die weltwirtschaftliche Konstellation am Ende der Weimarer Republik – Weltwirtschaftskrise und der Aufstieg des Faschismus im internationalen Vergleich, in: Rittberger, Volker (Hrsg.), 1933. Wie die Republik der Diktatur erlag, Stuttgart/Berlin/Köln/Mainz, 40–60

Hennig, Eike (Hrsg.) 1983 (in Zus. arb. m. Herbert Bauch, Martin Loiperdinger, Klaus Schönekäs): Hessen unterm Hakenkreuz. Studien zur Durchsetzung der NSDAP in Hessen, Frankfurt

Hennig, Eike 1987: Raus »aus der politischen Kraft der Mitte!«, in: Gewerkschaftliche Monatshefte, 38. Jg, 160–170

Herrmann, Ludolf 1983: Hitler, Bonn und die Wende, in: Die Politische Meinung, 209, Juli/Aug., 13–28

Herrmann, Ludolf 1986: Die neue Zuversicht, Stuttgart

Herz, John H. 1948: The Fiasco of Denazification in Germany, in: Political Science Quarterly, 63. Jg, 569–594

Herz, Thomas 1987: Nur ein Historikerstreit?, in: Kölner Zeitschrift für Soziologie und Sozialpsychologie, 39. Jg, H. 3, 560–570

Heß, Jürgen C. 1986: Westdeutsche Suche nach nationaler Identität, in: Michalka, Wolfgang (Hrsg.), Die Deutsche Frage in der Weltpolitik = Neue Politische Literatur, Beih. 1, Stuttgart, 9–50

Hildebrand, Klaus 1974: Hitlers Ort in der Geschichte des preußisch-deutschen Nationalstaates, in: HZ, 217. Bd. 584–632

Hildebrand, Klaus 1979: Das Dritte Reich, München/Wien

Hildebrand, Klaus 1986: Rez. v. Koch, H. W. (Hrsg.), Aspects of the Third Reich, Basingstoke/London 1985, in: HZ, 242. Jg, 465/466

Hildebrand, Klaus (Hrsg.) 1987: Symposium. Wem gehört die deutsche Geschichte?, Köln (zit.: Wem gehört die deutsche Geschichte?, 1987)

Hiller, Kurt 1932: Selbstkritik links, Leipzig

Hillgruber, Andreas 1978: Tendenzen, Ergebnisse und Perspektiven der gegenwärtigen Hitler-Forschung, in: HZ, 226. Bd, 600–621

Hillgruber, Andreas 1986: Zweierlei Untergang, Berlin
»Historikerstreit«. Die Dokumentation der Kontroverse um die Einzigartigkeit der nationalsozialistischen Judenvernichtung 1987, München/Zürich (= Serie Piper Bd. 816)
Hoffmann, Christa/*Jesse*, Eckhard 1987: Vergangenheitsbewältigung – ein sensibles Thema, in: NPL, 32. Jg, H. 3, 451–465
Hoffmann, Hilmar (Hrsg.) 1987: Gegen den Versuch, Vergangenheit zu verbiegen, Frankfurt
Hofstätter, Peter R. 1987: Verläßliches Zuhause, in: Die Politische Meinung, Nr. 232, Mai/Juni, 53–60
Horkheimer, Max 1930: Anfänge der bürgerlichen Geschichtsphilosophie, Stuttgart
Horkheimer, Max 1974: Notizen 1950 bis 1969 und Dämmerung, hrsg. v. Werner Brede, Einl. v. Alfred Schmidt, Frankfurt (Dämmerung = 1934[1])
Horkheimer, Max u. a. 1981: Wirtschaft, Recht und Staat im Nationalsozialismus. Analysen des Instituts für Sozialforschung 1939–1942, hrsg. v. Helmut Dubiel u. Alfons Söllner, Frankfurt
Horkheimer, Max/*Adorno*, Theodor W. 1969: Dialektik der Aufklärung, Frankfurt (1944[1])
Hurwitz, Harold 1983: Die politische Kultur der Bevölkerung und der Neubeginn konservativer Politik, Köln (= Demokratie und Antikommunismus in Berlin nach 1945, Bd 1)
Jäger, Wolfgang 1984: Historische Forschung und politische Kultur in Deutschland, Göttingen
Jeismann, Karl-Ernst 1986: »Identität« statt »Emanzipation«? Zum Geschichtsbewußtsein in der Bundesrepublik, in: APuZG, B 20–21/84, 17. 5., 3–16
Jung, Horst W. 1976: Rheinland-Pfalz zwischen Antifaschismus und Antikommunismus, Meisenheim a. G.
Kadritzke, Niels 1987: Zweierlei Untergang in düsterer Verflechtung, in: ProKla, Nr. 66, 17. Jg, H. 1, 169–184
Kaltenbrunner, Gerd-Klaus 1987: Bestimmt Hitler die Richtlinien unserer Politik?, in: Mut, 234, Febr., 16/17
Klages, Helmut 1984: Wertorientierungen im Wandel, Frankfurt/New York
Klönne, Arno 1982: Jugend im Dritten Reich, Düsseldorf/Köln
Klönne, Arno 1984: Zurück zur Nation?, Düsseldorf
Klönne, Arno 1987: »Die deutsche Geschichte geht weiter«. Warum die Rechte aus dem »Schatten Hitlers heraustreten« will, in: Das Argument, 161, 29. Jg, 33–40
Kohl, Helmut 1987: Weichenstellung für die Zukunft, in: Die Politische Meinung, Nr. 230, Jan./Febr., 7–13

Koselleck, Reinhart 1975: Geschichte, Historie, in: Brunner, Otto/Conze, Werner/Koselleck, Reinhart (Hrsg.), Geschichtliche Grundbegriffe, Stuttgart, 593–717

Kosiek, Rolf 1987a: Der westdeutsche Historikerstreit. Ein Schritt zum Revisionismus, in: Deutschland in Geschichte und Gegenwart, 35 Jg., Nr. 2, 6–11

Kosiek, Rolf 1987: Historikerstreit und Geschichtsrevision, Tübingen

Kraus, Hans-Christof 1987: Wissenschaft gegen Vergangenheitsbewältigung, in: Criticón, Nr. 99, Jan./Febr., 15–18

Kühnl, Reinhard (Hrsg.) 1987: Vergangenheit, die nicht vergeht, Köln

Kulka, Otto D. 1985: Die deutsche Geschichtsschreibung über den Nationalsozialismus und die »Endlösung«, in: HZ, 240. Jg, 599–640

Lammers, K. C./*Straede,* Therkel 1987: Historikerdebatten i Vesttyskland. Auschwitz, Gulag og den vesttyske historie, in: Den Jyske Historiker, Nr. 40, 104–112

Leggewie, Claus 1987: Der Geist steht rechts, Berlin

Lenk, Hans 1986: Zwischen Wissenschaftstheorie und Sozialwissenschaft, Frankfurt

Lenk, Hans 1987: Eindeutig vieldeutig. Postmodernismus und Postindustrialismus, in: Die Politische Meinung, 231, 32. Jg, März/Apr., 69–75

Linz, Juan J. 1979: Some Notes Toward a Comparative Study of Fascism in Sociological Historical Perspective, in: Laqueur, Walter (Hrsg.), Fascism: A Reader's Guide, Harmondsworth, 13–78

Lodovico, Ludi 1986: Historikerdebatte: Methodische Sicherung gegen Aufklärung, in: links, Nr. 201, Dez., 16/17

Lohausen, Heinrich Jordis v. 1984: Hitler und die Macht der Konvention, in: Deutsche Monatshefte, 35. Jg, H. 4, 11–13

Lübbe, Hermann 1976: Orientierungskrise – ein Aspekt des sozialen Wandels, in: Neue Zürcher Zeitung, Nr 65, 19. 3., 29

Lübbe, Hermann 1979: Wieso es keine Theorie der Geschichte gibt, in: Kocka, Jürgen/Nipperdey, Thomas (Hrsg.), Theorie und Erzählung in der Geschichte = Theorie der Geschichte. Beiträge zur Historik, Bd 3, München, 65–84

Lübbe, Hermann u. a. 1982: Der Mensch als Orientierungswaise?, München

Lübbe, Hermann 1983: Der Nationalsozialismus im deutschen Nachkriegsbewußtsein, in: HZ, 236. Jg, H. 3, 579–599 (auch in: FAZ, Nr. 19 v. 24. 1. 1983, 9)

Lübbe, Hermann 1986: Ursprung und Folgen der Wohlfahrt, in: FAZ, Nr. 295, 20. 12., 11
Lübbe, Hermann 1987: Politischer Moralismus, Berlin
Lübbe, Hermann 1987a: Fortschrittsreaktionen, Graz/Wien/Köln
Lübbe, Hermann 1987b: Historisches Bewußtsein heute, in: Weidenfeld 1987, 139–154
Maaß, Winfried 1980: Die Fünfzigjährigen, Hamburg
Macke, Carl-Wilhelm 1986: Deutschland über alles? in: Wiener Tagebuch, Nr. 10, 6–8
Maetzke, Ernst-Otto 1987: Vergleiche zum Kopfschütteln, in: FAZ, Nr. 136, 15. 6., 1
Maier, Charles S. 1986: Immoral Equivalence, in: The New Republic, Vol. 195, Nr. 22, 12. 11., 36–41
Marx, Karl 1965: Der 18. Brumaire des Louis Bonaparte. Nachwort von Herbert Marcuse, Frankfurt
Maschke, Günter 1985: Die Verschwörung der Flakhelfer, in: Arndt, Hans-Joachim u. a., Inferiorität als Staatsräson, Krefeld, 93–118
Meier, Andreas 1986: Auf der Flucht vor Widersprüchen? 36. Historikertag in Trier ließ viele Fragen offen, in: Das Parlament, Nr. 43 v. 25. 10., 16
Meier, Christian 1987: 40 Jahre nach Auschwitz, München
Meinecke, Friedrich 1946: Die deutsche Katastrophe, Wiesbaden
Melnik, Stefan 1987: Annotierte ausgewählte Bibliographie zur Historikerdebatte, in: liberal, Mai, S. 85–95
Merkl, Peter H. 1980: Comparing Fascists Movements, in: Larsen, Stein Ugelvik/Hagtvet, Bernt/Myklebust, Jan Peter (Hrsg.): Who were the Fascists, Bergen/Oslo/Tromsø, 752–783
Merl, Stefan 1987: »Ausrottung« der Bourgeoisie und der Kulaken in Sowjetrußland?, in: Geschichte und Gesellschaft, 13. Jg, H. 3, 368–381
Meusch, Andreas/*Lutz*, Felix Ph. 1987: Das gegenwärtige Bild vom Vergangenen: Ein Literaturbericht, in: Weidenfeld 1987, 224–242
Mitscherlich, Alexander 1947: Endlose Diktatur? Heidelberg
Mohler, Armin 1984: Das Frageverbot, in: Criticón, Nr. 83, Mai/Juni, 121–123
Müller, Horst 1986: Vernunft und Kritik, Frankfurt
Mommsen, Hans 1983: Die Realisierung des Utopischen: Die »Endlösung der Judenfrage« im »Dritten Reich«, in: Geschichte und Gesellschaft, 9. Jg, H. 3, 381–420
Mommsen, Hans 1987: Das Dritte Reich: Bürde oder Herausforderung? in: Niemandsland, 1. Jg, H. 1, 16–20

Mommsen, Hans 1987a: Aufarbeitung und Verdrängung des Dritten Reiches im westdeutschen Geschichtsbewußtsein, in: Gewerkschaftliche Monatshefte, 38. Jg, H. 3, 129–142

Mosse, George L. 1988: Die lückenlose Geschichte, in: FAZ, Nr. 15. v. 19. 1., 9 (= Rez. v. Nolte, Vergehen der Vergangenheit 1987)

Nation Europa 1987, 37. Jg, H. 2: Historiker-Streit: Wandel im Geschichtsbild? (Themenheft)

Narr, Wolf-Dieter 1987: Der Stellenwert der Auseinandersetzung mit dem Nationalsozialismus in der gesellschaftlichen Diskussion heute, in: Niemandsland, 1. Jg, H. 1, 26–44

Negt, Oskar 1987: Wissenschaft in der Kulturkrise und das Problem der Heimat, in: Niemandsland, 1. Jg, H. 2, 13–23

Neumann, Franz 1977: Behemoth. Struktur und Praxis des Nationalsozialismus 1933–1944, Köln/Frankfurt (1942[1], 1944[2])

Niclauß, Karlheinz 1974: Demokratisierung in Westdeutschland, München

Niegel, Lorenz (Hrsg.) (1986): Der 8. Mai 1985 im Meinungsbild. Mit einem Vorw. v. Professor Dr. Hans-Helmuth *Knütter,* (Bonn)

Niethammer, Lutz 1972: Entnazifizierung in Bayern, Frankfurt (1982[2])

Niethammer, Lutz 1975: Zeitgeschichte als Notwendigkeit des Unmöglichen? in: HZ, 221. Jg, 373–389 (= Rez. v. Nolte 1974)

Niethammer, Lutz u. a. (Hrsg.) 1983, 1983, 1985: Lebensgeschichte und Sozialkultur im Ruhrgebiet 1930 bis 1960, Bde 1–3, Berlin/Bonn

Nipperdey, Thomas 1986: Nachdenken über die deutsche Geschichte, München

Nolte, Ernst 1963: Der Faschismus in seiner Epoche, München

Nolte, Ernst 1968: Der Faschismus, München

Nolte, Ernst 1974: Deutschland und der Kalte Krieg, München

Nolte, Ernst 1977: Marxismus-Faschismus-Kalter Krieg, Stuttgart

Nolte, Ernst 1979: Was ist bürgerlich? Stuttgart

Nolte, Ernst 1980/1985: Die negative Lebendigkeit des Dritten Reiches (1980), Between Myth and Revisionism? (1985), – hier zit. als: Zwischen Geschichtslegende und Revisionismus, in: Historikerstreit 1987, 13–35

Nolte, Ernst 1986: Philosophische Geschichtsschreibung heute? in: HZ, 242. Jg, 265–289

Nolte, Ernst 1987: Die Ausschau nach dem Ganzen, in: FAZ, Nr. 163, 18. 7.

Nolte, Ernst 1987a: Das Vergehen der Vergangenheit, Berlin/Frankf.
Nolte, Ernst 1987b: Der europäische Bürgerkrieg 1917–1945. Nationalsozialismus und Bolschewismus, Frankfurt/Berlin
Vom »Historiker-Streit« zum »Historiker-Krieg?« MUT-Interview mit Prof. Dr. Ernst Nolte zur aktuellen Diskussion um die deutsche Vergangenheit, in: Mut, Nr. 246, Febr. 1988, 10–16 (zit. Nolte 1988)
Oppenheimer, Franz 1986: Vorsicht vor falschen Schlüssen aus der deutschen Vergangenheit, FAZ Nr. 110, 14. 5.
Pfetsch, Frank R. 1986: Die Gründergeneration der Bundesrepublik. Sozialprofil und politische Organisation, in: PVS, 27. Jg, H. 2, 237–251
Plum, Günter 1976: Versuche gesellschaftspolitischer Neuordnung, in: Westdeutschlands Weg zur Bundesrepublik: 1945–1949, München, 90–117
Poulantzas, Nico 1973: Faschismus und Diktatur, München (1970[1])
Preuss-Lausitz, Ulf u. a. 1983: Kriegskinder, Konsumkinder, Krisenkinder, Weinheim
Puhle, Hans-Jürgen 1987: Die neue Ruhelosigkeit: Michael Stürmers nationalpolitischer Revisionismus, in: Geschichte und Gesellschaft, 13. Jg, 382–399
Reger, Erik 1947: Vom künftigen Deutschland, Berlin
Reich, Wilhelm 1933: Massenpsychologie des Faschismus, Kopenhagen (Reprint: 1971)
Rohrmoser, Günter 1987a: Genügt Optimismus? Konservatismus in der Kulturkrise, in: Mut, Nr. 239, Juli, 24–37
Rohrmoser, Günter 1987b: Ist der politische Konservatismus in Deutschland am Ende? in: Mut, Nr. 241, Sept., 31–39
Rosenthal, Gabriele (Hrsg.): Die Hitlerjugend-Generation, Essen
Saage, Richard 1983: Rückkehr zum starken Staat? Frankfurt
Saage, Richard 1987: Arbeiterbewegung, Faschismus, Neokonservatismus, Frankfurt
Schäfer, Hermann 1988: Das Haus der Geschichte der Bundesrepublik, in: APuZG, B 2/88 v. 8. 1., 27–34
Scheer, Hermann 1986: »Formierte Gesellschaft« in moderner Verpackung, in: Blätter für deutsche und internationale Politik, 31. Jg, 847–857
Schelsky, Helmut 1975: Die skeptische Generation, Frankfurt/Berlin/Wien (1957[1])
Scheuch, Erwin K. 1974: Politischer Extremismus in der Bundesrepublik, in: Löwenthal, Richard/Schwarz, Hans-Peter (Hrsg.), Die zweite Republik, Stuttgart, 433–469

Schiller, Friedrich 1789: Was heißt und zu welchem Ende studiert man Universalgeschichte? Eine akademische Antrittsrede, hier zit. n. Netolitzky, Reinhold (Hrsg.), Gesammelte Werke in fünf Bänden, 4. Bd, Bielefeld 1958, 77–98

Schmid, Karl 1946: Die Forderung des Tages, Stuttgart

Schmidt, Roland 1985: Nationalsozialismus – ein deutscher Faschismus?, in: APuZG, B 13/85, 30. 3., 41–53

Schmitt, Carl 1932: Starker Staat und gesunde Wirtschaft, in: Mitteilungen des Vereins zur Wahrung der gemeinsamen wirtschaftlichen Interesssen in Rheinland und Westfalen, Nr. 1, n. F. H. 21, 13–32

Schmitt, Carl 1936: I caratteri essenziali dello stato nazional-socialista, in: Circulo Giuridico di Milano, Gli stati Europei a partito politico unico, Milano, 37–52

Schmitt, Carl 1940: Positionen und Begriffe im Kampf mit Weimar – Genf – Versailles 1923–1939, Hamburg

Schmitt, Carl 1958: Verfassungsrechtliche Aufsätze aus den Jahren 1924–1954, Berlin

Schmitt, Carl 1982: Der Leviathan in der Staatslehre des Thomas Hobbes, Köln (1938[1])

Schnabel, Thomas 1987: Geschichte und Wende, in: Erler 1987, 9–34

Schneider, Karlheinz/*Simon,* Nikolaus (Hrsg.) 1987: Solidarität und deutsche Geschichte. Die Linke zwischen Antisemitismus und Israelkritik, Berlin (2. unveränd. Aufl.)

Schneider, Peter 1987: Im Todeskreis der Schuld, in: Die Zeit, Nr. 14 v. 27. 3., 65/66

Schoeps, Julius H. 1985: Der Antisemitismus der Konservativen und der jüdische Abwehrkampf im Reaktionsjahrzehnt in Preußen, 1850 bis 1858, in: Schneider, Karlheinz/Simon, Nikolaus (Hrsg.), Antisemitismus und deutsche Geschichte, Berlin, 43–64

Schörken, Rolf 1985: Luftwaffenhelfer und Drittes Reich, Stuttgart

Schulz, Gerhard 1974: Faschismus – Nationalsozialismus, Frankfurt/Berlin/Wien

Schulze, Hagen 1987: Wir sind, was wir geworden sind, München/Zürich

Schumacher, Joachim 1978: Die Angst vor dem Chaos, Frankfurt (1937[1])

Schwarz, Hans-Peter 1987: Patriotismus, in: Die Politische Meinung, Nr. 232, Mai/Juni, 35–46

Seifert, Jürgen 1974: Kampf um Verfassungspositionen, Köln/Frankfurt

Seifert, Jürgen 1987: Vom autoritären Verwaltungsstaat zurück zum Verfassungsstaat, in: FR, Nr. 296, 22. 12., 11
SINUS 1981: 5 Millionen Deutsche: »Wir sollten wieder einen Führer haben ...«, Reinbek b. Hamburg
Späth, Lothar 1985: Wende in die Zukunft, Reinbek b. Hamburg
Steinbach, Peter 1987: Der »Historikerstreit« – Ein verräterisches Ereignis, in: PVS-Literatur, 2/87, 28. Jg., Dez., H. 2, 159–169
Sternberger, Dolf 1982: Verfassungspatriotismus, Hannover
Stölzl, Christoph/*Tafel*, Verena 1988: Das Deutsche Historische Museum in Berlin, in: APuZG, B 2/88 v. 8. 1., 17–26
Stöss, Richard 1978: Väter und Enkel: Alter und Neuer Nationalismus in der Bundesrepublik, in: Ästhetik und Kommunikation, Nr. 32, 9. Jg, Juni, 35–57
Stöss, Richard (Hrsg.) 1983: Parteien-Handbuch, Opladen
Strauß, Franz Josef 1985: Verantwortung vor der Geschichte, Percha a. Starnberger See
Strauss, Herbert A. 1987: Antisemitismus und Holocaust als Epochenproblem, in: APuZG, B 11/87 v. 14. 3., 15–23
Streit, Christian 1987: Es geschah Schlimmeres, als wir wissen wollen, in: Blätter für deutsche und internationale Politik, 32. Jg, 1287–1300
Stürmer, Michael 1982 in: Deutscher Sonderweg – Mythos oder Realität? Kolloquien des Instituts für Zeitgeschichte, München/Wien, 40–45, 60–64, 70–72, 74–76, 77–79
Stürmer, Michael 1983: Kein Eigentum der Deutschen: die deutsche Frage, in: Weidenfeld, Werner (Hrsg.), Die Identität der Deutschen, Bonn = Schriftenreihe der Bundeszentrale für politische Bildung Bd 200, 83–101
Stürmer, Michael 1984: Die Suche nach einem Daseinszweck, in: FAZ, Nr. 139, 16. 6.
Stürmer, Michael 1986: Dissonanzen des Fortschritts, München
Stürmer, Michael 1987: Nation und Demokratie, in: Die Politische Meinung, Nr. 230, Jan./Febr., 15–27
Stürmer, Michael 1987a: Änderung der Tagesordnung? in: FAZ, Nr. 74, 28. 3., 1
Stürmer, Michael 1987b: Lernen aus der Geschichte, in: FAZ, Nr. 101, 2. 5., 1
Stürmer, Michael 1987c: Im Zeichen der Sonne, in: FAZ, Nr. 241, 17. 10.
Sullivan, Scott 1987: Ghosts of the Nazis, in: Newsweek, 20. 4., 20–28
Sygusch, Frank 1987: Vergangenheit, die nicht vergehen will, Ein notwendiger Pressespiegel, Gießen

Thamer, Hans-Ulrich 1986: Verführung und Gewalt. Deutschland 1933–1945, Berlin (= Die Deutschen und ihre Nation, Bd. 5)
Thüne, Wolfgang 1987: Die Heimat als soziologische und geopolitische Kategorie, Würzburg
Topitsch, Ernst 1985: Stalins Krieg, München
Tugendhat, Ernst 1987: Wie weit sind die Positionen von Nolte und Habermas voneinander entfernt?, in: Niemandsland, 1. Jg, H. 1, 21–23
Türcke, Christoph 1987: Darüber schweigen sie alle, in: Merkur, 41. Jg, 762–772
Turner, Henry Ashby jr. 1985: Die Großunternehmer und der Aufstieg Hitlers, Berlin
Überschär, Gerd R. 1987: Deutsche Zeitgeschichte in Hitlers Schatten, in: Erler 1987, 62–85
Wehler, Hans-Ulrich 1969: Geschichtswissenschaft heute, in: Habermas, Jürgen (Hrsg.), Stichworte zur »Geistigen Situation der Zeit«, 2. Bd, Frankfurt, 709–753
Wehler, Hans-Ulrich 1981: Der Bauernbandit als neuer Heros, in: Die Zeit, Nr. 39 v. 18. 9., 44
Wehler, Hans-Ulrich 1985: Geschichte von unten gesehen. Wie bei der Suche nach dem Authentischen Engagement mit Methodik verwechselt wird, in: Die Zeit, Nr. 19, 3.5., 64
Wehler, Hans-Ulrich 1988: Entsorgung der deutschen Vergangenheit? München
Kampf um die kulturelle Hegemonie? Hans-Ulrich Wehler im Gespräch mit Rainer Erd über Ziel und Folgen des Historikerstreits, in: FR, Nr. 35, 11. 2. 1988, 7 (zit. Wehler 1988a)
Weidenfeld, Werner 1983: Die Identität der Deutschen – Fragen, Positionen, Perspektiven, in ders. (Hrsg.), Die Identität der Deutschen, Bonn, 13–49
Weidenfeld, Werner 1985: Modernisierung – Kern neuer europäischer Identität? in: APuZG, B. 28/85, 13. 7., 3–9
Weidenfeld, Werner (Hrsg.) 1987: Geschichtsbewußtsein der Deutschen. Materialien zur Spurensuche einer Nation, Köln
Weiß, Johannes 1986: Wiederverzauberung der Welt?, in: Neidhardt, Friedhelm u. a. (Hrsg.), Kultur und Gesellschaft, Opladen (= Sonderh. Kölner Zeitschrift für Soziologie und Sozialpsychologie), 286–300
Weizsäcker, Richard v. 1983: Die deutsche Geschichte geht weiter, Berlin
Weizsäcker, Richard v. 1987: Weltoffener Patriotismus, in: FAZ, Nr. 259, 7. 11., 29
Wette, Wolfram 1987: Über die Wiederbelebung des Antibolsche-

wismus mit historischen Mitteln oder: Was steckt hinter der Präventivkriegsthese, in: Erler 1987, 86–115
Wiesemann, Falk 1976: Die Gründung des deutschen Weststaats und die Entstehung des Grundgesetzes, in: Westdeutschlands Weg zur Bundesrepublik: 1945–1949, München, 118–134
Willms, Bernard 1983: Das deutsche Wesen in der Welt von morgen – Überlegungen zur Aufgabe der Nation, in: Nation Europa, 33. Jg, H. 11/12, 5–22
Wilson, Michael 1982: Das Institut für Sozialforschung und seine Faschismusanalyse, Frankfurt/New York

Nachweise

Abschnitt IV und die Schlußbemerkungen greifen auf frühere Arbeiten zurück:

- »Einleitung: Was heißt und zu welchem Ende studiert man Faschismus?«, in: Gesellschaft. Beiträge zur Marxschen Theorie 6, Frankfurt 1976, S. 7–18 (hier: S. 7–11)
- »›Warum‹, ›Wozu‹ und ›Wie‹ studieren ›Wir‹ Faschismus?«, in: Haefter for Historie. Historiestudiet, Aalborg Universitetscenter, AUC 1979, Heft 1, S. 86–117
- »Faschismus vor 1933 und nach 1945. Anmerkungen zu einem Kampfbegriff«, in: Gerhard Paul, Bernhard Schoßig (Hrsg.), Jugend und Neofaschismus, Frankfurt 1979, S. 64–74, und in: Akademie der Arbeit in der Universität Frankfurt a. M., neue Folge 30, Frankfurt 1979, S. 30–36
- »Entstehung von Faschismus in Deutschland«, in: Zusammenbruch und Befreiung. 8. Mai 1945. Dokumentation der Veranstaltungsreihe, hrsg. vom ASTA und Rektor der Fachhochschule Frankfurt, Frankfurt 1986, S. 12–32

Diese Arbeiten sind hier auszugsweise wieder abgedruckt, wobei sie aber neu zusammengestellt worden sind. Gleichzeitig wurde darauf geachtet, die ursprünglichen Formulierungen weitgehend beizubehalten.

Hinzugekommen sind die Hinweise auf den faschistischen Antisemitismus als »Grenzproblem« des Faschismusbegriffs und der Faschismusanalyse. Dieser Zusatz ist entscheidend, zeigt er doch, daß die früheren Texte in diesem Punkt so »abstrakt« sind, daß diese gesamte Themendimension übergangen wird. In der letztlich »funktionalistischen« Interpretation Mitte der 70er Jahre bleibt – bei aller politischen Kritik des »Ökonomismus« – der Antisemitismus tendenziell ausgeblendet. Auch dieser Aspekt eines »hilfslosen Antifaschismus« verdient, dokumentiert zu werden, bestimmt er doch – über die hier herangezogenen Arbeiten hinaus – die Diskussion der »Formen bürgerlicher Herrschaft« und ist ein Indiz für eine seitens der »Linken« stillschweigend in Anspruch genommene »Gnade der späten Geburt«. An diesen Defiziten hat die Neuaufnahme der alten Arbeitsgänge anzusetzen, um gerade in dieser Beziehung von den Forschungsentwürfen der »Frankfurter Schule« zu lernen.